新潮文庫

町奉行日記

山本周五郎著

目次

町奉行日記

一

「高閑《こうが》さま、召されます」

「………」

「高閑さま、高閑さま」

連日のお伽《とぎ》の疲れで、坐ったまま仮睡《うたたね》をしていた高閑斧兵衛《おのべえ》は、二度めの呼声ではっと眼をさました。……近習番岡田伊七郎の蒼白《あおじろ》い顔が、燭台《しょくだい》の火影《ほかげ》に揺れて幽鬼のように見えた。斧兵衛は慄然《りつぜん》として思わず、

「どうあそばした、御急変か」

と息を詰めながら訊《き》いた。

「いえ、お上《かみ》がお召しなされます」

「お召し、ああそうか」

ほっと溜息《ためいき》をついて、斧兵衛は何度も頷《うなず》いた。

土佐守山内一豊《とさのかみやまのうちかずとよ》は、春からの微恙《びよう》が次第に重《おも》って、初秋と共に愈《いよいよ》重態となり、殊にこの四五日はずっと危篤の状態を続けていたので、重臣たちは殆んど城中に詰めきりであった。……中にも高閑斧兵衛は、身分こそ千二百石の侍大将に過ぎなかったが、一豊がまだ猪右衛門《いえもん》といった時代からの随身だし、寵愛《ちょうあい》殊に篤《あつ》かったので、傷心のさまは傍《はた》の見る眼も痛ましく、もう二十余日

土佐の国柱

というもの、一度も下城せず、寝食を忘れて、万一の恢復《かいふく》を祈っているのであった。

病間はがらんとしていた。お伽衆も居ず、侍医も女房たちも見えなかった。

「近う、ずっと近う」

「……御免」

「遠慮は無用だ、ずっと近う寄れ」

一豊は、瘦《や》せた手をあげてさし招いた。そして、斧兵衛が云われるままに上段間際まで膝行《しっこう》すると……おち窪《くぼ》んだ眼を静かに向けて、

「今宵《こよい》は、……其方《そち》と悠《ゆっ》くり話そうと思ったので、態《わざ》と一同に遠慮をさせたのだ。其方と差向きで話の出来るのも、恐らくこれがしまいであろう。……顔を見せい」

斧兵衛はすばやく泪《なみだ》を押拭《おしぬぐ》ってから、平伏していた顔をあげた。一豊は暫《しばら》くのあいだ、昵《じっ》とそれを見戍《みまも》っていたが、

「其方もじじいになったな」

としみ入るような声で云った。

「思えば其方とは長い宿縁であった。主従そろって芋粥《いもがゆ》を啜《すす》った尾張時代から、生き残っているのは其方一人だ。……覚えておるか、安土《あづち》の馬寄せの日のことを」

「まことに、昨日の如く覚えまする」

一豊がまだ木下秀吉の配下であった頃、その妻が鏡筥《かがみばこ》の中から金拾両を出して、良人《おっと》に名馬を買わしめた、安土城馬寄せが行われたとき、これが信長の眼に留って、一豊出世の端緒を成した

話は有名である。

「あの時分は苦しかったな。……越前《えちぜん》攻めの折などは、武具が足りなくて、其方などは竹槍へ渋を塗って持ちおったぞ。……それが、今ではこうして従四位下《じゅしいげ》の土佐守、二十四万石あまりの主となり、芋粥を啜らせた其方にも、どうやら人並のことがしてやれるようになった。一豊は……果報めでたき生れつきだと思う」

斧兵衛は声をのんで平伏した。一豊は暫く息をついていたが、

「わしはするだけの事をした」

と静かに続ける。「もういつ死んでも惜しくはない。唯ひとつ……心残りなのは、わしが不徳であったばかりに、生前、この国の民心を統一することが出来なかったことだ」

「…………」

「これだけが往生の障碍《しょうげ》だぞ」

斧兵衛の肩の震えるのが見えた。

一豊が土佐に封ぜられたのは、慶長五年であった。その以前は、長曾我部《ちょうそかべ》氏《し》が領主で、元親《もとちか》、盛親と二代続いた名君であったから、領民たちは神の如く崇拝し、また慈父に対する如く馴着《なつ》いていた。……だから、一豊が入国しても、彼等は敢えて恭順を表さなかったばかりでなく、却《かえ》って反感をさえ懐《いだ》いた結果、或いは一豊の行列に向って罵詈《ばり》を飛ばし、石を投ずる者さえ出て来る有様であった。

しかし、一豊は忿激《ふんげき》する家臣を戒めて、

「猥《みだ》りに罰してはならぬ。体を斬ることは出来ても心中の逆意までは斬れない。我に向って石を投げるのは、前の領主を追慕する心からで、これを善導し撫育《ぶいく》すれば、やがては我のためにも、不惜身命《ふしやくしんみょう》の民となるであろう。……刑罰を厳にしただけでは、決して国は治まるものではないぞ」

そう云って家臣の自重を命じた。

かくて五年、一豊は熱心に善政を布《し》き、諸民の安堵《あんど》を計って来たが、傲岸《ごうがん》不屈の土佐人《びと》はいっかな心解けず、領内を一歩奥へ入ると、諸所に土着の豪族がいて、昂然《こうぜん》と山内家に対抗の勢力を張っていた。

二

「……わしの申すことが分るか」

「……はあっ」

「土佐一国、山内家に帰服する日こそ、初めて一豊が成仏をする時だ、それまでは万巻の看経《かんきん》供養も無益だぞ」

そう云ってから、一豊はやや久しく気息を調えていたが、やがて調子を改めて、

「斧兵衛、其方は儂《わし》にとって半身同様の者じゃ。……追腹《おいばら》は無義無道のものゆえ、家中には厳しく禁ずるが、其方だけは格別だ。……冥途《めいど》の供をしてくれ」

「お許し下さいまするか」

「許さぬと申しても、わしが死んで生残る其方ではあるまい。追腹許す。……なれど、直ぐには

ならんぞ、三年待とう」

意外な言葉であった。

「三年とは、……如何《いか》なる御意《ぎょい》にて」

「土産を頼みたい」

「………」

「三年のあいだに土産を作って参れ、それまでは冥途で待つ。一豊は成仏せずに、其方の追いつくのを待っておる。……分るか」

謎《なぞ》のように云う一豊の眼をひたと見上げた斧兵衛は、やがて、にっと微笑しながら、

「委細かしこまり奉る」

と答えて平伏した。

四十余年、戦塵《せんじん》のあいだに生死を供にして来た主従が、果して何を約したのであろうか。……一豊はそれから数日の後、慶長十年九月二十日に死んだ。

其日、一豊は死に臨んで世子の忠義（一豊に子が無かったので、弟修理亮康豊《しゅりのすけやすとよ》の子を養嗣子《ようしし》とした）を呼び、列座の老臣に後事を託したのち、特に言葉を改めて、

「斧兵衛は我が家にとって、功労抜群の者である。老年であるから我儘《わがまま》の振舞いもあろうと思うが、なにごとも差許《さしゆる》してやるよう」

と遺言した。

一豊の遺骸は、茶毘《だび》に附して月輪山《げつりんざん》に殯《ほうむ》り、大通院心峰伝大居士と諡号《しごう》した。……一家中の悲《ひ》

歎《たん》は云うまでもなく、大阪の豊家や、遠く徳川家からも弔問の使が来たりして、七七忌までの法会は盛大を極めたものであった。

かくて百日忌の時である。

二代忠義が法会に参ずるため、行列を真如寺《しんにょじ》に向って進める途中、堵列《とれつ》していた士民たちの中から供先へ生魚を抛《ほう》った者があった。……仏事に生魚を抛《なげう》つ。それでなくとも日頃から忿懣《ふんまん》を抑え兼ねていた家臣たちは、この乱暴を見て嚇怒《かくど》し、

「狼藉者《ろうぜきもの》を逃がすな」

「邪魔する者は斬ってしまえ」

と勢《きお》い立ち、すぐに乱暴者をひっ捕えた。……気早の者は刀を抜いて即座にも斬ろうとする。そこへ、騒ぎを知って高閑斧兵衛が走《は》せつけて来た。

「鎮まれ鎮まれ。なにを騒ぐ」

「狼藉者です」

先供《さきども》のなかから、堂上《どうがみ》喜兵衛という一徹者が進み出《い》でて答えた。

「お供先へ生魚を抛りおったのです。御仏事と知って此奴《こやつ》、お行列を汚しおったのです」

「嘘だ。投げたのではない」

捕えられた若者は傲然と叫んだ。「魚にはぬ、め、り、というものがある。洗っていたら手を滑って飛んだのだ。人間には過ちということがある。過ちで飛んだのだ」

「此奴、ぬけぬけと申す」

「問答に及ばぬ、斬ってしまえ」

「待て、待てと申すに」

騒然となる家臣たちを、斧兵衛は大音《だいおん》に押えながら云った。

「過ちであるか、態《わざ》と致したか、孰《いず》れにしても取糺《とりただ》してからのことだ。このまま奉行役まで曳《ひ》いて参れ、手荒なことをすると許さんぞ」

「仰せではござるが、士民へのみせしめとして此奴は此処《ここ》で斬るべきだと存じます」

喜兵衛が、我慢ならぬという調子で云った。しかし、斧兵衛は固く頭《かしら》を振り、

「ならぬ、奉行所へ曳け、申付けたぞ」

そう命じて立去った。

法会が済んだ後。……この若者の処置に就いて、老臣たちが評議を開いた。田中孫作、西崎玄《げん》蕃《ば》、五藤靭負《ゆきえ》などの人たちは最も硬論で、

「刑罰を明らかにするいい機会だ。お代替りを幸い律を改め、威を厳にして領民の心を帰服させなければならぬ。このためには斬罪にして諸民へのみせしめとするが宜《よ》い」

ということを主張した。

議論は殆んど列座一致するところであったが、そのなかで独り頭として承知しない者があった。高閑斧兵衛である。

「拙者の意見は違います」

と彼は座の真中へ進んで云った。

「大通院さまは御生前、刑罰は重からざれと、熟《よ》く熟く仰せられてござる。第一に……領民の心服せざる理由は、長曾我部氏の遺徳を慕うあまりのことであって、申してみれば我等に長曾我部ほどの徳がないとも云える」

「聞き捨てのならぬ言《こと》を云う。貴公はお家の禄を食《は》みながら、土民に加担して御政治向きを誹謗《ひぼう》される気か」

「言葉咎《とが》めは措《お》かれい。拙者は老年の我儘者でござる。大通院さまより、斧兵衛には我儘勝手たれと御遺言のお許しがござる」

「貴公は御遺言を盾にとって、横車を押すか」

田中孫作は怒気を発して、「さらば孫作など、なにを申上げるにも及ぶまい。退座しょう」

そう云って、席を蹴《け》って去った。

五藤靭負も、西崎玄蕃もそれに続いた。……そして斧兵衛の主張がうやむやの内に通ってしまい、かの若者は間もなく無事に解放された。

三

〽……殿のお馬は蘆毛《あしげ》にて、緋羅紗《ひらしゃ》の鞍《くら》おき

とりひろげ、鳥刺毛《とりさしげ》、御陣場とおく、見てあれば。

「やんや、やんや」

「うまいぞ小弥太、起って舞え」

「若衆ぶりを妓《おんな》どもに見せてやれ」

十四五人の若い武士たちが手を拍《う》って囃《はや》すのに応えて、池藤小弥太がひょろひょろと立ちあがった。

「それでは舞うぞ」

「白い股《もも》見するなよ、妓どもが気を失うでな」

髭《ひげ》の貫島《ぬきじま》十郎左が、どら声をあげると、

「まあ、仰有《おっしゃ》ること」

「憎い髭十さま」

「性《しょう》をつけてやりましょう」

浦戸から呼ばれて来た妓たちは、きゃらきゃらと嬌声《きょうせい》をあげながら、十郎左を小突き廻した……みんな酔っているし、城下を離れた気安さから、袴《はかま》を投げ、肌を脱ぎ、思うさま羽目を外していた。

小弥太はよろよろと立ちあがり、

「よいか、舞うぞ」

もういちど云って大剣を抜くと、よく澄んだ声で、平家を朗詠しながら舞いはじめた。……忠《ただ》度《のり》最期の条《くだり》である。

『忠度は西の手の大将にておわしけるが』より始まって、岡部の六弥太と組討ちになる。

『……薩摩守《さつまのかみ》は、聞ゆる熊野そだちの大力、屈竟《くっきょう》の早業にておわしければ、六弥太をつかみて、憎い奴が味方ぞと……』

絵のような舞振りだった。

池藤小弥太は、近習番のなかでも評判の美男で、背丈は六尺に近く、白皙《はくせき》の顔に一文字の濃い眉と彫《ほり》の深い唇の線とが、ひどく印象的な感じを与えている。頭もいいが、腕も出来るし、そのうえ、誰からも愛される柔和な人柄を持っていた。

ここは高知城下とは国分川を隔てた、五台山の中腹にある播磨《はりま》屋の別屋敷だった。……播磨屋は長曾我部氏の時代から、土佐随一の海運業者で、山内氏の世になっても、御用商として重く用いられている関係から、随時その別屋敷を、家中の士に開放していたのである。今日は殊に若手の者ばかり二十余人、浦戸からあそび女《め》まで呼んで、無礼講《ぶれいこう》の騒ぎをやっているのだった。

しかし、ここでばか騒ぎをやっているのが全部ではない。この棟のうしろが丘になっている。その丘の松林のなかにもうさっきから六人の若侍たちが集まっていた。……堂上喜兵衛、渡部勝之助、林久馬、林甚三郎、庄野九郎兵衛、神谷《かみや》伝之進。みんな先手《さきて》組でも選《え》り抜きの者たちで、堂上はいちばん年長でもあり、またその組頭でもあった。

「仕様がないな、いつまで待たせるんだ」

「忘れているんじゃないか」

「そう云えば、だいぶ酔っていたぞ」

「……呼びに行きましょうか」

いちばん年少の林久馬がそう云って立った。

「うん、そうして貰おう」

　喜兵衛が頷いて云った。

　久馬は直ぐに走って行った。……吸江《すいえ》の湾が殆んど眼の下に見える。三月はじめの空は浅緑に晴れあがって、高く高く鳶《とび》の鳴く声が、睡気を誘うように聞えていた。

　間もなく久馬が、小弥太の腕を肩にかけて、担ぐようにしながら戻って来た。

「やあ、失礼、……まことに失礼」

　小弥太はひどく酔っていた。

「すっかり酔ってしまって。……もう談合は済んでしまったのですか。いい気持に舞いはじめたものだから、つい」

「談合はこれからだ。まあ下にいないか」

　喜兵衛が、ぶすっとした調子で云った。

　小弥太が、萌《も》えはじめた若草の上へ、崩れるように坐ると、みんな喜兵衛の周りへ座を進めた。……久馬だけは、少し離れて見張りのために立っていた。

「今日集まって貰ったのは、高閑斧兵衛どのに就いて、最後の意見を纏《まと》めるためだ」

　喜兵衛が静かに口を切った。

「大通院さまが御他界あそばされて二年、この秋には御三年忌が行わせられる。各々も知っている通り大通院さまには、御生前なによりも、土佐の民たちがお家に帰服していないことを御無念に思召《おぼしめ》されていた。民心が帰服して、山内家万代の日が来るまでは、成仏せぬとさえ仰せられてある。……それなのに、事実はどうか」

四

「土民たちは依然として反抗の意《こころ》を懐《いだ》いている。寧《むし》ろ御威光を軽んじ貶《おとし》めているとも云えるだろう。こんな状態では、御三年忌の御霊前に見《まみ》えることは出来ないぞ！」

喜兵衛は言葉を強調するために、暫く黙っていたのち再び続けた。

「こういう状態を来した直接の責任は、高閑斧兵衛どのにある。斧兵衛どのは『刑罰を厳にしただけでは民心は帰服せぬ』という仰せを穿《は》き違えて、ただ御寛大、御寛大の一点張りで来た。……百日忌の御法会に、お供先へ魚を抛った狼藉を、なんのお咎めもなしに解放したのは誰か。魚網運上の件に就いて、漁師どもが騒動を起こしたとき、運上取り止《や》め、騒動に及んだ漁師どもに一人の咎めなしという裁きを押切ったのは誰か。……また去る秋、諸方の豪族、郷士どもに、年貢上納を中付ける議が出たとき、その時期に非ずと反対して、これを揉消《もみけ》したのは誰か。斧兵衛どのだ。みんな斧兵衛どのだ」

喜兵衛の言葉が静かであるだけ、その声音の底に脈搏《う》っている忿怒《ふんぬ》が、若い者たちの胸にびしびしと感じられた。

「こんな事が度重っては、土民たちがお家の御威光を軽んじ奉るのも道理だ。……これ以上こんな事を繰り返していてどうするか」

「思切ってやるべき時だと思う！」

「そうだ、その時なんだ」

庄野九郎兵衛の突っ掛るような声に、喜兵衛は強く頷いて云った。

「大通院さまは御臨終に、斧兵衛は功労格別の者ゆえ、われ亡き後も、我儘勝手を許すと仰せられたと承る。老職方がその御遺言に遠慮して、なにも出来ぬのなら、我々が代って、お家の禍根を断つべきだ」

「もうそれ以上、理非の糺明《きゅうめい》は要らぬでしょう」

「まあ待て、……」

渡部勝之助の急《せ》き込むのを抑えて、

「もう一つだけ云うことがある」

と喜兵衛は膝《ひざ》へ手を置いた。「……これは誰が云ったと名を指すことは出来ぬ。お側小姓の一人とだけ申すが、……大通院さまは御他界の数日前、夜半に斧兵衛どのを御前へ召され、其方には追腹を許す冥途の供せよ。……そう仰せられたとのことだ」

「斧兵衛に……追腹のお許し」

「殉死のお許しを！」

みんな水を浴びたように息をひいた。

「お人払いでお側には誰もいなかった。しかし小姓の一人がお襖際《ふすまぎわ》で、たしかに聴き取ったのだ。年少ではあり、余りに重大なことで、人にこうと話すことも出来なかったが……と、つい一昨日、元服の祝儀の席で拙者に告白したのだ」

「岡田伊七郎だな！」

林甚三郎が云うと、

「いや、誰であろうと構わぬ」

勝之助が拳《こぶし》を突出しながら、「……家中一統、追腹を厳重に禁じられた中に、斧兵衛一人はそれを許された、冥途の御供を許されたのが事実とすれば、斧兵衛は追腹をすべきだ」

「しかし生きている。斧兵衛は生きているぞ」

「もし自分で腹が切れぬというなら、我々が手を藉《か》そうではないか」

「それなんだ」

喜兵衛は頷いて云った。「……斧兵衛どののお命を貰うことは予《かね》て覚悟していたが、そのために一人でも二人でも犠牲を出すのが厭《いや》だった。万策無きときは仕方もないが、なるべくなら、誰にも傷をつけずに処置をしたいと思っていた。……しかしもういい。追腹のお許しが出ている以上、斧兵衛どのは自裁すべきだ。自裁しないなら我々が……」

云いかけて、喜兵衛は口を噤《つぐ》んだ。

池藤小弥太が立ちあがったのである。……今まで茫然と眼前にある若草の芽を摘んでいた彼は、急にひょろひょろと立ちあがって、そのまま向うへ行こうとする。

「池藤、貴公どうするのだ」

喜兵衛が鋭く声をかけた。

「何処《どこ》へ行くのだ」

「……拙者は、いても仕様がないと思いまして」

「どういう意味で？」

「御一同の意見は伺いました」

小弥太は空の向うを見やりながら、

「それで失礼しようと思うのです。各々がお家のためを想って、高閑どのを除こうとなさる気持はよく分りますが、……拙者は同意できません」

「同意できない、……！」

「なぜだ」

勝之助が、ぎらりと眼を光らせた。

「なぜ同意ができない。その理由を聞こう」

「理由というほどのことはありません。……まあ強いて申せば、拙者は近いうちに高閑どのの娘を妻に貰おうと思っているのです」

「なに、斧兵衛の娘を！」

「舅《しゅうと》になるべき人を斬る。……これは同意できないのが人情でしょう。では……失礼」

小弥太は、蹌踉《そうろう》と去って行った。

五

「池藤、あの噂《うわさ》は本当か」

「噂とは……」

「高閑の娘を娶《めと》るという話よ」

貫島十郎左はむずと坐りながら云った。

「なに、貰おうと思うと云ったまでだよ」

「なぜそんな馬鹿なことを。……貴公、高閑と一緒に斬られてしまうぞ」

「そんな事はないさ」

「無くはない、全体が貴公のこの頃は少し不審なことばかり多過ぎるぞ。まるで、人が違ったようではないか。……今まで親しく附合っていた我々とは疎遠になるし、余り呑まなかった酒を馬鹿に呑みはじめるし、先日みたいに、急に舞いだしたり、……尤《もっと》もあのときは己《おれ》が強いたかたちもあるが」

「人間はみんな、……いつか少しずつは変るものだよ」

「いったい貴公、高閑の娘を知っているのか」

「隣り同志ではないか」

小弥太はちらと、隣り屋敷の方へ眼をやった。……南国の春は早く過ぎる。低い生垣を境に隣っている高閑斧兵衛の屋敷は、家構えこそ松林に隠れて見えないが、相接している庭の隅に、もう散りはじめた桜がひともと、午《ひる》さがりの閑寂さを語るかに樹《た》っていた。

「隣り同志だからどうだというのだ、美人だと評判だけは聞いているが、まだ誰も近寄って顔を見た者はないぞ」

「馬鹿だな」

小弥太は苦笑しながら云った。

「嫁に貰おうと思うくらいで、相手の顔も知らぬ筈はないじゃないか。……断わって置くが、まだ話は決った訳じゃないからな。拙者が貰いたいと思っているだけのことだからな」

「詰らぬ。池藤小弥太ともある者が、なにも好んで斧兵衛づれの娘を貰わんでも……」

「なんとやらは、思案の他《ほか》と云うぞ」

「まるで分らん」

十郎左は髭をひねりあげて「貴公はすっかり変ってしまった。なんだかまるで謎みたいだぞ貴公は。……とにかく、堂上《どうがみ》一統に気をつけるがいい、渡部勝之助などは、貴公を先《ま》ず血祭にあげると云ってるそうだから」

「それは怖いな。あいつは無鉄砲だからな」

「己は冗談を云いに来たんじゃないぞ」

十郎左は立ちあがって、

「もういちど云うが、高閑の娘を貰うことはよく考えた方がいい。己は貴公の親友を以《もっ》て任じているが、いざという場合には……遠慮はしないぞ」

「駄目だよ、……貴公には斬れぬ」

「斬れぬと？」

「貴公の太刀筋は悪くない」

小弥太は微笑しながら云った。

「悪くないどころか、恐らく家中で十郎左と三本に一本の勝負の出来る者は、渡部の勝之助くらいのものだろう。……けれど、小弥太を斬ることは出来ないさ」

「池藤、……貴公、己と立合う積りか」

「なるべくなら、そんなことになりたくないものだ」

十郎左は立ったまま、とび出しそうな眼で小弥太を睨《ね》めおろした。……そして、大きく首を捻《ひね》りながら、

「己にはもう、すっかり分らなくなった」

と投げるように云って立去った。

十郎左を玄関まで送って戻ると、庭から、そっと家来の岡倉金右衛門があがって来た。……まだ、十九歳であるが、顔だちも心までも、老成した青年で、右足が少し蹩《ちんば》だった。

「貫島さまは、怒ってお帰りでございましたな」

「見ていたのか」

「直ぐにも抜くかと思いました。……貫島さまがあんなでは、他の方々はどれほどかと考えまして、些《いささ》か心懸りに存じられます」

「喜兵衛が探りに寄来《よこ》したのだ」

小弥太は坐って、

「……それが分っているから、態《わざ》と手厳しく云って置いたまでだが、喜兵衛には一筆書いてやら

ねばなるまい。それより調べの方はどうだ」

「矢張りおめがね通りでございました」

　金右衛門は縁先に坐った。

「……正念寺《しょうねんじ》に集まった者五人、分ったのはその内二人ですが、一人は朝倉の幸田久左衛門、一人は安芸《あき》の住江宮内《すみえくない》でございます」

「住江宮内、……それは大物だな」

「他の三人はどうしても分りませんでしたが、そのなかに槇島玄蕃頭《まきしまげんばのかみ》という名が見えました。これは関ヶ原で治部《じぶ》どの（石田三成）の旗下に働いた玄蕃頭ではないかと思われますが」

　小弥太は黙って頷いたが、その眼は明らかに深い感動の色を表わしていた。

「……或いは、そうかも知れぬ」

「高閑さまの応待ぶりからみましても、私はそれに違いないと考えられました。――いったい、ああして諸方の豪族たちと密会して、高閑さまはなにをなさるお積りなのでございますか。土地の豪族ばかりでなく、関ヶ原の残党まで加わっているというのは、全く……」

「それを訊いてはならぬと申付けてあるぞ」

「……はい、承っております」

　金右衛門は温和《おとな》しく低頭はしたが、

「……承ってはおりますが、今日まで仰せのままに、私が調べましたところでは高閑さまの為《な》され方はまるで……」

「金右衛門、それ以上申してはならぬ」

小弥太が鋭く制止したときである。

「……ああ危ない！」

というけたたましい叫び声が聞えて来た。

六

声は隣り屋敷の庭である。

小弥太はまるで待受けていたもののように、即座に庭へとび下りて、境の生垣の際へ走《は》せつけた。

松林の中で、きらりと白刃が光った。

高閑斧兵衛と、老家扶《ろうかふ》の茂右衛門とが揉み合っている側に、一人の少女《おとめ》が端然と坐っているのが見えた。

——小百合《さゆり》という、斧兵衛の一人娘である。

斧兵衛は娘を斬ろうとするらしい。

「放せ、茂右衛門、放さぬか！」

「お待ち下さい。……御短慮でござります。お嬢さま早く、逃げて……」

「おのれ、放せというに！」

大剣を持った手で、烈しく茂右衛門を突き退《の》けたとき、……生垣を乗り越えて小弥太が大股《おおまた》に

走せつけ、

「御老職、お鎮まり下さい」

と立ち塞《ふさ》がった。

「……池藤か」

「御折檻《せっかん》も程があります。先ずお待ち下さい」

「ならぬ。貴公の出るところではない」

「仔細《しさい》は存じません。無断で生垣を越えたお詫《わ》びも申上げます。しかし、このうえ小百合どの御折檻は、拙者が不承知です」

「なに、其方が不承知だと？」

皺《しわ》をたたんだ斧兵衛の顔に、その双眼がきらりと鋭く光を放った。……小弥太はそ知らぬ顔で、有無をいわさず小百合を援《たす》け起こすと、

「御老職も噂くらいはお聴きでしょう」

「………」

「拙者は予てから御息女を家の妻に申受けたいと存じていたのです。いや！　場所柄作法の論は無用です。妻に申受けたいという考えをお含み置き下されればそれで宜しい。……小百合どの、さあ参りましょう」

「待て池藤、待て！」

斧兵衛は、怒声をあげた。

「それは斧兵衛の娘だぞ」

「年頃になれば嫁して良人に従うのが女子の道です。とにかくお怒りの鎮まるまで、お預かり致します。……小百合どの、さあ……」

「いいえ、お放し下さいまし」

小百合は、執られた手を放そうとしながら、

「わたくし、父の成敗を受けなければなりませぬ。どうぞこのままお捨て置き下さいまし」

「話はあと、話はあとです」

小弥太はびくともせず、

「茂右衛門どの、後は頼むぞ」

と云い捨てると、厭がる娘を強引に、まるで抱えるようにして伴《つ》れ去った。

遠くから姿こそ見たが、近寄って顔を合わせるのも初めてだし、むろん言葉を交わすのも初めてである。小弥太の思い切った態度に遭って、小百合は僅かに反抗しながらも、それ以上どうすることも出来ない圧迫を感じて、あとはただ噎《むせ》びあげるだけだった。

「もう大丈夫ですよ」

小弥太が家へ伴れ戻ると、……広縁に母親の亀女が立っていた。

「どうしたのですか、小弥太」

「小百合どのが折檻されていたので、まあ預かって来たのです。……小百合どの、母です」

「御挨拶はあとにして」

と亀女は振返って、

「おかよ洗足《すすぎ》の水を取っておくれ。……あなた、どうぞ向うへお廻りなされませ。お父上には小弥太からお詫びをさせましょう。さあ、遠慮をなさらずにどうぞ」

「……お恥ずかしゅう存じます。お言葉に甘えまして、それでは……」

小百合はようやく泪《なみだ》を押えながら、洗足をとりに廻って行った。

「母上、眼を離さぬように願います」

小弥太は囁《ささや》くように云った。

「ひどく思い詰めている様子ですから」

「いったいどうしたという訳です。……親しくせぬ高閑さまへ、勝手に生垣を越えて行ったり、お嬢さまを無理にお伴れ申したり、……おまえの仕方は、不作法ですよ」

「訳があるんです。やがて仔細を申上げる時が参りますから、……どうか小百合どののことは母上にお願いします」

そう云って小弥太は、自分の居間の方へ立去った。

その夜のことであった。

小弥太が居間で、なにか細々《こまごま》と書いてある巻紙へ、朱筆で書き入れをしていると、……金右衛門が足早に入って来て、

「申上げます。……参った様子です」

と血の気をなくした顔で云った。……小弥太は筆を措《お》いて、

「そうか、人数は」

と訊きながら立って、刀架《かたなかけ》から大剣を取った。

「三人と見ましたが」

「よし、出るなよ」

そう云ってくるりと裾を端折《はしょ》った。

七

高閑斧兵衛の屋敷の西側は、矢《や》竹蔵《たけぐら》の土塀《どべい》と相対している。……その細い小路《こうじ》の暗がりへ四人の武士が入って来た。

渡部勝之助、林甚三郎、庄野九郎兵衛、それと殿《しんがり》に貫島十郎左がいた。みんな腹巻を着け、足拵《ごしら》え充分に身仕度をしている。……しかし彼等が高閑邸の築地《ついじ》へ逼《せま》ろうとしたとき、向うから大股に小弥太が近寄って来て、

「お待ちなさい」

と声をかけた。

三人はぎょっとして振返ったが、先ず勝之助があっと云って刀の柄《つか》に手を掛けた。

「……池藤だ！」

「小弥太！」

四人とも咄嗟《とっさ》に左右へひらく。小弥太は無雑作につかつかと進んで、

「堂上、……喜兵衛はいないか」

と低く叫んだ。

「……みんな待て、お家のために高閑どのを除くならその時期を選ばなくてはならん。ここはまず引き揚げてくれ」

「貴公の指図は受けぬ、退《の》け！」

勝之助が叫んだ。

「問答無用だ」

「退かぬと斬って通るぞ」

十郎左がぐいと出て云った。

「小弥太、昼間そう云ったことを忘れるな。我々はお家の奸《かん》を除くために、決死の覚悟で来ているんだ。黙って手を退《ひ》け！」

「無駄だ。——十郎左」

小弥太は手を挙げながら、

「……屋敷の中には家来が三十余人いる、不意の手当ても出来ている。こんな僅かな人数で討てるものではない。拙者から喜兵衛に話もある。待ってくれ」

「構わぬ、斬れ」

十郎左の声と同時に、渡部勝之助が抜き討ちをかけた。

十三日の月が、矢竹蔵の屋根の上にあった。土塀と築地に挾《はさ》まれた狭い小路の、半分ほどがくっきりと白く月光に輝いている。……抜き討ちを仕掛けた勝之助の剣が月光を截《き》って閃《ひらめ》いたとみると、小弥太の体は土塀の蔭《かげ》へ吸われるように隠れ、抜きつれた四本の白刃が、闇の一点を中心に犇《ひし》と取り詰めた。

小弥太も抜いていた。

彼は正面に十郎左を迎えて、背を土塀につけながら呼吸を計っていたが、不意にその上体をぐらっと左へ動かした。……支柱《ささえ》を外されたように、林甚三郎が突込み、庄野九郎兵衛が絶叫と共に斬りおろした。

小弥太の体はその二つの動作を割るように、さっと月光のなかへ躍り出す、戛《かつ》！　という烈しい音と、千切れたような悲鳴が同時に起こって、甚三郎は土塀の根に顚倒《てんとう》し、刀を打落された九郎兵衛は四五間あまり跳び退いていた。

「十郎左、……引き揚げろ」

小弥太が低く叫んだ。

「貴公らが乗込もうとするのと同様、拙者が阻止するのもお家のためだ。一人二人を斬ることを焦ってはならぬ。まだ時期ではないのだ。引け、喜兵衛には拙者から話す」

「云うな」

勝之助が、強く頭を振って叫んだ。

「斧兵衛の娘を娶《めと》ろうとする奴、貴様も奸物の片割れだ。腕では劣るかも知れぬが……生かして置かぬぞ！」

「拙者の申すことを聞け！　まだ……」

云わせも果てず、勝之助が踏み出した。

絶叫と共に、二つの体が躍動した。白刃が光の条《しま》を描くとみる間に、勝之助はだっとよろめき、大剣を取落しながら横ざまに倒れた。

残るは十郎左ひとりである。

小弥太の凄《すさ》まじい手並に圧倒されて、じっと呼吸を計っていた十郎左が、ようやく殺気の盛上って来た様子で、大きく一歩進み出る。……そのとき、表の方から走せつけて来る者があった。

「待て、十郎左、勝之助待て！」

呼びかけながら近寄ったのは堂上喜兵衛であった。……息をはずませながら近寄った彼は、茫然と立っている九郎兵衛と、月光の路上に倒れている勝之助、甚三郎の二人を見て、

「しまった、遅かったか」

と呻《うめ》いた。……同時に小弥太が、

「大丈夫、峰打ちだ」

と云った。

「……十郎左を止めてくれ」

「おお、池藤、貴公だったのか」

喜兵衛は云いながら間へ割って入った。

「貫島、刀をひけ、いいから刀をひくんだ。……軽はずみなことをしてはいかんと申したのに、

年甲斐《としがい》もないぞ」

「我々は待ち切れないのだ。もう一刻も」

「仔細があるんだ。とにかく刀をひけ」

十郎左は黙って刀をおろした。

「ここは拙者が預かる」

喜兵衛は振返って、

「話はあとで聞こう。貴公はいない方がいい」

「そうか、では後に」

そう云って、小弥太は大剣を納めた。

八

それから三日めの夜。

小弥太の居間に、堂上喜兵衛、渡部勝之助、貫島十郎左の三人が集まっていた。……小弥太は小机の上に、なにか細かく書込んである巻紙をひろげながら、さっきから低い声で説明していた。三人とも石のように硬い表情で、眼には驚愕《きょうがく》の光を湛《たた》えながら聴いていた。

「……その他に、朝倉の幸田久左衛門、安芸の住江宮内がいる。この二人は各々も知る通り土佐でも五本の指に折られる豪族だ。以上……八人の者たちは、長曾我部氏の以前からそれぞれ、その土地に強い勢力の根を張っている。……いいか、そして斧兵衛どのは、この一年あまりというもの、これらの豪族どもと絶えず密会しているのだ」

「それはいったい、どういう意味だ」

「分らない。拙者にもまだ分らないのだ。……一応は、豪族どもを懐柔なさろうとしているとも思える。然し不審なことは、……正念寺で密会する者のなかに、関ヶ原残党の槇島玄蕃頭がいることだ」

三人は、いきなり撫《な》でられたような表情を見せた。……半刻ほどのあいだ、彼等は次から次へとそういう驚きの連続であった。

小弥太の調べに依ると、高閑斧兵衛はこの一年のあいだ、城下の西にある正念寺という古寺で、ひそかに諸方の豪族と密会していたのである。……彼がいま挙げた名の他にも六人、みんな土佐に旧《ふる》くから土着している郷士たちで、豊かな金力と精悍《せいかん》な農兵を擁し、これまで傲然と山内家に反抗しているものである。……然も、最近になって、関ヶ原残党の武将までが密会に加わっているというのだから、その理由が不明なだけ困惑と不安は大きかった。

「それで、貴公はどうする積りなのか」

「今のところでは、どうしようもない。高閑どのがなんの目的でそういう密会をしているか、その本心をつきとめるのが第一だ。それまでは、貴公たちも事を急がず、拙者の調べに力を藉して貰いたいのだ」

「どのようにも手助けをしよう」

「なんでも申付けてくれ」

三人は、熱心に膝を進めた。

小弥太はその言葉を待っていたように、十郎左には浦戸の見張りを、勝之助は正念寺を、喜兵衛には城中での老職たちの動静を、それぞれ手ぬかりなく見張るように頼み、尚《なお》、これらの始末を他言せぬように念を押した。

三人が辞去して間もなく、小弥太が寝所に入ろうとしていると、婢《はしため》のかよが、ひどく狼狽《うろた》えた様子で走って来た。

「急いでおいで下さいまし。高閑のお嬢さまが……」

「小百合どのがどうした」

「御自害をなさろうとして……」

小弥太は愕然として部屋をとびだした。

母親の隣りの部屋を小百合に与えてある。行ってみると母が娘の両手を摑《つか》んで引据えていた。

……小屛風《こびょうぶ》と机が倒れ、筆や硯《すずり》が散乱している。小弥太は叱りつけるように、

「小百合どのなにごとです」

と云いながら坐った。

短刀を捥《も》ぎ取られた小百合は、そこへ突っ伏して泣きはじめた。……母親は真白《まっさお》な顔をして、肩で息をしながら短刀を鞘《さや》に納めた。

「どうしてこんな事をなさるのです。拙者が家の妻に迎えると申上げたのを、冗談だとでも思っているのですか」

「小弥太、そのような不作法なことを……」

「不作法は承知の上です」

小弥太は小百合の方へ膝を進めて、

「高閑どののお手から貴女《あなた》をお預かり申したとき、拙者がそう云ったことを御存じでしょう。あれから詫び言を申上げてもお父上は御承引なく、娘は勘当した、死体になって戻るとも家へは入れぬと仰せられる。……それはお父上が、貴女を拙者の妻に下さるお心なのだと思っていました。……貴女はそうお考えになれませんか、それともそう考えたうえ、池藤に嫁すことは出来ぬと思われて」

「いいえ、違います」

小百合は、噎びあげながら遮《さえぎ》った。

「わたくし、お情けのほどは身にしみて、有難く、嬉しく存じております。……けれど、どうしても生きてはいられませんの」

「なぜです。その仔細を聞かせて下さい」

云いかけて、小弥太は母に眼配《めくば》せをした。そして母が静かに去ると、更にもうひと膝進みながら、

「小百合どの」

と低く力を籠《こ》めて云った。

「拙者にも大抵は、察しがついているのです。自害すればそれで貴女自身のことは、解決できる。

けれどそれだけで宜しいのですか。拙者はお父上が土地の豪族たちと密会し、尚また関ヶ原の残党どもを」

「池藤さま、……申上げます」

九

小百合は堪《たま》り兼ねたように、小弥太の言葉を押切って云った。

「なにもかも申上げます。……貴方《あなた》さまが御存じならば、黙って死んでも罪は消えませぬ。仔細を申上げて御処分を受けまする」

「さあ伺いましょう」

「父は、……謀反《むほん》を企んでおります」

小百合の言葉は、先ず意表を衝いた。……小弥太はごくっと喉《のど》を鳴らしたが黙っていた。

「大通院さま御他界この方、当うえさまはじめ、御老職がたにとかく疎《うと》んぜられるとか申し、父はたいそう僻《ひが》んでいたようでございます。そのうちにふと安芸郷の住江宮内さまと往来なさるようになり、次々と郷士の人々を語らいまして、今では土佐で勢力のある豪族たちは、殆んど味方につけてしまいました」

「それで、貴女が謀反と云うのは、全体どのようなことですか」

「父の様子が余りに不審でございますから、わたくしは絶えず注意をしておりました。すると先日、父の居間で恐ろしい書物《かきもの》をみつけたのでございます」

小弥太は、全身を耳にして乗出した。……娘は気臆《きおく》れのするのを、自ら強く励ますようにしながら続けた。

「それは、一味の人々に与える手配り書きでございました。……土地の豪族の名、関ヶ原で治部さまのお味方をした大将分二人、槙島玄蕃頭さまと木村壱岐《いき》さま、この方々の手兵合わせて二千五百人、今月十六日の朝、鷲尾山《わしおやま》の谷合《たにあい》に集まって旗挙げの軍議をするとの仔細が、書いてございました」

「それでは十六日の朝、二千五百余の兵をすっかり鷲尾山の谷合へ集めるのですね」

「其所《そこ》へ集まるのは重立った人々だけでございましょう。武具弾薬を浦戸から陸揚げすると同時に、城攻めをするというように認《したた》めてございました。……わたくしはその書物を見ましたので父を諫《いさ》めようと存じましたら、……父は怒って手討ちにすると申し、庭へ曳き出されましたとき貴方さまに助けて頂いたのでございます」

小百合は、絶望的に小弥太を仰ぎながら、

「池藤さま、わたくしが生きていられぬと申上げました仔細、これでお分りでございましょう。小百合は大逆人の娘、とても貴方さまの妻になれる体ではございませぬ。また謀反人の父を持って、このまま永らえてもいられませぬ……どうぞ自害をさせて下さいまし」

「お待ちなさい、自害はなりません」

小弥太は抑えるように云った。

「勘当された以上、もう貴女は高閑どのの娘ではない、改めて云うが唯今から池藤小弥太の妻です。大逆人の娘どころか、貴女は大逆を未然に防いでくれたのだ。貴女は山内家にとって非常な手柄をたてたのです。……小百合どの、忘れても軽挙なことをしてはなりませんぞ。拙者は出掛けて来ます」

「父は……父はどう成りましょう……」

「高閑どのは、御自分の考えた通りになさるでしょう。……と……申しても貴女には分らぬ。孰《いず》れお話しするまで、貴女は小弥太の妻だということを忘れずに、待っていて下さい」

小弥太は蒼惶《そうこう》と立ちあがった。

斧兵衛謀反！

一豊が山内家にとって無二の功臣と云った、その高閑斧兵衛が、主家に弓を引こうとしているという、余りに意外な、想像を絶した事である。もしそれまでに斧兵衛の不審な行動を調べていなかったとしたら、小弥太でも直ぐにそうと信ずることは出来なかったであろう。……然し彼は今こそ合点がいった。今日まで分らずにいた根本をつきとめたのである。

小弥太は、馬を飛ばして登城した。

もう十時を過ぎていたが、大変と聞いて忠義は引見を許した。そのとき忠義はまだ十八歳の対《つし》馬守《まのかみ》であったが、闊達《かったつ》英武の質で事理に明るく、土佐二十余万石の領主として亡き一豊に劣らずと嘱望されていた。……それにしても、若き忠義にとって、斧兵衛叛逆《はんぎゃく》と聞いた驚きは非常なものであった。

「憎いやつ、憎いやつ」

忠義は、面色を変えて怒った。

「直ぐに総登城を触れい。明日とも云わず今宵のうちに、討手を向けて踏み殺してくれる」

「恐れながらそれは不得策に存じます」

「なにか他にてだてがあると申すか」

「総登城を触れまして、もしその中に一味の者が居りましては一大事、……私が老職どもにも計らず直ちにお目通りを願いましたのもそのためにて、これは隠密のうちに不意を衝き、一挙に事を始末するが万全と存じます」

「方策を申してみい……」

「十六日と云えば明後日、当日早朝、お上には猪狩《いのししが》りを仰せ出されますよう、お旗本の士だけ二百人、勢子《せこ》として鉄炮《てつぽう》足軽五百人、人数はこれで充分と存じます」

「そのような手薄で出来るか」

「鷲尾山の本拠を屠《ほふ》るには充分と存じます。あとはお城がかり、浜手がかり、この方こそ大切でございますが、これは堂上喜兵衛、渡部勝之助、貫島十郎左どもに、先手組を以《もっ》て当らせまする」

「よし其方《そち》に任す。鷲尾山へは余も行くぞ」

「お家にとって一期《ご》の大事、十六日早朝までは、誰人にも御隠密に！」

「覚えて置く。其方もぬかるな」

忠義の眼は、炬火《たいまつ》のように光っていた。

だだだあん、だあーん!

銃声が山々にこだました。鬨《とき》の声が遠雷のように谷間を塞いだ。鷲尾山の西側から突込んで来た一隊と、宇津野の峰越しに雪崩《なだれ》込んだ一隊とが、銃隊を先頭にして、猛然と蛭谷《ひるだに》へ奇襲を仕掛けたのである。

十

時は慶長十二年三月十六日。

蛭谷の一角に造った砦《とりで》には、高閑斧兵衛を筆頭に、幸田久左衛門、住江宮内、早坂仁兵衛、一木、田郷、的場、山奈、奥内などという土佐の豪族と、槇島玄蕃頭、木村壱岐守等、十余名の者が集まっていた。

忽如《こつじょ》として起こった襲撃に、——すわ、ことやぶれぬ。

と蹶起《けつき》した人々は、僅かに二百人足らずの手兵をもって防戦に当ったが、完全に不意を衝いた城兵の勢《いきおい》は凄まじく、先ず銃隊の一斉射撃に遭って叛軍が崩れたつと、続いて突込んで来た忠義旗下の精兵は、錐《きり》を揉み込むように本陣の砦へと驀地《まっしぐら》に肉薄した。池藤小弥太は、先頭にいた。

彼は穂先二尺に近い大槍を手に、四辺《あたり》に群がる敵兵を殆んど無視したまま、遮二無二《しゃにむに》本陣へと突進した。……銃声は絶えたが、白兵戦の叫喚は谷間に満ち、撃ち合う物具《もののぐ》、飛び交う剣槍、濛《もう》濛《もう》と舞い立つ土埃《つちぼこり》のなかに、これらのものが、まるで悪夢の如く展開している。

砦の中は嘘のようにがらんとしていた。……踏込んだ小弥太は大音に、

「高閑どの、見参仕《つかまつ》る。高閑どの」

と絶叫しながら、奥へ進んだ。

「……応！　斧兵衛は此処じゃ」

昂然と叫ぶ声がして、向うから高閑斧兵衛が現われた。……黒糸縅《くろいとおどし》の鎧《よろい》に兜《かぶと》は衣《き》ず、自慢の槍を持って悠々と進み寄る。「小弥太か、待兼ねたぞ、参れ」

「……御免！」小弥太はそのまま突込んだ。

老いたりとも千軍万馬の勇士、亡き一豊と共に一生を戦塵《せんじん》の中に過した斧兵衛だ。むざとは討てまい。……小弥太はそう覚悟していた。しかし斧兵衛はひと合せもせず、その体を盾の如く、小弥太の突掛ける槍の下に脇壺《わきつぼ》を刺貫かせて撞《どう》と倒れた。……それは事実、『刺し貫かせた』というべきである。小弥太は呆《あき》れ、

「……高閑どの」と槍を引いた。斧兵衛は声高く、

「あっぱれ手柄だぞ、小弥太」

と自分の首を叩きながら云った。

「早くこの首打って殿の御前へ持て。……最期に臨んで其方だけに申す、最早《もはや》お家は万歳だぞ」

「…………」小弥太は雷火に撃たれた如く、総身を震わせながら、斧兵衛の白髪首を見下ろしていた。

十一

同年九月二十日。

月輪山真如寺に於《お》て一豊の三周忌が行われた席上、小弥太は休息の間で、忠義に人払いの目通りを願い出た。……そして、涙と共に、斧兵衛叛逆の真相を伝えた。

忠義は、むろん直ぐに信じられなかった。

「……大通院さまは、御他界の数日前、斧兵衛を召されて追腹を許すと仰せられました。しかし、それには土産が要る。三年のあいだに土産を拵《こしら》えて追って参れ……そう仰せあそばされたそうにございます」

「それがあの叛逆だと申すのか」

「土佐の各地に根強い勢力を持って、お家に反抗する豪族どもは、尋常一様の手段で帰服する気色がございません。斧兵衛は追腹すべき命を延ばし、これら土豪たちと謀反を計ったうえ、ひとところに集めて自分もろとも、一挙に禍根を亡ぼしたのでございます。……娘小百合がその密謀を知りましたのは偶然のことでなく、斧兵衛が態《わざ》と知れるように計りましたので、娘の口から私に伝わることを承知のうえと存じます。……最期に臨んで『最早お家は万歳』と申しました時の、斧兵衛の静かな、笑《えみ》を湛《たた》えた顔が今でも、私の眼にははっきり見えまする」

「……小弥太！」遂に、忠義は感動に震える眼をあげて、宙を睨《ね》めながら云った。「よく分った、よく分ったぞ」

「はあっ」

「大通院さまが御臨終に、……斧兵衛は当家にとって、格別の者と仰せられた。格別の者と、……心と心と、こんなにぴったりと触れ合うものだろうか、大通院さまと斧兵衛と。……小弥太」

忠義の声はいつかしめっていた。

「斧兵衛は、土佐の国柱だな」

「そのお言葉を……ひと言、生前の斧兵衛に聞かしてやりたかったと存じまする」

「泣くな、……」

忠義は、脇を向きながら云った。

「そして、そう思うなら、娘小百合に眼をかけてやれ。……斧兵衛にもし心残りがあるとすれば、それだけであったろう。よいか」

「……殿」

小弥太は涙の溢《あふ》れる眼で、忠義を見た。

客殿の広縁には秋の日が明るく、土佐二十余万石の礎《いしずえ》が、確固として築かれたのを祝福する如く、前庭の樹々は錦繍《きんしゅう》を綴って眼もあやに燃えていた。


（「読物文庫」昭和十五年四月号）

晩秋

一

旦那さまがお呼びだからお居間へ伺うように、そう云われたとき都留《つる》はすぐ「これは並の御用ではないな」と思った。この中村家にひきとられて二年あまりになるが、直《じか》に主人《あるじ》に呼ばれるようなことはかつてなかったからである。居間へゆくと惣兵衛《そうべえ》は手紙を書いていて、「暫《しばら》く待て」と云った、都留は端近《はしぢか》に坐って待った。風邪をひいているのだろう、老人はしきりに筆を措《お》いては水ばなをかんだ、肩つきがどことなく気負ってみえるし、鬢《びん》のあたりのほつれ毛が、手の動くにつれて徴《かす》かにふるえるさまも、なんとなく心昂《たかぶ》っているように思えた。……やがて書き終った手紙をくるくると巻いて封をし、こちらへ向き直った惣兵衛は、「花蔵院の外記《げき》殿の屋敷を知っているか」と訊《たず》ねた。

「はい、存じております」

「今からこの手紙を持っていって貰うのだが、たぶん暫く向うにとどまることになるだろうと思う、嵩《かさ》ばる物はあとから届けるとして、さし当り必要な品はまとめてゆくがよい」

「そう致しますとわたくし……」

「江戸からさる人がお預けになって来る、その人の身のまわりの世話をして貰うのだ」惣兵衛はじっと都留の眼をもとめた、「……その人物は御政治むきに私曲《しきょく》があったというお疑いで、いまお調べが始まっているため、極秘で国許《くにもと》へ送られて来る。むろん外記殿へ預けられることも関係者のほかには知らされていない、それで特にそなたに世話をたのむのだが、……こう申せば利発なそなたには察しがつくかも知れぬ、さる人とは万松寺さまの御用人だった進藤主計《しんどうかずえ》どのだ」

都留はそのとき膝《ひざ》の上に重ねていた手をぎゅっと拳《こぶし》に握りしめた。心でなにか思うよりさきに肉躰《にくたい》が反応を示したのである。都留はけんめいに自分を抑えながら惣兵衛の顔を見あげた。

「そなたを世話びとに選んだ意味は改めて云うまでもあるまい、但し、主計どのは今お上《かみ》の御不審のかかっている軀《からだ》だ、そこをよく考えて、軽はずみなことをせぬように」

都留は手紙を受取って座を立った。

身のまわりの物をまとめた荷を下僕《しもべ》に負わせて、花蔵院というところにある水野外記の別墅《べっしょ》へ着いたのはその日の昏《く》れがただった。そこは岡崎城下の外壕《そとぼり》をさらに北へぬけ出た郊外に在り、なだらかな丘や雑木林が広びろと続き、芒《すすき》の生茂った草原の間にささやかな野川の流れなどのある、鄙《ひな》びた閑寂な地であった。屋敷は板塀《いたべい》をめぐらせてあるが、庭境の一部は野茨《のいばら》を這《は》いからませた竹垣で、そこからすぐにうちわたした草原となり、そのさきは遠く段丘と森とが起伏して六所山の麓《ふもと》へと登る大きい展望がひらけていた。……屋敷は老臣の別墅としては質素なもので、三十坪あまりのおもやと、小さな下僕部屋と厩《うまや》の三つの建物から成っていた。庭もかくべつ造ったところはなかった。もとから在った櫟林《くぬぎばやし》をそのまま取入れたあたりと、僅かに野川の水を引いて流れを作ってあるのとが庭造りらしい跡をみせているが、ながいこと主人も来ず捨てて置かれたので、林のまわりは雑草や灌木《かんぼく》が繁り、流れの水は涸《か》れて、白く干上《ひあが》った底石の間あいだに実をつけた夏草が逞《たくま》しく根を張っていた。

都留が着いたときはちょうど屋敷の掃除が終ったところらしく、庭の横手で塵芥《じんかい》を焼く男たちの半裸の姿が、黄昏《たそがれ》の光りのなかに赤あかと浮きあがってみえた。脇玄関にいって案内を乞うと五十歳あまりの老女が出て来た。そして黙ってうなずいて奥へ導いてゆき、「ここで暫くお待ちになって」と云って、どこかへ去った。畳八帖《じょう》ほどのがらんとした、蒸れたようなほのかにかび臭い匂いのする部屋だった、北側に小窓があり片方は壁、片方は襖《ふすま》になっていた。襖にはなにか墨絵で花鳥が描いてあるらしいが、古びているうえに擦れたり煤《くすぶ》ったりして絵柄はよくわからなかった。煤っているのは炉で火を焚《た》いたからであろう。坐っている膝からすぐ右側に方三尺ばかりの木蓋をした切炉がある。厚みのある、重そうな、よく拭きこんだその木蓋を見ながら、都留はふとこの室が自分の起き臥《ふ》しする処《ところ》になるのではないかと思った。やや暫くして中年の背丈の高い武士がはいって来た。むりにひき結んでいるような口つきに特徴のある、頰骨の尖《とが》った、冷たい感じのする顔つきだった。

「そなたが都留というのだな」彼は惣兵衛からの手紙を読み終ると、こちらをじっと見まもりながら云った、「……そなたの身の上はかねて惣兵衛から聞いている、こんどの事に就いては自分からはなにも申すことはないが、ただこれだけは注意して置く、今後この屋敷の中でおこなわれる事は、すべて聞いてもならず、見てもならない、いいか、眼も耳も口も無くした心でいなければならぬ、それからもう一つ、私の情に駆られて軽挙をしてはいかん、これだけを固く申しわたして置く、それから」と、彼は手紙を巻き納めながらいった、「……自分はこの家のあるじ外記だ」

他の事は老女から然るべく教えるであろう、そう云って去ってゆく外記の足音を聞きながら、――あれが新しい岡崎の柱石といわれる外記さまか、そう思って都留はにわかに汗の湧《わ》くような気持に襲われた。

二

考えたとおり都留の部屋はその八帖にきまった。中村の家から運ばれて来た自分の道具の他に、点茶のための土風炉《どぶろ》や釜《かま》や簞笥《たんす》などが持ち込まれたり、活花や香《こう》の用意までが揃《そろ》えられて、黴臭《かび》いがらんとした部屋が、やがて女の居間らしい体裁をととのえていった。……その部屋の次ぎに小さな控えの間があり、その向うが十帖敷ほどの書院造りの室になっている、そこが預けられて来る人の居間だった。北側に明り窓があり、西に書院窓が造ってあった、南は広縁で、障子を開ければ居ながらにして庭の櫟林と、その樹間越しに六所山のあたりまで眺めることができた、――御不審のかかったお預け人でも御老臣ならこういう部屋に住むことができる、都留はその部屋を見たときふとそう思った、――それに較べて亡き父上はなんとご不幸なことだったろう、……そして絞られるように胸の痛むのを覚えた。

数日して屋敷内の用意が出来た。すでに八月も中旬となった或る日、朝から降りだした雨が昏れてからもやまず、夜に入ると風さえ加わって、肌寒い、しみいるような音を立てては頻《しき》りに廂《ひさし》を打つのが聞えた、その雨のなかを、それもかなり更けてから、人眼を忍ぶように進藤主計の乗物がこの屋敷へ到着した。……警護の人々は十四、五人いた、乗物はじかに玄関へかつぎ入れられた、すべてはひっそりと然も手ばしこく行われ、声を立てる者もなく咳《しわぶき》ひとつ聞えなかった。都留は自分の部屋に坐って、昂ってくる心を抑えながらじっと耳を澄ましていたが、僅かに人の出入りするけはいと、憚《はばか》るような衣摺《きぬず》れの音を聞いたばかりだった、そしてやがて、二人の人間の足音が、廊下を通って奥の間へはいった。

都留はそっと座を立ち、手文庫の中から懐剣をとり出した。母の遺愛の品である。都留はそれを両手でしかと握りしめた。そして囁《ささや》くように、「父上さま」と呼びかけた、「……いよいよ時がまいりました、どうぞ都留の致すことを見ていて下さいまし、そして仕損じのないように力をおつけ下さいまし」こう云って暫く眼を閉じていたが、すぐに懐剣をふところへ差入れながら立った、奥の間で自分を呼ぶ鈴《れい》の音がしたからである。——しっかりしなくてはいけない、都留は大きく息をつきながら自分を戒めた、——その時のくるまでは、決して自分の意志を悟られないようにしなければ。

その室には水野外記がいて、敷居際に手をついた都留を進藤主計にひきあわせた、「この者がお手まわりの御用を勤めます、名は都留と申します」その言葉を待って都留はそっと面をあげた。小柄な、痩《や》せた老人がこちらを見ていた、髪は殆んど灰色になっているし、朽葉色をした顔は皺《しわ》が多いうえにたるんで、頬のあたりには醜い老年のしみが出ていた。それに着物も袴《はかま》も粗末な、幾たびも水をくぐったような品で、ぜんたいがいかにもみすぼらしく、まるで貧しい農家の老翁という感じだった。……都留は心にとめるように、かなり大胆に相手の顔を見たが、主計は一べつをくれて頷《うなず》いたきり、黙って外記のほうへ振返った。都留はそのまま自分の部屋へさがった。

世間には秘められたまま、その部屋での新しいひっそりとした生活が始まった。実際それはひっそりとした明けくれだった。都留の他には外記の家士で藤巻忠太夫という老武士と、炊事や下働きをする下僕夫妻の三人きりである、忠太夫は玄関の取次ぎが役目であるが、客は限られているし極めて時たまのことだから、老人は殆んど玄関脇のひと間にこもったきりである、下僕夫妻はむろん奥へは来ず、主計の身のまわりはまったく都留ひとりの手に任されていた。……そう云ってもかくべつ忙しいわけではなかった、食事の給仕と寝所の世話ぐらいが定まったもので、あとの事はたいてい主計が自分でした。時に茶を点《た》てていったりすると「こちらで申付ける以外には気を遣うには及ばないから」と云われさえした、それで都留もまた殆んど終日その部屋に籠《こも》っているという風だったのである。

主計は起きるから寝るまで、北向の窓の下に机を据え、側におびただしい書類を置いて、せっせとなにか書き物をしていた。庭へ出ることもなく、手足を伸ばしていることもなかった、食事を運んでいっても「うん」と頷いたきりなかなか筆を措かず、忘れたのかと思う頃にようやく向き直るようなこともしばしばだった。それが朝はまだ暗いうちから、夜は毎《いつ》も午前二時頃に及ぶのである。……はじめのうち都留はそれを知らなかった。それでもう寝たじぶんであろうと思い、懐剣を握りしめて立とうとすると、書類を繰る音と、しわぶきの声が聞える。廊下まで出て、障子に燈火の揺れるのを見てひき返したことも二度や三度ではなかった。――いったいなにをあんなに熱心に書いているのだろう、剣をふところに秘めながら都留はいつかそういう好奇心をさえもち始めたのであった。

三

進藤主計は冷酷な人間として定評があった、奸謡《かんけつ》な佞臣《ねいしん》とさえ云われた。岡崎藩主、水野忠善の用人として、二十年ちかく藩政の実権を握っていたが、常に専断、頑迷、暴戻《ぼうれい》などと云われ、殊に最近の十年あまりは領内の寺院に対する圧迫と年貢の重課とで、非常な怨嗟《えんさ》の的となっていたうえに、もし彼の秕政《ひせい》を指摘して起つような者があれば、主君の権威にかくれて仮借なくその役を逐《お》い罪におとした。……都留の父、浜野新兵衛もその犠牲者のひとりだった。新兵衛はもと勘定役所に勤めていたが、主計の重税政策をみかねてしばしば上申書を呈出し、その肯《うなず》かれざるを怒って城中にこれを刺そうとした。然し不幸にも邪魔がはいって失敗した、そして切腹を命ぜられて死んだのである。都留はそのとき十三歳だった、新兵衛は切腹する前夜、妻に向って、「これが男子なら己の遺志を継がせるのだが」と云い、「主計を討ちもらして死ぬのは残念だ」と、繰り返し述懐したという。……都留と母親とは、ひそかに老職の中村惣兵衛の家へひきとられた。母は三年まえに病死したが、そのとき都留に父の遺言を諄《くど》いほど云い聞かせ、「この品には母の心がこもっているから」と、ひとふりの懐剣をくれた。その他にはなにも云わなかったけれど、もう十五歳になっていた都留には母の気持がよくわかった、そして母の心のこもっているその懐剣で、いつかは父の遺志を果そうと自分に誓ったのであった。

――相手は今お上の御不審のかかっている軀だから軽はずみなことをしてはならぬ。惣兵衛も外記もそう戒めたが、都留の気持では機会さえあれば目的を決行するつもりだった。

然し主計の起居にはまったくその隙がないのである、日はずんずん経ってゆくが、未明から夜半すぎまで、休みなしに書き物を続ける日課には変りがなかった。そしてそのひたむきな、精根を傾注した姿には、単に隙がないばかりでなく、どこかに強く人の心をうつものさえあった。……心をうつといえば着衣の粗末なことも、食事の簡素なことも驚くほどだった、外記の注意で食糧には卵とか魚鳥の肉を添えるようにしていたが、主計は決してそういう物に箸《はし》をつけなかった。或るとき、「お味かげんが悪うございましょうか」と訊ねてみた、すると主計は、「いや喰《た》べつけぬものだから」と答えるだけだった。またはじめは飯も白いのを出していたが、麦を入れるようにと云われて麦飯にした、それも「もう少し麦を多く」という注文が幾たびもあって、ついには貧しい百姓でも食うような黒いものになってしまった。何回となく洗っては仕立直したとみえる着物の、袖口のあたりが綻《ほころ》びていたり、ふと娘ごころから、――縫って差上げよう、と思うのだが、主計はぶきような手つきで、然しかなり巧みに自ら縫い繕うのだった。或るとき都留が夕食を運んでゆくと、主計は障子の側へすり寄って針に糸を通そうとしていた、黄昏のことだし老人の眼にはむつかしいらしく、なかなか糸は通らなかった。暗くなった光りのなかで、肩を縮め眼をしかめながら、けんめいに針の穴をさぐっている小柄な痩せた老人の姿は、いかにも孤独でさびしいものだった。……そのとき都留は主計がその年までいちども結婚したことがなく、ずっと独身で通して来たということを思いだした、曾《かつ》て養子を入れたこともあるが、数年のちに離別してしまい、現在では跡を継ぐべき者もないという。

――この方はいつもこのようにして、自分で縫い繕いまでなすって来たのだろうか。

都留は老人の孤独な姿に心をうたれた、それでしずかに側へ寄りながら、「わたくしがお通し致しましょう」と云い、主計の手から糸と針を取った。主計は苦笑しながら、「……この頃は昏れるのが早いから」と呟《つぶや》きごえで云い訳をするように云った。それはよわよわしく、たよりなげな、云いようもなくたよりなげな調子だった。都留の心にそのとき「懐剣」があっただろうか、否、……かの女は主計の寂しい孤独な姿を憐《あわ》れむおもいのほか、なにものもなかったことを覚えている。

――これがあの冷酷と定評をとった人だろうか。都留の心にはいつかそういう疑いが萌《きざ》しはじめた。――二十年にわたって藩政を壟断《ろうだん》し私曲を恣《ほしいまま》にした人だろうか。

然しすぐそのあとから、かの女は亡き父の死を思いだした。進藤主計は、亡き父が命を捨てて刺そうとした相手である、主家のために、岡崎領内の民たちのために、死を決してたおそうとした人間だということを、――都留は自分の部屋で幾たびかそっと懐剣の鞘《さや》を払った、それは亡父の遺志を果そうとする己れの心をたしかめるためだった。母のたましいのこもっているその刃の光りのなかに、紛れのない決意を固めようとしたのである。日が経つにつれて、都留の眼には苛《いら》立《だ》たしい、苦痛を訴えるような色が濃くなっていった。

或る夜はげしく風が吹き荒れた。その明くる朝、食膳を運んでゆくと、主計が縁側に立って庭を見ていた。

「昨夜の風できれいに葉が落ちてしまった」彼はそう云って向うを指さした、「……ごらん、あんなに枯木林になっている」

四

「あれはなんという樹か知っているか」

「どれでございましょうか」

「あの林になっている樹だ」

都留は「今だ」と思った。広縁の端に立っている主計の姿勢はあけ放しである、——今なら刺せる、そう思うとなかば夢中で側へすり寄った、片手で懐剣を握りながら、「あれは、たしか」と喉《のど》にからんだような声で答えた、「……たしか、櫟だと存じますが」

「…………」主計はふいに沈黙した。なにか云おうとしたのを急にやめた感じだった。都留は身が竦《すく》み、息が止るように思った。こちらへ向けている老人の痩せた背中が、云いようのない大きな圧力をもって、ぐんぐんこちらへのしかかって来るようだった。都留は手を下げ、頭《こうべ》を垂れた。双の膝頭が音を立てるかと思うほど震えていた。

「そうか、あれが櫟か」主計はやがてしずかな声でそう呟いた、「……樹もよく見るし、櫟という名も知っていながら、この樹が櫟だということは、この年になるまで知らずに過して来た、この年になるまで、……ばかなことだ」

終りのひと言は自ら嘲《あざけ》るような調子だった、それがするどく都留の印象に残った。

季節が霜月にはいると、この屋敷へしばしば客が訪れるようになった。来るのは三人のきまった人物で、時刻はたいてい昏れがたか夜である。人眼を忍ぶように奥の間へはいり、なにかひそかに主計と語っては帰る。短い時間のこともあるが、明けがた近くになる例も珍しくなかった。……都留はそのなかの一人に見覚えがあった、鈴木主馬《しゅめ》といって目付役を勤め、国許では俊敏の名の高い人である。他の二人も名はわからないがそれぞれ重い役に就いている人物だということは推察がついた。――いよいよ御吟味が始まるのだ、都留はそう思った、かれらは恐らくその下調べに来るのだ、そして間もなく御裁きになるのだろうと、……そうなればもう主計に近づく機会はなくなってしまう、都留はうしろから追いたてられるような、息苦しいおちつかない刻《とき》を過した。

客たちのうち最も繁く来るのは鈴木主馬だった。主計と話してゆく時間もながく、そしてかなり声高になることが度たびあった。そういうとき都留は襖の際へすり寄って、よくかれらの話し声に耳を澄ました。どんなに声高になっても話の始終を聞きとれるわけではなかったが、きれぎれに響いてくる言葉をたび重ねて聞くうちに、おぼろげながら事情がわかりだしてきた。

それは驚くべきものだった。

都留の推察したとおり、三人の客が来るのは吟味の下調べだった。然しその下調べの指図をするのは実に主計自身なのである。――そんなことがある筈はない、都留はなんども自分でうち消した、――裁かれる当人が裁きの指図をする、そんな不法なことがある筈はない。だが事実はうち消すことのできないものだった。襖越しに聞えてくる言葉の端はしは、明らかにその事実を示しているのだ。

進藤主計はまだ権力を握っているのだ。

二年まえに藩主の監物《けんもつ》忠善が死し、右衛門太夫忠春が家督した。主計は故主の庇護《ひご》を喪《うしな》い、用人の職を解かれた。そして今は藩政革新の第一着手として、累年秕政の責《せめ》を問われ、裁きの座に据えられようとしている。

然もなお彼は権力を握っているのだ。裁かれる身でありながら、その裁きの指図をするほど彼の権力はまだ大きいのだ。

——この家でおこなわれる事は見ても聞いてもならぬ、初めの日に外記はそう云った、——眼も耳も口も無いつもりでおれ。

都留はそれを思いだした。つまり外記もあらかじめこの家でなにがおこなわれるか知っていたのである、新しい岡崎の柱石とさえいわれる水野外記が、実は進藤主計の不法なおこないを助けていたのだ。都留にはなにもかもわからなくなり、その事の重大さにただ寒気だつような気持だった。

霜月なかばの凍《い》てる夜のことだった。宵のうちに水野外記が来、程なく鈴木主馬と他の二人が来た。この人々が此処《ここ》で顔を合わせるのはそれが初めてである、かれらは奥の間に集まり、なにか書類を中心にうちあわせ始めた。紙を繰る音と、低い囁きごえが起こり、——その合間あいまに鈴木主馬の昂奮《こうふん》した声が聞えた、「わたくしには承服できません」とか、「これはあまりに過酷です」とか、「こんな事実はありません」などという言葉が聞きとれた。

十時になったとき珍しく鈴が鳴り、「茶を淹《い》れてまいれ」と命ぜられた。都留は茶菓を運びながら、それとなくその座のようすを見た。客たちの前には堆高《うずたか》い書類がとりひろげてあった、それは主計がこの家へ来て以来、夜を日に継いで書き続けたあの記録らしかった。

「やっぱりそうだ」自分の部屋へ戻ると、都留は怒りのために色を変えながらそう呟いた、「……書いていたのは自分を裁く調書だったのだ、あの調書を元にして御裁きがおこなわれるのだ」

五

午前一時の鐘を聞き、二時を聞いた。奥の間の人々は夜食もとらなかった、そしてもう間もなく三時だろうと思われる頃、「いや、わたくしは反対です」という鈴木主馬の高声が聞えてきた、「……このたびの御吟味は藩政革新ということを明確にするのが御趣意で、罪人を出すのが目的ではないと信じます、このような調書を元にしての御裁きはでき兼ねます、少なくともこの主馬にはできません」

「今になって弱いことを申す」主計のしずかな声がそれに答えた、「……そこもとにできなくて誰にできるか、そんな弱音は聞きたくない、事はもう定まっているのだ」

「然しここまでやる必要があるでしょうか、御老職に伺います。果してここまでやる必要があるとお思いですか」

声が途絶えた。主馬に問いかけられた水野外記はなかなか返辞をしなかった、然しやがて主計に向ってこう云うのが聞えた。

「主馬の申すことは尤《もっと》もだと思います、これではまるで自殺をするも同様ではございませんか」

「そうです自殺です」主馬が追いかけるように云った、「……こなたさまはご自分でご自分を殺そうとしておいでなさる、これは御裁きではございません」

「いやこれが裁きだ」主計の声はやはりしずかだった、「……進藤主計を裁くにはここまでやる必要があるのだ、彼を容赦してはならぬ、有らゆる行蔵《こうぞう》を糾明し、為《な》した事の隅ずみを剔抉《てっけつ》して徹底的に断罪しなければならぬのだ」

都留にはこれらの言葉の意味がわからなかった、主計が自ら自分を「彼」と呼び、「容赦してはならぬ」と云う。いったいかれらはなにを争っているのだろう。謎《なぞ》を聞くような気持で、都留は知らず識《し》らず襖際へすり寄っていた。

「岡崎へ御就封このかた、御政治むきでは非常の手段を多く必要とした」主計はそのように語を継いだ、「……なによりも藩の基礎を確立することがさきだった、家中の者にも、諸民にも、ずいぶん無理な、時には過酷だと思う政治をさえ執った、それは必要だったのだ、藩礎が固まるまでは、どうしてもそういう時期を通過しなくてはならなかったのだ。……自分は冷酷な情を知らぬ人間だと云われた、専制、暴戻と罵《ののし》られたが、おかげで却《かえ》って仕事はしよかった、そういう名が付けば付くだけ無理が押せるし、責任を他の者に分担させる必要がなかったから、……だがもはや岡崎藩の基礎は確立した、領民にも耐え忍んで貰ったものを返す時が来た、新しい政治が始まるのだ、そしてそれは進藤主計の秕政を余すところなく剔抉することから始まるのだ」

「お言葉ではございますが」と主馬が声をはげまして云った、「……藩礎確立のためにどうしても無くてはならなかった御政治でしたら、それを秕政として罰する法はないと思います」

「ばかなことを申すな」主計の声がにわかに烈しい力を帯びた、「この場合、藩礎確立ということは一つの理由だ、極端に云えば申し訳にすぎない、それがいかにぬきさしならぬものだったにせよ、理由に依っておこなわれた政治の過誤がゆるされる道理はないのだ」

「然し、然し、果してこれが過誤だったでしょうか」

「苛斂誅求《かれんちゅうきゅう》は政治の最悪なるものだ、その一つだけでも責任の価はきわめて大きい、これだけでも進藤主計の罪は死に当るだろう、そしてこれは、……これは初めから覚悟していたことなのだ、今日あることは……」

そこで言葉が切れた、少しまえから風が出たとみえ、庭の櫟林がひょうひょうと枝を鳴らしている、それは夜の暗さとはげしい寒気を思わせ、聞く者の膚《はだえ》を粟立《あわだ》たせるような響きをもっていた。

「ただ残念なことは」と、暫くして主計が続けた、「……家中から幾人か犠牲者を出したことだ、やむを得ないことだったが、中には惜しい者、互いに心をうちあけてみたい者も少なくなかった。これは老人の愚痴になるけれども、そういう者と心から語ることもできず、黙って死んで貰わなければならないという気持は、この気持だけはかなり堪えがたいものだったよ」

おそらく鈴木主馬であろう、声を殺して咽《むせ》びあげるのが聞えてきた。……それからさらにどのような会話が交わされたか、都留にはもう聞くことはできなかった。主計の言葉からうけた感動は余りに大きく、その委細を理解するよりもまずうちのめされた。

——父上さまお聞きになりましたか。都留はふところの懐剣をとり出しながら、心のなかでそう呟いた、——今こそ父上さまも御成仏あそばしましょう、そして今日まで都留の心の弱かったことを、父上さまのおみちびきだったと存じてもよろしいでしょうか……。

六

客たちは明ける前に帰った。朝になってみると、奥の間はすっかり片付いていた。百余日のあいだ書き続けていた調書も、夥《おびただ》しい資料の山もなく、机は明り窓の下に押付けてあった。

朝食のあとで、主計は広縁へ出て足袋の穴をかがった。少し乱れているなかば灰色の髪、やつれの眼だつ横顔、そして骨ばった肩背をまるくして、つくねんと古足袋をかがっている姿は、平凡無事に老いた市井《しせい》の一老爺《ろうや》としかみえない。――だが灰色になったあの髪の一筋ひとすじは、世間の怨嗟と誹謗《ひぼう》を浴びながら、たゆまず屈せず闘ってきた証《あか》しなのだ。都留は廊下のこちらから主計の姿を見やりながらそう思った。――肩背をまるくしたみすぼらしいあの軀のなかには、暴戻、奸謡と貶《そし》られることを怖れず、まったく名利を棄てて生きた大きな真実があるのだ。……自分の父の死にかたを忘れることのできない都留には、それだけ深く、主計の生きかたの厳しさがわかるように思えた。――同じ道だったのだ、父上が死んだのもこの方の生きたのも、結局は奉公という同じ道だったのだ。

都留はしずかに近寄っていった。

「わたくしお繕い致しましょう」

「うん」主計は糸をひき緊めながら眼をあげた、「……もう済んだ」

実際もう穴はかがり終っていた。主計はそれを穿《は》き、鋏《はさみ》や糸屑《いとくず》や針を、手作りらしい小箱に納《しま》った、都留は「お片付け申しましょう」といって、その箱のほうへ手を差出した、主計は渡そうとしながら、ふと思いついたように都留の片手を握った。思いがけなかったし、突然のことでびっくりしたが、でも都留はその手を引こうとはしなかった。主計はすぐに放した。

「おんなの手というものは、温かいものだとばかり思っていたが、案外つめたいのだな」

「つめとうございましょうか」

「ただつめたいのではないのだろうが、もっと温かいものだと思っていた、それとも人に依っても違うのか」

「おんなはからだのつめたいものだと俗に申すようでございますけれど」

ついそう云ってしまってから、自分の言葉のぶしつけさに都留は赤くなり、急いで小箱を片付けに立った。主計は庭のほうへ向き直り、暖かい朝の日ざしを浴びながら、黙って櫟の林を見まもっていた。

——おんなの手におふれなすったこともないのだ。

都留はそう考えると、主計の孤独な慰めのない心が切なくなるほどじかに思いやられて、自分にできることならどんなにしてでも労《いたわ》ってやりたいというはげしい欲求に唆《そそ》られた。

「少し肩をおもみ申しましょう」

「そうか」主計は微笑した、「……もんでくれるか」

「不慣れではございますけれど」

そう云って都留は主計のうしろへ寄添い、しずかに両手を肩へ掛けた。骨立った、固い肩で、綱を通したようにひどく凝っていた。その凝った筋に沿って、柔らかくもみほぐしてゆくと、主計はさも快さそうに眼を閉じ、なんども大きく息をついた。

「わしはおまえを知っている」暫くして主計がそう云った、「……おまえが誰のむすめだかということも、ふところから懐剣を離さないこともよく知っている。いや、そのままもんでいてくれ、いい心持だ」

「………」

「おまえの父が死んだとき、中村惣兵衛におまえたち母子を頼んだのは、わしだ、またこんども わし自身だ。……それはわしにとって惜しい人間だった浜野新兵衛の遺児が見たかったし、できることなら、責任を果したうえで討たれてやるつもりだったからだ、然し、……おまえは今朝、懐剣を持っていないようではないか」

都留は全身の震えを抑えることができなかった、それで崩れるようにそこへ手をついた。

「わたくし、昨夜のお言葉を、あちらでお聞き申しました」

「それで」主計は身動きもせずに云った、「……それで死んだ父が承知すると思うか」

「はい、……そう信じまして……」

「そうか」溜息《ためいき》をつくようにそうかと云い、ややながいこと沈黙したが、やがて主計はしずかに頷いた、「……これで心の荷を一つおろした、いちばん重い荷の一つだった、おかげで少し肩が楽になったよ」

泣けそうになるのを耐《こら》えながら、都留は身を起こし、もういちど主計の背に手を当てた。主計は黙って肩を任せたまま、暫く庭の櫟林のあたりを見まもっていた。

「花を咲かせた草も、実を結んだ樹々も枯れて、一年の営みを終えた幹や枝は裸になり、ひっそりとながい冬の眠りにはいろうとしている、自然の移り変りのなかでも、晩秋という季節のしずかな美しさはかくべつだな」

感慨ふかげな調子だった。都留はそれを聞きながら、――この方の生涯には花も咲かず実も結ばなかった、そして静閑を楽しむべき余生さえ無い。ということを思った――いま晩秋を讃《たた》えるその言葉の裏に、どのような想いが去来しているであろうか、と。


（「講談倶楽部」昭和二十年十二月号）

金五十両

一

遠江《とおとうみ》のくに浜松の町はずれに、「柏屋《かしわや》」という宿があった。城下で指折りの旅館「柏屋孫兵衛」の出店として始まり、ごく小さな旅籠《はたご》だったのが、ちょっと変った庖丁《ほうちょう》ぶりの料理人がいて、それが城下の富商や近在の物持たちのにんきを呼び、しぜんと料理茶屋のようなかたちになってしまった。見つきは軒の低い古ぼけた宿だが、奥には二階造りに離屋《はなれや》の付いた建物があり、女中たちも若い綺麗《きれい》なのが十人あまりいた。

……梅雨どきの或る暮方に、どうして紛れたか一人のみすぼらしい旅人がこの柏屋へ草鞋《わらじ》をぬいだ。ばかに客のたて混む日だったし、雨の黄昏《たそがれ》どきで番頭も女中も気がつかなかった、旅人のほうでも見つきで入ったものらしい、客がひと退《ひ》きしたあと、お時という女中がみつけて帳場へ知らせた。

そこで番頭がいって、ここは旅籠はしていないからどこか他の宿へ移ってくれと云ったが、云い方が悪かったのか相手はひらき直り、御宿という看板を見て入ったのだし、いちど上げて置いて出ろという法があるか、梃《てこ》でも動かないからとあぐらをかかれ、始末に困って番頭はひき下った。

「いったい誰が上げたんだ」

「あたしはずっと魚庄さんのお座敷にいたから知らなかった」

そんなことを云い合っているところへ、お滝という女中がしらが来て、

「なにかあったのかえ」と口をはさんだ。

それまで離屋の客に付いていて、知らなかったのである。話を聞くといつもの癖のふんと鼻を鳴らせて、お膳は持ってったのかと訊《き》いた。

「気がつかないけれど、まだでしょう」

「それで手を鳴らさなかったのね」

お滝はちょっと眉をひそめたが、

「……いいよ、あたしが後でなんとかするから、お時さんおまえお膳だけでも持ってっといておくれ、お酒を一本つけてね」

こう云ってまた離屋へ去った。

受持の客を送りだしたのが九時過ぎ、ちょっと鏡を覗《のぞ》いてから、酒をもう一本持ってお滝はその部屋へいった。

……客は二十五六の瘦《や》せた貧相な男だった、木綿縞の着物も角帯もしおたれているし、開けてない両掛が投出してあるところをみると、着替えはもちろんろくな持物はないらしい、血色の悪い顔に眼ばかり神経質な光りを帯びていた。

「お愛相がなくって済みませんでした、熱いのを一つどうぞ」

お滝はこう云いながら膳の脇に坐った。

「まえには旅籠をしていたんですが、二三年あとからこんな風に変ったんですよ、気を悪くなすったでしょうが堪忍して下さいましね」

「旅籠をよしたんなら、御宿という看板を外すがいいんだ」

「それはそうなんですが、いまお茶屋は御禁制になってるもんですからね、それに場所が場所で旅の方なんかのいらっしゃることはないし、……お一ついかが」

「これで貰おう」

男は汁椀の蓋を取って差出した。

「この家がそういう仕掛になっているならこっちも気は楽だ、もっともどっちにしたところで、たいしたことはないがね」

「なにがたいしたことはないんですか」

「なにもかもさ、いつかみんな死んじまうということの他《ほか》、世の中にゃ一つもたいしたことなんぞありゃしないと云うのさ」

「おやおや、まだこれからというお年で、たいそう年寄りくさい言《こと》を仰《おっ》しゃるんですね」

お滝は膳の上から盃《さかずき》を取り、自分で酌をして一つ飲んでから、弟を見るような眼で微笑した。

「さんざんいい事をし尽して、ちょっと世の中に飽きがきたというところですか」

「違えねえ」

男はとつぜん笑いだした。

「さんざんいい事をしてな、まったくだ、図星だよ」

片手を後ろへ突き身を反らせて、まるでひきつるような、かさかさに乾いた笑いだった。その笑い声がなにかの古い傷にでもしみたように、お滝は眉をしかめながらいやいやをした。

「お願いだからよして下さい、そんな風に笑われると胸が痛くなってくるわ」

「手玉に取ったことでも思いだすのかい」

「わざと憎まれ口をきくことはないの、そんな柄じゃないことは御自分で知っているんでしょう、いいからおあがんなさいよ、酔ったときぐらい人間はすなおになるもんだわ」

男は初めて相手の顔をつくづくと見た。二十五にはなっているだろう、お滝のゆったりと角の取れた軀《からだ》つき、面《おも》ながの肌理《きめ》のこまかな顔、眉や眼は少し尻下りで、唇は薄手にのびやかな波をうっている。

決して美しくはないが、美しいよりもっと人を惹《ひ》きつけるもの、云ってみれば子に甘い母のようなふところの温かさ、誘うような懐かしい感じを持っていた。殆んどびっくりしたような眼でお滝を見まもっていた男は、やがて頭を垂れながらふんと鼻で笑った。

「すなおになれか、ぶん殴って置いて泣くなと云うやつさ、わかってるよ」

こう云って彼はたて続けにぐいぐいと酒を呷《あお》った。

「たいしたこたあねえや」

「酔うがいいわ、そしてゆっくりおやすみなさい、あなたは疲れてらっしゃるのよ」

男は柏屋に三日泊った。

宿賃も持ってないことは察しがついたけれど、お滝はあたしがひきうけるからと云って、朝から膳に酒を付けさせ、暇なときは自分が酌をしに坐った。宿帳には江戸日本橋どこそこ某店で宗吉、年は未《ひつじ》の二十六と書いた。上手ではないが書き馴れた字癖で、商人育ちということがわかる。……たぶん住所からなにからでたらめだろうが、宗吉という名はひとがらに似合っている、お滝はそう思った。

二

三日めの晩だった、あまり強そうでもない酒を、すすめられるままにやや飲み過した男は、それ以上もう黙っていられないという調子で、身の上を語りだした。

かなり強く雨が降っていて、他には珍しく客もなく、まだ宵のくちだというのに家の中はひっそりと物音も聞えなかった。

「馬喰《ばくろ》町二丁目のその太物《ふともの》問屋に十一から二十二まで勤めた、七つの年おふくろに死なれ九つの秋にお父っさんが死んだあとおふくろの兄に当る五兵衛という人の手で育てられ、近江《おうみ》屋へ奉公するにもその伯父さんが親許《おやもと》だった。

人はごく好いんだがずぬけた酒好きで、担ぎ八百屋の稼《かせ》ぎくらいでは追付かないほど飲んだ、宗吉なんとも済まねえがな……こう云って、よく店へ飲み代をせびりに来た、痩せこけた顔に無精ひげを伸ばして、猫背の肩を竦《すく》めながら、水洟《みずばな》を啜《すす》り啜り僅かな銭《ぜに》をせびるんだ、どんなに僅かでもまだ小僧の身には痛かった、けれども厭《いや》じゃあなかった、店を閉めたあとの買い食いはお店《たな》者《もの》の楽しみの一つになっている、その仲間はずれになっても、幾らかずつ溜《た》めて置くようにした。……びしょびしょ時雨《しぐれ》の降る、寒い日の昏方《くれがた》だっけ、下働きのお松という女中に知らされていってみると、伯父さんは頰冠りをした頭からずぶ濡れになって、土蔵の脇にしゃがんでいた、立っていられないほど酔っぱらってるんだ……もうたくさんだ、なあ宗吉、伯父さんは軀をぐらぐらさせながらこう云った。

なにごとにも限《かぎり》というものがあらあ、己《おれ》だって男のはしくれだ、もうたくさんだ己あ今日という今日あいつを叩き出してやる、お鈴のあまを叩き出して、酒を断って、人間らしい暮しを始めるんだ、まるっきりろれつの廻らない舌でそんなことをくどくど云うんだ、己にゃなんのことかさっぱりわからなかった、そして伯父さんは帰った」

彼は言葉を切って、酒を口まで持っていったが、眉をしかめて首を振ると、飲まずにそのまま膳へ戻し、深い溜息《ためいき》をつきながら続けた。

「……それから間もなく伯父さんは死んだ、たいしたこたあない、己は二十で年期が終った、これから三年の礼奉公をするんだが、そのとき奉公ちゅう主人の積んでくれたのとこっちで預けた金を揃《そろ》えて、これだけ溜まったと並べて見せられるのが習慣になっている、己も習慣どおり見せられた、それが幾らだと思う……三両と一分二朱だった」

宗吉はいちど置いた酒を取って飲み、じっと眼をつむった。

雨は相変らず強く降っている、どこか樋《とい》の傷《いた》んでいる処《ところ》があるのだろう、裏手のほうでざあざあと溢《あふ》れ落ちる水音が聞えた。

　お滝は酌をしながら男を見た。

「それはいったいどういう訳なんです」

「伯母が持ってっちゃったんだ、飲んだくれの伯父が死ぬと間もなく、伯母は自分より若い男を後夫《ごふ》に入れ、段だんしだして、かなり大きい八百屋の店を持つようになっていた、その男とは伯父が生きていた頃から普通じゃあなかったと、近所の者から聞かされたことがある、それが厭で己はできるだけ寄りつかなかったが、伯母は手土産なんぞ持ってよく店へ挨拶に来た。

　そのあいだに己には内緒で、宗吉のために積んで置くからと、四十五両というものを受取っていったという、お前は知らなかったのかとその書付を見せられて、眼の前が急にまっ暗んなったような気持で己は店をとびだした」

「よせばよかったのに」

　お滝は呟《つぶや》くように云いながら、膳の上の盃に酌をした。

「いったってむだに定《きま》ってるじゃないの」

「唯むだなばかりじゃなかった、親無し子で乞食になる処を拾ってやったとか、生きているあいだは稼いで貢げとか、悪態のありったけを浴びせられ、塩を撒《ま》かれないばかりに逐返《おいかえ》された。

　十年かかって溜めた金は、こうしてあぶくのように消えちゃった、己は帰りに大川へでもとび込んで死んじまおうかと思い、浜町河岸を往《い》ったり来たり、灯のつくじぶんまでうろつきまわっていた、もちろん死にあしなかった、と云うのはそのとき……夫婦約束をした相手があったからだ」

宗吉は微《かす》かに身震いをした。

その太物問屋に、おたまという娘がいた。宗吉と四つ違いで、縹緻《きりょう》もよく才はじけた早熟な子だった、奉公にはいった始めから好んで彼を遊び相手に選び、芝居見物の供などにも彼だけは欠かさず伴《つ》れてゆくという風だったが、宗吉が十八のとき奥土蔵の中で、彼女のほうから求めて夫婦約束をした。

「これから二人っきりのときはおたまと呼捨てにしておくれ」

などと指切をしたり、

「お父っさんがあんな気性だから許して貰えないかも知れない、そうしたら二人で駆落《かけおち》をしてもきっと夫婦になろう」

熱い息づかいでそんな言を囁《ささや》き合ったりした。

三

「己は娘に打明けたものかどうか迷った、おめでたいはなしだがその金が無いといざというとき駆落もできなくなる、さぞ向うはがっかりするだろうと思ったんだ、よし死に身になって稼いでやろう、年期が明ければ月づき定った手当が貰えるし、うまく外廻りになれば売上げの分も入る、ひとの十倍はたらく気でやってみよう、こう決心した」

髪結い賃から風呂銭まで倹約した、饅頭《まんじゅう》ひとつ買い食いもせずに二年やってみて、これでは埒《らち》があかないと焦りだしたとき、手代のひとりで清吉という者に付けられ、外廻りをすることになった。

仕事はおもに注文取りで、責任額を超えると配当が出る、古参の者に付いているうちは僅かな分前だが、そのあいだに顧客を分けて貰ったり自分で作ったりして、一定の数に達すると独立して外廻りになる仕組だった。

……清吉に付いて一年、もう独り立ちになってもよさそうだというとき、

「配当の分を増すから一緒にもう少しやろう」と勧められた。

条件はよかった、半年ばかりのうちにかなり纒《まと》まった金を握ったが、とたんに番頭から呼ばれて、抜商《ぬけあきな》いの事実をつきつけられた、蔵出し、売掛、仕切の三帳簿を巧みにごまかしたもので、彼にはちょっと理解のつかないほど複雑なからくりになっていた。

「私はなにも知らない」

幾らこう云い張ってもいけなかった、当の清吉は大阪の出店へいって留守、帰るまで待ってくれれば自分の潔白はわかる筈だ。泣きながら頼んだが老番頭はせせら笑うだけだった。

「おもて沙汰にするだけは勘弁してやる」

と云って身ぐるみ剝《は》ぎ——溜めた金はもちろん着たもの以外は帯ひと筋も残さず取上げて——店から逐出した。

それでもまだ絶望はしなかった。主人の娘は自分の味方だ、ゆく末の約束もある、話せばきっと証しを立ててくれるだろう、……逢えさえすればと機会を覘《うかが》ったが、それを知って避けるよう

に、出ることの好きなおたまがまったく外へ姿を見せない、彼は餓えた犬のように夜も昼も店のまわりをうろついた。

「間もなく帰って来た清吉と逢った、清吉は小料理屋へ誘いこんで、なにもかも番頭とその仲間の手代たちの悪企みだと云った、抜商いをしていたのは実は彼等で、偶《たま》たま露顕しそうになったのですっかりこっちへ押付けたのだという。……いまにおれが動かない手証《てしょう》を押えてあいつらを逐出したうえ、おまえをきっと店へ戻れるようにするから、清吉はこう約束をした、そして当分のあいだ自分の仕事の手伝いをしてくれ、決して困るようなめにはあわせない。……藁《わら》にでも縋《すが》りたい気持の時だった、おれは清吉の云うことを頭から信じこみ、ついおたまとのことまで打明けてしまった、ばかもここまでくると底無しだ。相手は猫撫《な》で声でそれも引受け、いつかおたまさんとも逢えるようにしてやろう、夫婦になる手助けもしようと神文《しんもん》誓紙を書かないばかりに云ってくれたものさ」

清吉の仕事のお先棒を担ぎながら一年、お預けをくった犬のように、よしという声のかかるのを待っていた。

然しやがて少しずつ事実がはっきりし始めた、清吉がふっと姿をみせなくなり、続いて馬喰町の店の代が変った。

……彼は清吉の消息をしるために狂奔した、そしてなにがわかったろう、清吉はおたまと夫婦になって、新しく出店を開くために上方《かみがた》へ去ったという、おたまは十五六のじぶんからおとこ出入が多く、店の者だけでも五人より少なくなかった。親も親類もて余していたのを清吉が承知のうえで貰い、その代償として出店を出して貰ったということだった。

「清吉という男はまえから売上をごまかしたり、蔵の品を持出して売ったりする悪い癖があった、然し商売がうまいので主人も番頭もみのがしていたんだそうだ、おたまを任せたのも清吉なら手綱をとれるとみたからさ。

……おれは軀じゅうの皮を剝がれて、荒塩を擦り込まれたような気持になった、世間がどんなからくりで出来ているか、人間にはなにが大事か、色んなことが見えだしてきた、亡くなった伯父さんがいつも泥亀のように酔っていた気持が、はじめておれにはわかったんだ」

宗吉はすっかり蒼《あお》くなった顔に、歪《ゆが》んだどす黒い嘲笑《ちようしよう》を浮べながらこう結んだ。

「……世の中に本当のものなんぞ有りあしねえ、騙《かた》りや盗みや詐欺が勝つんだ、それができない人間は阿呆のように酔うか、死んじまうより他に手はねえ、それでおれは、こうして旅へ出た、のたれ死をするまでの旅へさ、たいしたこたあねえ」

「そして此処《ここ》まで辿《たど》り着いて、どうやら先がみえてきたというわけね」

お滝は自分の盃へ手酌で注ぎ、しずかに飲みながら男を見た。

「それともこれからさきは物乞いでもしてゆく積りですか」

「どんな積りがあるものか、食逃げでこの家から番所へ突出されたら出るまで、牢《ろう》へ叩き込まれたら入っているまで、縛り首でも島流しでも御意のままさ、どうせどっちへ転んだって」

「たいしたことはない……というんでしょう、仰しゃるとおりだわ、あたしのような者が意見がましいことを云ってもしようがないし、口先の慰めなんか三文の値打もないでしょう、だからなんにも云いません、けれど、……」

お滝はこう云いながらそこへ紙に包んだ物を差出した。

「その代り貴方《あなた》も文句なしにこれを取って下さい、そして明日の朝になったら宿賃を払って、きれいに此処から立っていって下さい」

四

「……つまり」

宗吉はもういちど冷笑した。

「この家の仕掛が仕掛だから、番所なんぞとうるさい係わりがもちたくないわけか」

「そうかも知れません、でも一つだけすなおに聞いて置いて下さいな、お天気だって晴れているときばかりはない、十日も二十日も降ったり、暴風雨や洪水になることもあるんですよ」

宗吉はかさかさな声で笑いながら、両手を頭の後ろへ廻して仰向けに倒れた。

翌朝はやく宗吉は柏屋を立った。

雨合羽と笠と新しい草鞋が揃えてあった、お滝という女の心配してくれたものらしい、然し当人は姿をみせなかった。

……けむるような雨の降る、まだ仄暗《ほのぐら》い宿場町を歩きだしてから、彼はなんども足を停めて戻ろうとした、ひとめ会って来ればよかった、懐かしいような、温かく惹かれる想いが心に残って、それがしだいに大きくふくれあがるようだった。

「へん、どこまでも飴《あめ》ん棒に出来てやあがる」

思わずこう呟いて頭を振り、笠の前を下ろしながら、唆《け》しかけるような足どりで彼は急ぎだした。

舞坂へ二里半の道を馬郡《まんごり》という小さな宿まで来たとき、宿のかかりで一人の武士に呼止められた。雨支度をしているので状《すがた》かたちはわからないが、まだ若そうな逞《たくま》しい軀つきで、ひじょうに急いでいるようすが眼についた。

「失礼だが西へゆかれるか」

「……へまいります」

宗吉は相手の語気の鋭さに圧されて、我にもなく一歩うしろへさがった。武士は押冠《おしかぶ》せるように、

「膳所《ぜぜ》を通られるか」と訊いた。

「へえ、ぜ、膳所を、通ります」

「では頼まれて貰いたい」

相手はこう云ってふところから袱紗包《ふくさづつみ》を取出し、

「これに五十金ある、まことに相済まぬが、城下の中大手西ノ辻《つじ》という処に藤巻中書という家がある、それへこの金子を届けて貰いたいのだ、源之丞《げんのじょう》よりと申せばわかる、頼むぞ」

こう云って金包《かねづつみ》を渡したかと思うと、こちらの返辞も待たずに向うへ走り去ってしまった。宗

吉は本能的に後ろへ駆けだした、なにを考えたのでもない。侍の走り去るのを見たとたん、いきなり軀がそれとは反対のほうへ駆けだしていたのである。

……五十両、五十両という、言葉ならぬ言葉が頭いっぱいに響きわたり、むが夢中で四五丁あまり走った、息苦しくなって振返ったが、追って来る者もない、却《かえ》って往来の人が訝《いぶか》しそうに眺めるので、ようやく彼は足を緩めた。

「巾着切《きんちゃくきり》とかごまの蠅《はえ》とかいう奴だな」

宗吉は我知らずこう呟いた。

「みつかりそうになったんで預けたに違いない、……世間ばなしというのもまんざら嘘じゃあないんだな」

早鐘を撞《つ》くような動悸《どうき》だった、おちつこうとしても、跡を跟《つ》けられてはいないかという怖れで、ついのめるような足早になっていた。

とにかく柏屋へ戻ろう。お滝の顔が眼に浮んだのでそう決心をし、篠原《しのはら》という処で勧められるままに馬へ乗った。もし追って来る者があったら乗方は知らないがそのまま馬を飛ばそうと考えて、……ついになに事もなかったが、今か今かと一寸刻みの道を続けて、ようやく浜松の町はなへ着き、そこで馬から下りた。

柏屋へはいると番頭が厭な顔をした。

彼はお滝さんを呼んでくれと云いながら、構わず草鞋をぬぎにかかった、手がひどく震えるので濡れた緒がまるで解けない、苛《いら》いらして引切ったときお滝が出て来た。どうしたんですと云いたげな顔へめくばせをした。

「迷惑は掛けない、大事な話があるんだ、ちょっと上らして貰うよ」

お滝は小女に洗足《すすぎ》の水を命じ、女中のひとりに部屋へ案内を云い付けると、早いのにもう客があるとみえて自分は奥へいってしまった。

……彼は二階の元の部屋へ通されると、すぐに着替えと酒を注文し、女中に小粒を一つくれて遣《や》った。ここまで来れば大丈夫という安心に、ふところの五十両がすっかり気持を大きくさせたのだ、まるで嘘のように愛相のよくなった女中が、着替えをさせ、酒を運んで来た。

「ざまあみやがれ」

お世辞たらだら去ってゆく女中の後ろへ、こう浴びせながら彼は盃を取った。

「小粒一つで閻魔《えんま》が地蔵に化けやあがる、へ、たいしたこたあねえや」

飲みながら、お滝から貰った銭勘定をした、それから金包を取出して切餅《きりもち》になっている方の封を切り、二両一分だけ別にして紙に包むと、たて続けにぐいぐい酒を呷《あお》った。

……四本ばかり飲んだとき、お滝が来た。はいって来たが障子際に立ったままで、

「お話ってなんです」と冷やかに訊いた。

燗《かん》徳利の並んだ膳の上から、こっちへ移した眼もまったく冷たかった。

「まあ坐らないか」

宗吉はこう云いながら、封を切った金をざらっと畳の上へ投げ、更に二十五両包をそこへ置いた。

「……ここに五十両、これに就いて相談があるんだ」

五

「……そうね」

膳の脇に坐って、宗吉の話を聞き終ったお滝は、暫《しばら》く膝《ひざ》を見つめていたが、やがて眼をあげた。

「貴方の云うとおり、ごまの蠅とか巾着切とかいう者かも知れないわね」

「そうでなくって五十両という金を、見ず知らずの旅の者にことづける訳があるかい、一分や二分じゃあない五十両だぜ」

宗吉は酔わない酒をもう一つ呷った。

「……おれはのたれ死をする覚悟まで決めたが、元の起こりは——伯母に掠《さら》われた四十五両、それが返ったと思っちゃ悪いだろうか、これだけあれば小さくとも店が持てる、そしてお滝さん、……もしおまえに障りがないんなら、私と一緒に苦労をして貰いたいんだ」

お滝はしずかに男の眼を見た。

……自分の気持が彼のほうへ、ありきたりでなく惹かれていることに、自分でびっくりしたような眼つきだった。それが男にも手で触るように通じた。

「今朝ここを立ってから、私の胸はお滝さんおまえのことでいっぱいだった、たった三日だったけれど、私はおふくろに抱かれたあとのようにここのところが温かく、だらしのないほど別れてゆくのが辛かった、生れて初めてだ、こんな気持になったのは生れて初めてなんだ、お滝さん私はこれ以上もうなんにも云えない、けれども本気だということはわかって貰えると思うんだ」

「世の中に本当のものなんぞありあしないって、ゆうべ御自分で仰しゃったわね」

お滝はじっと男の顔を見た。

「あれからまる一日も経たないのに、こんどは貴方の云うことを信じろと仰しゃるんですか」

「それとこれとは違うよ、私がどんなめに遭ったかは精《くわ》しく話した、あれを覚えていたら、私のああ云ったことはわかってくれる筈だ」

「そうすると世の中はまるきり騙りやごまかしばかりでもないという訳ですね」

お滝の顔はにわかに引緊った。

「それじゃあお願いがあります、そのお金を頼まれた処まで届けて来て下さい」

「だってそんな、そんな、わかりきったことを」

「たぶんそうでしょう、仕事をしそこねた悪い人間が、危なくなって貴方にあずけたのかも知れません、けれどもそうではないかも知れない、なにか事情があって本当に貴方に頼んだのかも知れない、それをたしかめて来て下さいませんか」

「そうすれば、私の望みを協《かな》えてくれるんだね」

「膳所から帰っていらしったら」

こう云ってお滝は金包を引寄せ、数を揃えてみたうえ、自分のふところから別に幾らか出し、それを紙にくるんでそこへ置いた。

「……これは少しですけれど往き帰りの旅費です、お待ちしていますよ」

昼飯を済ませるとすぐ、彼は膳所へ向けて柏屋を出た。

さっきの男に会ってはいけないと考え、宿《しゅく》はずれで駕籠《かご》に乗った。舞坂から荒井までの舟渡しも、なるべく笠で顔を隠すようにし、上るとすぐまた駕籠を雇って、三河のくに二川《ふたがわ》の宿へ着くと、まだ日が高かったが旅籠を取った。

お滝の頼みで来たものの、膳所へゆくのがむだだということは彼の頭から動かなかった。世の中がどれほど金と我欲と騙りで出来ているか、彼は骨身にしみて味わわされている、それなのにこんな大枚の金を道の上で、処も名も素性も知れぬ者にことづける人間があるだろうか。

「お伽《とぎ》草紙に書いて女こどもに読ませたって信じやあしない、わかりきったこった」

往《ゆ》くのは止《よ》そう、幾たびもそう考えたが、お滝との約束を破るということが気を咎《とが》め、ずるずると不決断な旅を続けて、とうとう七日めに膳所へゆき着いてしまった。

もう昏《く》れていたのでその夜は宮前という処に宿り、明くる日はやく中大手西ノ辻を尋ねてみた。藤巻という家はあった、古びた黒い笠木《かさぎ》塀《べい》をめぐらせた小さな構えで、門からひと跨《また》ぎの処に玄関が見える、宗吉はいちど通り過ぎて戻り、思いきって玄関に立った。声をかけると若い侍が出て、「とりこみ中だから主人は会えない」と云った。

「源之丞という方からお言伝《ことづて》を持ってまいったのですが」

「なに源之丞どのから」

侍は急いで奥へ去り、すぐ出て来て庭へまわれと云った。そこから左へまわると三十坪ばかりの庭になり、床の高い縁側に五十歳あまりの中老の武士が立っていた。宗吉は腰を踞《かが》めて近寄り、持って来た袱紗包を取出しながら、馬郡の宿での仔細《しさい》を話した。藤巻という人は聞きながらそこへ坐り、両手を膝にきちんと置いて眼をつむった。

頬骨の高い眉の厚い、謹厳そのものといった顔だちだが、癇性《かんしょう》なのか片頬だけ時どき微かに痙《ひき》攣《つ》るのがみえた。話し終って袱紗包を差出すと、相手はそれに眼もくれないで鄭重《ていちょう》に頭を下げた。

「それはそれは、遠路のところ態《わざ》わざお届け下すって忝《かたじけ》のうござった、源之丞は拙者の伜《せがれ》でござる、若年者のうろたえた思慮でかような御迷惑をお掛け申し、なんともお詫《わ》びの致しようがござらぬ、ひらに御勘弁が願いたい」

「いえ私のほうこそお詫びがございます」

宗吉は慌てて低頭した。

六

「……正直に恥を申上げますが、お預かり申したとき私は無一文でございました、そのうえ別に事情がございまして、どうしても二両一分ばかり必要になり、ちょっとした考え違いから小粒のほうの封を切ってしまいました、もちろんこの袱紗の中には五十金そろえてありますが、そういう訳で封を切ってございますので、そこをどうかお赦し下さいますよう、お願い申上げます」

「いやその斟酌《しんしゃく》には及ばない、このほうにはお志だけで充分でござる、失礼ながら暫く……」

藤巻中書はこう会釈をし、袱紗包を持っていちど奥へ去ったが、やや暫くして戻り、紙に包んだ物を白扇に載せて差出した。

「お招き申して粗飯など差上げたいが、さし迫ったとりこみがござってそれもかなわぬ、謝礼と申しては無躾《ぶしつけ》だが、かたちばかりの寸志どうぞ御笑納下されたい」

そんなことをと辞退したが、相手はどうしてもきかず、結局それを貰って藤巻家を辞去した。……宗吉の心は夜が明けたように明るくはずんでいた。

「本当だった、本当だった」

外へ出るなり彼は躍りあがるような気持でこう叫んだ。

「ごまの蝿でも巾着切でもない、あのお侍は見ず知らずのおれを信じて、あれだけの金をあんなにあっさり預けたんだ、くすねられやしないか、たしかに届くだろうか、そんなことは爪の尖《さき》ほども疑わず、出会いがしらの人間をいきなり信じてだ、……こんな人もいるんだ、世の中にはこんなに嬉しい事もあるんだ、おれも生きるぞ」

打ちひしがれ絶望していた心が、活き活きと熱い血を噴きだした。これからはなんでもしよう、どんな苦しい事でもやりとおそう、暴風雨も洪水もおしまいだ、雲は散り日が輝きだしたんだ。……まったく甦《よみがえ》ったような気持で、宗吉は宿へ帰るとすぐに立つ支度をした、するとふところからばったり紙包が落ちた、謝礼に貰ったままfärすっかり忘れていたのである。

「こりゃあ、……少しばかりじゃあないぞ」

受取ったとき金だということは見当がついていた、然しいま畳へ落ちた音は重たかった、さすがに胸を踊らせながら包みを開くと、まず上に手紙のようなものが載っている、彼は手早く披《ひら》いて読んだ。

それは極めて簡単なもので、

「昨日、早《はや》の使者があって、伜源之丞が舞坂に於《おい》て決闘し、相討《あいうち》となって死んだという報知があった、理由は云えないが膳所藩のおための死で、自分として心残りはない、然し伜の決闘は親の自分が責任を負わなければならぬ、今日あすにも追放の御達しがあると思い、その支度をしている。

就いてはせっかく遠路お届けにあずかった物だが、自分たち夫婦にはもはや使途もなし、旁々《かたがた》伜が最期の際の御縁もゆかしく思われるので、これはそのままそのもとに納めて頂きたい、いかなる境涯の人かは知らないが、末ながくお栄えなさるよう祈っている」

あらましそういう意味のことが書いてあった。

……それは爽やかに割切った、清《すが》すがしいほど綾《あや》のない文言である。深い仔細はわからないが、国のため主家のためによろこんで死ぬ子、些《いささ》かも心残りなくその責任を負って追放される親、……彼が馬郡の宿でことづかった金の蔭《かげ》には、こんなにも悲痛な、けれどこんなにも力づよい生きざまが隠れていたのだ。

彼は手紙を巻いて金包をあけた。持っていったままの五十両がそっくり出てきた、五十両。……丁稚《でっち》奉公を十年して溜めたあげく、伯母に奪《と》られた金は四十五両、殆んど労せずしていま此処に五十両。

「金じゃあない、金じゃあないんだ」

宗吉は呻《うめ》くようにこう呟いた。

「十年溜めたものを横取りされた、おたまに騙《だま》された、清吉にどうされた、おれはそんなことくらいでやけになっていた、……みんなてめえのことばかりじゃあないか、てめえ独りの……」

宗吉は身ぶるいをした。

「源之丞という人は自分のために死んだんじゃあない、あの親御さんは禄を放されても悔んだり怨んだりしちゃあいない、それぱかりかちっとも心残りはないとさえ云っている、……こう生きなくちゃあいけないんだ、人間はこう生きなくちゃあいけないんだ」

世の中の広さ、人間の生き方の深さ、宗吉にはいまおぼろげながらそれが見えだしたようだ。彼は大きなちからが軀いっぱいに溢れるような気持を感じながら、そっと眼で笑ってこう呟いた。

「おまえに逢えてよかったな、お滝、……これからいっしょにやろう、世の中は苦労のしがいがあるぜ」

（「講談雑誌」昭和二十二年九月号）

落ち梅記

「すまない、そんなつもりじゃあなかったんだ、酔ってさえいなければよかったんだが、どうにもしようがない、本当にすまないと思ってるんだ」

一

半三郎はこう云って頭を垂れた。不健康な生活をそのまま表明するような蒼《あお》ざめた艶《つや》のない顔である、しまりなくたるんだ唇、ぶしょう髭《ひげ》の伸びている尖《とが》った顎《あご》、焦点のきまらない濁った眼、すべてがいやらしいくらい汚れた感じであった。——金之助は静かなまなざしで友のようすを眺めた。彼の濃い眉毛やひき緊った唇や、高頬の線のはっきりした顔だちは、いずれかというと凌《りょう》烈《れつ》な印象を与えるほうなのだが、いま友を見る眼つき表情はなごやかに温かい色を湛《たた》えていた。

「もう少し時日があれば都合のつくあてはあるんだが、相手がどうしても待たないんだ、じかに家へ取りにゆくと云うんで、なにしろあのてあいは本当にやりかねないもんだから」

「どのくらい要るのかね」

「五枚もあればさし当りなんとかなるんだ」

「さし当りでなくきれいに片をつけるにはどの位要るんだ」

「きれいにといって」半三郎は眼をあげたがすぐに俯向《うつむ》いた、「——それは十枚くらいあるとなんだけれど、しかしそれは、相手も細工をした賽《さい》などを使っているんだから」

金之助は友の言葉を聞きながして立った。手文庫の中をみたが到底それだけはない、母に頼むつもりで、廊下へ出てその部屋へゆくと、客があるとみえて話しごえがしていた。彼はちょっと考えたが、炉の間へはいって、小間使のむらを母のところへやった。母親はすぐに来たけれども、金の額を聞くと眉をひそめてこちらを見た。

「そんなにたくさんでどうなさるの、あなた母さんがお金の蔵でも持ってると思っていらっしゃるんじゃないの」

「この分はお返し致します、急に入用なもんでいちじ立替えて頂くだけですから」

「返しておくれでなくってもいいけれど、そんなにたくさんなんでお入用なの、月々の定《きま》りの物もあげたばかりでしょう」

「どうしても要るんです、お願いします」

母親はきつい眼で睨《にら》んだが、唇には微笑がうかんでいた。黙って居間へゆき、ひき返して来ると、紙に包んだ物を渡しながら云った。

「佐竹の由利江さんが来ておいでなのよ、あなたになにかお頼みがあると仰《おっ》しゃっているのだけれど」

「公郷《くごう》がもう帰るでしょうから」

「公郷さん、お客は公郷さんだったの」母親は身を離すようにして息子を眺め、初めてわかったというふうに頷《うなず》いた、「――そう、それでなのね、……いいえいいの、ではお帰りになったら知らせて下さい」

金之助は部屋へ戻り、手文庫の中から出した物を加えて、包み直すと、それを友の前へ押しゃってから、顔には穏やかな色を湛えたまま、少しばかり屹《きっ》とした口ぶりでこう云った。

「これまではなにも云わなかったが、今日はひと言だけ云わせて貰う、――もうそろそろ止《や》めてもいいじぶんじゃないか、これ以上こんなことを続けているとぬけられなくなる。ここに十枚はいっているからこれで片をつけて、さっぱりと手を洗ってくれないか」

「――うん、わかっているんだ」

半三郎は紙包を取り、だるそうな動作でふところへ入れたが、しまりのない唇を歪《ゆが》め自分を嘲《あざけ》るように冷笑した。

「――自分でもこんどこそ立直ろうと思っているんだよ、なんなら誓ってもいいが」

いやそんな必要はないと云って金之助はじっと友の顔を見た。半三郎はなにかを証明するとでもいうふうにそれを見返したが、ちからのない濁った眼はすぐに脇へそれ、もういちど、唇を歪めた。

「誓うなどというおおげさなことじゃあない、もっとあっさり止める気持なんだ、もともと遊びなんだから、なにもそんなに重大問題じゃないだろう」

「――そのとおりなんだ」

「云っておくほうがいいと思うが、御両親がなにか聞かれたようだ、ほんの風聞くらいのものらしいが、このうえ御心配をかけるようでは悪い、頼むよ公郷」

半三郎は脇へ向きながら頷いた。そして精のぬけたような動作で座を立ったが、よろめいて障子にぶっつかった。酔っているのではなく神経が耗弱しているのである、玄関を出てゆく後ろ姿にも、肩から背へかけて軀《からだ》の衰えがあからさまにみえた。——そんなにも踏み込んでしまったのか、金之助は心の昏《くら》くなるような気持でそう思った。

客の帰ったことを告げて部屋へ戻ると、間もなく由利江が来た。大柄なゆったりとした軀つきで、ぜんたいが柔らかくまるい線に包まれている、いつも笑っているような表情と、おちついたやさしいもの云いが幼い頃からの特徴で、知るほどの者に「由利江さんは幸福を持って来る」と云われたものである。慥《たし》かに、由利江のいるところには必ず温かい楽しい雰囲気《ふんいき》がついてまわった。悲しいとき、愁いのあるとき、苦しいとき、そして絶望しているようなときでさえも、由利江と話していると慰められて気が晴れてくる。これという理由はないのだが、なんとなく世の中が明るく、生きることが楽しいような気持になってくるのであった。——由利江の家はこの沢渡《さわたり》家とおなじ家老格で、食禄は八千七百石、父の佐竹千五郎は筆頭年寄役である、由利江のほかに千之丞《せんのじょう》という異母弟がいるが、その千之丞も母親よりは彼女のほうに深くなついて、家にさえいれば姉のそばから離れないというふうだった。沢渡と佐竹とは遠い縁者にも当っていたし、金之助の父の助左衛門と千五郎とは極めて昵懇《じっこん》のあいだがらで、家族も古くから近しく往来していた。ことに由利江の生母が亡くなった当時、それは彼女が十二歳になった初夏のことであるが、金之助の母の茂登女《もとじょ》は由利江をあわれむ余り家へつれて来て、百日ばかりそばに置いて世話をした。そのときのことは金之助もよく覚えているが、由利江はいつものとおり微笑を湛えた明るい顔つきをしていて、男きょうだいのない珍しさからでもあろうか、金之助の部屋へもよく遊びに来たりした。

――思ったほど悲しがってもいませんね。

――早く死別する親子は縁がうすいと云う、やっぱりそういうものかもしれない。

――そのほうがはたの者には助かりますわ。

父と母とでそんな話をしているのを聞いたことがあった。金之助もそう思っていたのであるが、それは見かけだけのことで、由利江は独りになるときは泣いていたのである。しかもそれを金之助にみつけられたとき、おじさまにもおばさまにも黙っていてくれるように、こんなことはごくたまにしかないのだからと、けんめいな口ぶりで頼むのであった。それから後はさらに親しさを増したというようすで、金之助の部屋へ来てはよくいろいろな話をした。彼は祖母から貰った青銅の手鏡を持っている、さしわたし四寸ばかりの八花形《やつはながた》の漢鏡で、日光を反射させると竜紋が現われる。珍しいので友達なかまにずいぶん欲しがられた。いつも桐の小箱へ入れて床間の違棚に載せてあったが、由利江もそれをみつけて、来るたびに日光を映してはよろこんでいた。そのようすが余りいじらしくみえたので、欲しければあげようと云ったところ、由利江はびっくりしたように眼をみはってこちらを見た。

――本当に下さいますの。

――本当にあげるよ。

こう云うと、ちょっと首を傾《かし》げて考えるふうだったが、ふと頬を赤くし、しさいらしい口ぶりで静かにこう云った。

――では由利がもっと大きくなってから頂きますわ。それまでどこかへ納《しま》っておいて下さいまし。

そしてすぐに袱紗《ふくさ》で包み、箱へ入れて、大切そうに紐《ひも》をかけてしまった。それはもう夏も終りに近いじぶんだったと思うが、たぶんその前後のことだろう。庭から来て、いつものように広縁へ腰を掛けて、暫《しばら》くじっと植込のほうを眺めていた。ふと溜息《ためいき》をつくようすなので、金之助がどうかしたかときくと、彼女はおとなびた表情で次のように答えた。

——お母さまの亡くなったのが夏でよかったと思います。もし秋だったらどんなに悲しかったでしょう。……木や草が枯れて、夜なかに寒い風の音などが聞えたら。

金之助は心をうたれた。慰めの言葉もなく、黙って頷くだけであった。どこへでも幸福を持って来る、人にそう云われる温かな明るい性質、会うほどの者を楽しくゆたかな気持にさせるひとがらの裏には、そのようにこまかな神経が隠されているのである。一年して父が継母を迎え、その翌年に千之丞が生れた。もちろん継母ともよく折合ったし、異母弟とのむつまじさはまえに記したとおりである。そして金之助の母親はもうかなり以前から彼の妻には由利江をと考えていたし、由利江のほうでもうすうす気づいているようすだった。

はいって来た由利江は、例の駘蕩《たいとう》たる微笑をうかべながら挨拶をし、今日はおねだりをしにまいりましたと云った。

「なんです。おねだりとは」

「——まあ牡丹《ぼたん》がきれいに咲きましたこと」

明けてある小窓の向うを見てこう云うと、由利江はいま坐ったばかりの座を立った。ゆらりと花の揺れるようなのびやかな動作である。会釈をして窓に倚《よ》って、もういちど感嘆のこえをあげながら暫く眺めていたが、「おねだりが一つ殖《ふ》えました」そう云って静かに座へ戻り、霞《かす》むような笑顔をあげてこちらを見た。

二

おねだりとはなんですと、金之助がもういちどきいた。由利江はちょっと羞《はに》かんだように首を傾げ、じつはあの手鏡を頂きたいのですと云った。

「——あの手鏡……というと」

金之助は即座にはわからず、問い返すように由利江を見たが、そのときその意味がわかって思わず笑った。

「これは驚いた、あれを覚えていたんですか」

「それは忘れは致しませんわ、もっと大きくなってから頂きますって、あのときちゃんとお約束したのですもの、——下さいますのでしょう」

「むろんさしあげますよ」

私のほうは忘れていたがと云って、金之助は立って地袋を明け、鏡箱をとり出してそこへ差出した。由利江は両手でそれを持ち、ふと感慨ありげな表情になって、しなやかに長い美しい指で、箱の表をそっと撫《な》でた。

そうだ、あれから六年たっている。

金之助もそう思い、十二歳の幼い姿といま眼の前に見るあでやかなむすめ姿とのあいだに、過ぎ去った時の足音を聞くかのような、遙《はる》かにあまやかな感動を覚えるのだった。

「それからおねだりのもう一つは」と、由利江はこちらへ眼をあげた、「明後日の午《ひる》すぎに法顕寺へいらしって頂きたいのですけれど」

「なんです、御法事でもあるんですか」

「ここでは申上げられませんの、わたくし先にまいってお待ち申しておりますから、そして、おばさまにはなにも仰しゃらずにいらしって頂きたいのですわ」

「――時刻はいつごろですか」

「わたくしは午にはまいっております」

こう云った由利江は、それでもう約束は定ったというように、牡丹をひと枝いただいてまいりますと云って、静かに部屋を出ていった。そのあと横庭のほうで、母といっしょに牡丹を截《き》るらしい、やわらかな笑い声などが聞えたが、間もなくしんとなったきりで、戻って来るかと思った由利江はそのまま顔を見せなかった。あとで聞くと、挨拶はわざとせずにゆくからと云って帰ったとのことだった。

後になって思い返すと、それが金之助の半生における平穏な生活の最後の日であった。それまでは単に兆しに過ぎなかったものが、その日を区切りにしてかたちを現わし始め、やがて厳しい風雪の中へ彼をまきこんだのである。――二十五歳のその日まで、まったく金之助は平和と幸福に包まれて育った。彼には三つ年上の兄があったけれど、ごく幼いうちに死んだあと弟も妹も生れず、彼はひとり息子として父母や周囲の者から一倍たいせつにされた。父の助左衛門は次席家老のまま側用人を兼ねて、すでに二十年ちかく枢要の職にいる、これには政治上の必要もあったのだが、酒も嗜《たしな》まずなんの趣味も道楽もなく、御用専一の篤実勤直の質が衆望を集めた結果といってよいだろう、家庭にあってもごく温厚で、金之助などはこれまでいちども声高に叱られたことがない。その性質をすっかり受継いだように、彼もまた温和《おとな》しい生れつきだった。小さいじぶんから学問が好きで藩儒の渡瀬順庵と和学者の室井篤文について学び、十七八からは法政の書を好んで読んだ。そういうわけであまり交友はなかったが、それでも村松平馬、林久一郎、和泉《いずみ》兵衛、公郷半三郎という四人の学友があり、なかでも半三郎とは幼い頃から兄弟のように親しく往来した。……考えてみると彼と半三郎とのつながりには宿命的なものがあった。家も近かったし年も同じで、藩校にあがってからも揃《そろ》って成績がよく「双俊」などといわれたものである。また九歳から十三歳まで五年間、二人は藩主の世子《せいし》の学友に選ばれて、江戸邸で起居を共にした。若君の亀之助はひよわな生れつきで、癇《かん》の強い神経質な少年であったが、金之助と半三郎があがっていた五年のあいだに、気質も変り、たいへん健康になった。藩主はひじょうに悦び、二人に対して特に褒美《ほうび》をたまわったくらいであるが、若君とかれら二人との関《かか》わりもそのとき限りではなく、ずっと後の思いがけない対決へと糸をひいていたのである。——半三郎と金之助とのあいだに、一つの変化が起こったのは三年まえのことであった。半三郎は二十歳のときから藩校の助教を勤めていたが、古学や老子を教えたという咎《とが》で役を停められ、五十日の謹慎を命ぜられた。朱子以外は禁じられていた時代ではあるが、多少とも陽明や老子をのぞかない者はない、半三郎が逐《お》われたのは教官の嫉視《しっし》からで、詰るところ彼自身の学問に対する良心と、ぬきんでた才腕が仇《あだ》となったわけである。半三郎はそれ以来ひどく性格が変り、酒と賭博に耽《ふけ》りだした。金之助には彼の気持がよくわかるので、意見がましいことは決して云わず、借りに来れば黙って金も貸していた。しかし近頃では人の噂《うわさ》にものぼるようになったし、数日まえには彼の父親に呼ばれて、忠告をしてくれるようにと頼まれたのである。……半三郎の父は公郷四郎兵衛といって、六千八百石あまりの寄合席におり、一時は次席家老を勤めたこともあるが、老臣のあいだに疎隔する事が起こって自分から辞し、現在では寄合の閑職に逼塞《ひっそく》していた。

――あのままではだめだ、いちど悠《ゆっ》くり話しあって、なんとか生活を変える方法をたててやらなければなるまい。

半三郎が帰ったあと、金之助はこう思っていろいろ方策を考えめぐらせた。そしてこれは自分ひとりでなく、親しい友達を呼んで、みんなの意見を聞いてやるほうがいいと思った。村松平馬は江戸詰になって去ったが、和泉や林はこっちにいる、かれらはすでに家を相続し、それぞれ役目に就いているので、平常《ふだん》あまり往来はなくなったが、むろんこういう事には相談にのってくれる筈である。

――そうだ、なるべく早くそうするとしよう。

こう考えたその翌日であった。朝いつものように登城した父が、午を少しまわったころに軀の調子が悪いといって帰って来た。頭痛がするだけでたいしたことではないからと、寝床をとらせてすぐ横になったが、夕餉《ゆうげ》のときには起きだして、金之助といっしょに食膳に向った。熱でもあるように顔が赤く眼の色も冴《さ》えない、しかし気分はもう直ったと云った。

「御用繁多でお疲れになったのですね」

「そうだろうね、頭の痛いことなどは殆んど覚えないので、はじめはちょっと驚いたよ」

助左衛門はこう云って苦笑したが、そのとき持っていた箸《はし》が手から落ちた。すぐに拾ったけれど、顔色がすっと白くなり、箸を持ったままの右手をけげんそうに見まもった。

「どうかなすったのですか」

妻の茂登がそうきいた。助左衛門はいやと首を振って食事を続けたが、暫くするとまた箸がぽろっと手から落ちた。金之助はどきっとした、茂登もあと低くこえをあげた。

「おかしいな、——痺《しび》れる」

助左衛門はこう呟《つぶや》きつつ、右手をひらいたり握ったりしていたが、とにかく横になろうと云って膳の前を立った。それを寝所へ送ってから、金之助はすぐ医者を呼びにやった。渋沢良石といって、殿さまの侍医であるが、来て診察の結果は軽い卒中だということであった。

「過労でございますね、ごく軽い発作ですから五七日も安静になすったら治りましょう、決して御心配には及びません」

ただ安静を固くまもること、食事はこれこれと細かに注意をし、あとから薬を届けると云って医者は帰った。右手の先が少し痺れるだけで、ほかに異常がないから、医者の云うとおりごく軽症なのではあろう。しかし「卒中」という病名が当人よりも家族に大きな不安と驚きを与えた。助左衛門はそれを察したとみえ、しいて笑いながら、「そんなに心配することはないよ、良石老のみたてなら大丈夫、まだ五年や八年は倒れはしない、今おれにはそんな暇はないんだから」

こう云って静かに眼をつむった。

明くる朝は気分もよいと云い、顔色も赤みがとれて平生と違わなくなった。金之助も少しおちついた気持で、休暇の願いを自分で届けにゆき、城内の作業役所にいる林久一郎を訪ねた。半三郎のことで相談したいから和泉といっしょに集まってくれないか、そう云いに寄ったのであるが、久一郎は頭を振った。

「いやあれはだめだ、よしたほうがいい、和泉もおれもひどく手を焼かされたんだ、なにをしたってむだだよ」

「それはそうかもしれないが、しかし」

「いやおれは御免こうむる、和泉だってそんなこと聞きはしないぜ」

公卿のことなどはやめよう、それより久しぶりで話さないかと、まるっきり相手にならないのである。どんな迷惑をかけられたかは云わなかったが、なまなかのことでないのは口ぶりで察しがついた。金之助は重くふさがれた気持で、やや暫く話した後そこを出た。――いちど家へ帰り、午餉《ひるげ》を早めに済ませて、金之助は法顕寺へでかけていった。

眩《まぶ》しいようによく晴れた日で、少し歩くと汗ばむくらいだった。古い大きな百日紅《さるすべり》がたくさんあるので名高い境内を、庫裡《くり》のほうへゆくと、客殿の縁側に由利江が立っていて、額にかざしている小扇でこちらへ合図をした。くすんだ紫色に細かく花をちらした着物と、色の白いふっくりした顔とが冴えた対照をなして、しんと暗い建物を背景に、それはあざやかなほど際立って美しくみえた。

「どうぞ此処《ここ》からお上りあそばして」

「――構わないんですか」

「ええ、それで此処でお待ちしておりましたの」

由利江はこういうと、伏目の姿勢になって廊下を奥へと先に立った。

三

本堂に付属して持仏の間というのがある。大きい檀家《だんか》の私用で、本尊を納めた仏壇と、その家代々の位牌《いはい》が安置してあり、年忌法会などはそこでするし、ときに親族の集まりなどにも使う。法顕寺には藩の老臣五家がひと間ずつ持っていたが、由利江が案内したのは自分の家の持仏の間であった。

「一昨日はいろいろおねだりして申しわけございませんでした、今日はまたこんなところへおはこびを願いまして――」

そんなふうに挨拶していると、老女が茶菓を持って来た、由利江の乳母である。それが去ると由利江はふと膝《ひざ》を固くした。そしていっとき息をひそめるようにして、まったく予想外のことを云いだした。――それは公郷半三郎へ嫁にゆくということ、そのことについて意見を聞き、また頼みがあるというのであった。金之助は虚を衝かれた、正直のところそれは由利江の冗談で、次の瞬間に笑いだすのではないかとさえ疑った。

「御存じでございましょうか、わたくし公郷さまのお妹の千秋さまとは古いお友達で、ずいぶん親しくおつきあいしておりますの」

由利江は眼を伏せたままこう続けた。燃えてくる感情をけんめいに抑え、どうしたら自分の気持を正しく伝えられるか、どう云ったら本当にわかって貰えるかと、足踏みをするような口ぶりである。ゆたかにふくよかな頬も蒼ざめ、膝の上で手指が見えるほど顫《ふる》えていた。

「この冬の頃から、千秋さまがしきりに兄の嫁に来てくれと仰しゃいますの、あなたはもちろん御承知でございましょう、公郷さまはさきごろからたいへんお身持が悪く、世間の評判にもなりだしたそうで、御両親はじめ御親族のあいだでも困《こう》じはてていらっしゃる、このままでは家名を汚し身を滅ぼすのは見えるようだ、どうにかして身持を直す法はないか、――みなさまで幾たびもそういう御相談があったそうでございます、そうしているうちに半三郎さまのお口から、千秋さまにわたくしの名が出たと申しますの、わたくしあの方とはお話をしたこともございませんけれど、あちらでは知っていて下すったのでしょうか、由利江を妻に迎えることができれば、……わたくし自分の口からこんなふうに申上げて、おさげすみを受けるとは存じておりますけれど、なにもかも正直におうちあけ申したいのでございます」

「よくわかります、どうぞそのまま続けて下さい」

「千秋さま御自身も」と、由利江は囁《ささや》くような声音で云った、「――わたくしが来てくれれば兄の不身持も直る、必ず以前の兄にかえってくれる、そう信じていると仰しゃるのでございます、わたくしは自分がどれほどの者かよく存じております、到底そのようなねうちがあるとは考えられませんでした、それに、……わたくしには、わたくしなりに、ひそかな夢もあったのでございます」

由利江はこう云いかけて口をつぐみ、そっと手をあげて眼がしらを押えた。自分には自分なりに夢を持っていたという、その言葉の意味はまっすぐに金之助の心へつきとおった。かずかずの古いつながりは別として、母が彼女を沢渡の嫁に迎えるつもりであり、彼女自身もそれを望んでいたことは明らかである。そしてまた金之助がどう思っているかということも、二人にははっきりとわかっていた。由利江がいま口にする言葉はそれをうち壊すものだ、そしてそれがどんなに努力を要するものであるか、――金之助は自分の受けた失望よりも、彼女の気持を思いやって、緊めつけられるようないたましさにうたれた。

「わたくしたびたびお断わり申しました、けれど千秋さまはそれがたった一つ兄を救うみちだからと仰しゃって、母にまで泣いてお頼みなさいましたの」由利江はしずかにこう続けた、「――そしてわたくしも、とうとう断われなくなってしまいました、自分の描いていた夢、ながいあいだ心に秘め、温めていた夢、それが無になってしまうのは悲しゅうございますけれど、もしそれで公卿さまのお身持が直るのでしたら、それもひとつの生き甲斐《がい》だと存じますの、……そう思っては間違いでございましょうか」

「あなたがそう決心なすったのなら」と、金之助は少し間をおいて云った、「――それで決して間違いはないと思います、ただこういうことだけ伺いたいのですが、……あなたの気持には誤りがないとして、結婚というものがそういうことで成立ってゆくかどうか」

「――と、仰しゃいますと」

「相手の行状を直すとか、相手を更生させるという意味がひとつの愛情には違いない、しかし一生を共にする夫婦の愛というものは、それとは別のものではないか、その愛なしに結婚という一生の結びつきが成立つかどうか、その点をお考えになったでしょうか」

「はい、よく考えてみました」

「大丈夫やってゆけると思いますか」

「わたくしひとつのことを信じていますの」由利江はつつましく頷いた、「――公郷さまがわたくしを求めていらっしゃる、それが真実なら、そしてわたくしが心からそれをお受けしてまいれば、しぜんとそういう愛がうまれて来てくれる……」

金之助はふと眼をつむった。なんと単純に割り切ったことだろう。それは世間を知らず、人間の心の表裏を知らないための、むしろ感傷に近い考え方ではないだろうか。――しかし彼はすぐ心で頷いた。それでいいのだ、ほかの者ではない由利江である、どんなところへも明るく温かい雰囲気を持ってゆき、単に会って話しているだけで、人を幸福な気持にする由利江なのだ。その稀《まれ》な性格だけでも半三郎とのあいだはうまくゆくに違いない。そしてそれには、最も由利江が適しているかもしれない。金之助はこう考え、静かに眼をあげて云った。

「よくわかりました、それで、お頼みというのはどんなことですか」

「これまでどおり、あなただけは公郷さまの支えになってあげて頂きたいんですの、あの方が心から信頼していらっしゃるのはあなたお一人だと伺いました、――わたくしできるだけのことは尽すつもりでございますから、どうぞあなたもお変りなく力をかしてあげて下さいまし」

金之助は承知した。

「公郷は頭もよし才分もある男です、あんなになったのは理由があるのですから、立ち直れば必ず群をぬく人間になるでしょう、そのつもりであなたも辛抱してやって下さい」

金之助のこう云うのを、由利江は頭を垂れて聞いていたが、やがてしずかに顔をあげ、初めてこちらへその眼を向けた。

「あの手鏡を頂いてまいって、わたくし悪うございましたでしょうか」

「――どうしてです」

「小さいときからそのつもりでいたからでしょうか、頂いてまいらないと、心が残るように思えまして……」

「――もちろんそれでいいですとも、あのときから差上げる約束だったのですから」

「わたくし大切に致します」

低いけれども感動をこめた云い方だった、金之助は黙って劬《いたわ》るように頷いた。

法顕寺を辞して出てから、初めて金之助は自分の心が大きないたでを受けていることに気づいた。そしてそのいたでは家に帰り、二日三日と時の経つにしたがって、ますます深くなるように思えた。――自分は由利江を失ってはならなかった。由利江も沢渡へ来るのが本当であった。手鏡そのものにはさして意味はないけれども、それを通じた自分と由利江、沢渡と佐竹との関係には、根の深い情誼《じょうぎ》がある。そしてそこには、二人が結びつくべき条件が、ごくしぜんに成長していた。

――鏡を貰ってゆかないと心が残るようだ。

由利江はそう云った。それがなにを表明するかは余りに明瞭である。ひとをとおさず、自分でじかに公卿とのゆくたてを話したが、それは二人のあいだに感情の親しい黙契がある証拠ではないか。

「いけないと云うべきだった」金之助は独りで幾たびも呟いた、「おれは正直でなかった、これでもし由利江が不幸になるとすれば、それはみんなおれの軽率の責任だ」

もちろんそれを取返す法はない。事はもう定ってしまったのである、これからは由利江を不幸にしないために、半三郎を立ち直らせるのがせめてもの償いである。――こう自分を説きつけるあとから、すぐにまた由利江を失ったことの後悔と、根づよいみれんに悩まされるのであった。

藩主からの特旨で、父の助左衛門は夏いっぱいの静養が許された。緊急を要する事務は居宅で執ってよしということで、役所の者の出入りが多く、金之助にも多忙な日が続いた。病状には変化がなかった、というよりも、あの夜から二三日すると手の痺れも消え、どこにも異和らしいものは感じられなくなった。それにも拘《かかわ》らず医師のほうでは妙に大事をとり、初め五七日といったのを倍にし、次いでもう暫く、この月いっぱいというように延ばしていた。賜暇《しか》が出たのはそのほうから進言でもあったのだろう。助左衛門は不満らしいようすだったが、それでも温和しく安静をまもっていた。

人の出入りが多くなったためだろうか、半三郎はとんと姿をみせなかった。由利江とその母親とは二度ばかり来て、茂登女となにか話していったが、おそらく公郷へとつぐ了解を得るためだったろう。これもその後は来るようすがなく、茂登女もふっつりと、由利江の名を口にしなくなった。

八月下旬、参覲《さんきん》のために江戸へゆく藩主に従って、助左衛門も元気に立っていった。医師もその頃はもう大丈夫と云っていたし、誰ひとり危ぶむ者はなかった。それが出立して三日め、もう昏くなってから早馬で使者が来た。沼原の駅で助左衛門が卒中を起こし、意識不明になっているというのである。

「大丈夫です母上」金之助はすぐさま立って身じたくをした、「――いちどあって二度めというのはそのままいけなくなるものではないそうです、すぐ容子をお知らせしますから」

彼は馬に乗って使者と共に出ていった。

四

沼原は城下から二十余里あったが、領内に属していたので便宜はよかった。藩主の行列が去ったのは云うまでもない、けれども侍医の渋沢良石が特に残されていて、手当には欠けるものがなかった。――金之助が駆けつけてから三日のあいだ、助左衛門はまったく意識がなく、ただ昏々《こんこん》と眠り続けていた。

「保証はできないが、たぶんいちどは持直すでしょう」良石はそう云った、「――しかし元どおりの躯になれるかどうかは……」

そしてまた次のようなことも云った。

「殿さまは御出立のとき見舞いにおわたりなされまして、お人払いのうえこういうことを仰せられました。――必ず治れよ助左、ここで死んではこれまでの苦労が却《かえ》って仇になるぞ、まだここで死んではならぬぞ、……もちろん沢渡どのにはおわかりにならなかったでしょうが」

その言葉にはじつは重大な意味があった。金之助は後になって思い当ったのであるが、そのときはまだなにも知らず、二十年ちかく信任して来た家臣への、労《いたわ》り励ます言葉として聞いただけであった。――四日めに助左衛門は意識を恢復《かいふく》した、しかし眼と唇が僅かに動くだけである。殆んど全身が不随のままで、ときどき唖《あ》者《しゃ》のような喉声《のどごえ》をもらした。

「これでこっちのものです」良石は愁眉《しゅうび》をひらいたという口ぶりで云った、「――心臓のお丈夫なのが味方でした、間もなくものも仰しゃれるようになるでしょう」

金之助は初めて母の許《もと》へ使者を出した。父に付いていた家士をやって、危機を越したということだけを伝えたのである。

城下から富田準石という医師が来ると、いれちがいに良石は江戸へ立っていった。それから中二日おいて母が来た、そのときは左手が少し動くようになっていて、夜具の上になにかしきりに字を書いてみせた。なにを書くのか指がたどたどしくてわからないし、医者がそばから止めるので、助左衛門は肚立《はらだ》たしげに眉をしかめては首を振った。――母が来て七日ほど経ったとき、城下から二人の老臣が見舞いに来た。家老格の松崎頼母《たのも》、平川佐太夫という者で、病人と人払いの対談を求めた。医者はまだ無理であると拒んだが、かれらは「急を要する公用だから」と、医者の制止など耳にもかけず、病室へはいってみんな座を外すようにと要求した。——こんな口もきけない病人となにを話すつもりだろう。

金之助には不審だったが、公用というのであればやむを得ない、母も医者も共に控えのほうへ遠慮した。——かれらは一刻ちかくも病室にいた、密談であろう殆んど声は聞えず、ときおり人の起ち居する物音が、ぶきみな緊張感を伝えるばかりだった。対談はうまくゆかなかったらしい、かれらは別室に去って宿の者に食事を命じ、その日は泊って、翌日もういちど病室を訪ねた後、ふきげんなようすで医者を呼び、「できるだけ早く城下へお伴《つ》れするように」なかば命令的にこう云って帰り去った。

それからなお五日ほどして、父を吊台《つりだい》に乗せ、医者が付き添って、金之助たちは宿を出立した。城下まで四日半かかったが、病人はさして変りがなく、寧《むし》ろ幾らか調子が好くなってさえいた。——屋敷へはいっておちつくひまもなく、松崎と平川のほかに、小田切弥三郎、久保源右衛門などの重職が来ては、しばしば病人と人払いの密談をしていった。——これは普通のことではない、なにか重大な問題が起こっているのだ。

金之助もようやくそう気づき始めた。すると或る夜のこと、彼が一人で伽《とぎ》をしていると、父がまた夜具の上へ指でしきりに字を書いてみせた。なかなかわからなかったが、二度三度するうちに、「ぶこのにかいのからひつ」ということが判読できた。

「武庫の二階にある唐櫃《からびつ》でございますか」

こうきき返すと、父は頷いて、また次の文字を書いた。こんども幾たびか同じ字をなぞらなければならなかったが、これをつなぎ合せると「武庫の二階にある第五の唐櫃の中から（ひ）と上書のある書類包を持って来い」というのであった。なお誰にも知れぬようにと厳しく注意するようすである。

「承知いたしました、よくわかりましたから御安心ください」

金之助がそう云うと、助左衛門の眼から涙がこぼれ落ちた。発病してからたいへん感動し易く、ついすると涙をみせるが、そのときはいつもとは違っていた。枕元に備えてある紙でそっと拭きながら、金之助はふとわけのわからない不安におそわれたのである。——朝になってから、彼は指定された物を捜しにいった。武庫というのは説明するまでもなく武器物具を入れて置く蔵だ。沢渡家はずっと以前には百五十人も侍を預かっていたので、武庫も大きいのが三棟ある、しかし現在では人が減ったし必要もないから、一棟だけしか使っていなかった。……二階の唐櫃の第五をあけると、油紙に包んだ書類ようの物がぎっしり詰っていた。それは紙縒《こより》で固く縛ったうえにいちいち封印がしてある、いずれ藩政に関する助左衛門自身の秘録であろう、どれにも札紙が付いていて、「い」「いの二」「こ」「し」などという符号が印してあった。

命ぜられた「ひ」というのはずいぶん嵩《かさ》のある包みだった。父の枕元へいって示すと、それだというように頷いて、夜具の上にまた指でこう書いた、「誰にもみつからぬ処《ところ》へしまって置け」それからさらに「厳秘にせよ」ということを重ねて書いた。——金之助はそれを自分の居間へ持ってゆき、支度部屋の納戸をあけて、少年時代の手習い草紙や筆写綴りなどの詰っている、長持のいちばん下へとそれを入れた。……そのとき又しても重くるしい不安におそわれた、沼原の宿から始まった老臣たちの隠密な訪れ、医師の制止を押し切って密談したこと、それはどうやらその書類包に関係があるようだ。

——慥かにこの包みには非常な意味がある、しかしいったいどんな意味だろう。

説明を求めても現在の父には不可能であろう、自分としてはどんな事態がやって来ようと狼狽《ろうばい》しない覚悟をしているほかはない、こう思って金之助は病床に付ききりの日を送った。

十月下旬に半三郎と由利江の婚礼がおこなわれた。半三郎はこの期間ずっと姿をみせなかった。あのとき「こんどこそ立直る」と云ったことが慥かだったのか、それとも望んでいた婚約がととのって、それが好き転機となったものか、とにかく姿をみせないのは行状が変ったせいであろう。こう思って、婚礼のときには彼も母といっしょに席へ列《つら》なった——。想像するほどではなかったが半三郎は明らかに変っていた。軀つきも健康そうになり、顔も明るくのびやかになっていた。式の始まるまえ、金之助は彼を廊下の端へつれてゆき、その眼をみつめながら祝辞をのべた。

「これでもう大丈夫だな、よかった」

「いろいろ心配をかけた」半三郎はこう云ってふと眼を伏せた、「——済まないことだらけで、しかし、今はなにも云えない。……これでおちつくだろうと思う、よく来てくれた」

「お互いにこれからだ、しっかりやってゆこう」

半三郎は眼をあげてこちらを見、こころ弱げに微笑しながら頷いた。——由利江はむろん綿帽子をかぶっていたので、顔が見えなかった。それが金之助には却って仕合せであった。もうあの頃ほどの執着はないけれども、あでやかに化粧したあの特徴のある顔がみえたら、おそらく胸が痛まずにはいなかったに違いない。

——おめでとう、どうか幸福であるように。

式のあいだ金之助はこう祈り、いろいろなおしのまえに独りで先にその席を立った。

その日から三日めに、彼は国家老《くにがろう》の使いをうけて登城した。江戸にいる藩主から墨付が届き、病父の職を継承するために出府せよということであった。次席家老と側用人を兼ねる重要な席である、辞退することはできない。すぐ出立せよというので、帰宅すると父に報告し、母にはその用意を頼んだ。——父に報告したときのことであるが、それを聞いた助左衛門は、はげしく涙をこぼしながら幾たびも頷き、震える指で次のような意味を書き示した。

「身命を惜しまず、家も名もあらず、奉公ただひとすじと覚悟せよ」

もっと多く云いたいことがある、しかしそれを伝えることができない。ごく常識的なその言葉にすべてのものをこめた。この中から把《つか》むべきものを把め、——そういう感じがおぼろげに了解された。金之助は父の眼をみつめながら、父上の子として出来るだけのことを致しますと誓い、自分を信じて、安心して療養されるようにと云った。……それが最後の別れとなったのであるが、そのとき父がしきりに涙をながし、震える手でこちらの手を握ったまま、いつまでも放そうとしなかったこと、なにか云いたそうに唇を動かしては喉声をだしたことなど、金之助には忘れることのできない悲しい記憶となって残った。

江戸邸へ着いてからは慌忙そのものであった。しかし父が賜暇を得て、居宅で事務を執ることを許されたあいだ、側にいて手助けをした経験がずいぶん役立ち、さしてまごつくこともなくその職に馴れていった。――出仕し始めて間もない或る日、藩主若狭守《わかさのかみ》から、「父からなにか聞いて来たか」という質問をされた。どういう意味かわからなかったが、身命を惜しまずという訓戒をうけたことを答えた。若狭守貞継はなにかじっと思い耽《ふけ》るような眼をした、それから気を変えるように頷いてこう云った。

「いろいろむずかしい事がある、そのうち申し聞かすが、父の言葉を忘れずにつとめてくれ」

しかしそう云った貞継が、間もなく病気で倒れたのである。

五

藩主の病臥《びょうが》が触れだされたのは年が明けて二月のことだった。侍医が政務を執ることを禁じたので、老臣の合議によって藩政の処理がおこなわれることになった。しぜん金之助の側用人という職は名のみとなり、次席家老は国許《くにもと》の席に属するので、老臣会議にも殆んど形式に顔を出すだけの、まったくひまな身の上になった。

金之助は身にいとまが出来たので、中屋敷にいる若殿へ挨拶にいった。出府したときいちど伺候したのだが、そのときは会えなかったのである。こんどは引見を許されたが、扱いはごく冷淡であった。――五年のあいだ学友としてお相手にあがり、思い出も少なくない、その頃の話が出るだろうと、ひそかに楽しい予想をしていた。民部康継《みんぶやすつぐ》は逞《たくま》しい躰格《たいかく》で、顔色もよく、動作もきびきびしていた、昔の亀之助のおもかげは殆んどなく、どっちかといえば剛毅《ごうき》な風貌《ふうぼう》であった。

……彼は金之助の挨拶を黙って受け、終ると黙って立っていった。颯々《さつさつ》とした足さばきで、金之助などは覚えてもいないというようすだった。

金之助は次に村松平馬を訪ねた。平馬は十九歳のときから江戸詰になり、一昨年その家を相続して、現在では下屋敷支配をしている、そのためこれまで会う機会がなかったのである。——久しぶりの対面で、暫《しばら》く故郷や旧友の話をしたが、平馬のようすになにやら隔てがあって、あの頃のようにぴったり気持がかよわず、ともすると間の悪い沈黙が起こった。そのうちにふと決心したという表情で、平馬が思いもかけないことを云いだした。

「まことに突然のようだが、側用人と次席家老の職を辞退しないか」

「——」

金之助は相手の顔を見まもった、余りにも意外のことで、冗談か本気かさえわからなかったのである。

「いったいそれはどういうことなんだ」

「理由はいま云えない、辞退をすすめるのも友達としての個人的な忠告だ、——こう云えばなにか思い当ることがありはしないか」

「それは政治に関係したことなのか」

平馬は黙っていた。その姿勢には微《かす》かながら敵意のようなものさえ感じられた。帰るとき玄関へ送って出たようすでは、こんど訪ねて来ても会わないという態度が明らさまであった。——金之助はくにもと育ちであるし、出府してから半年にもならず、江戸邸の事情に疎《うと》いのはいうまでもなかった。そのうえ「側用人」という職は常にもっとも近く藩主に仕えるため、対人関係が微妙であって、周囲との昵懇《じっこん》なつきあいは遠慮しなければならない。しぜん家中の細かい内情には不案内だったし、またその必要もなかったのである。……平馬のとつぜんな忠告が、なにかしらいま家中に起ころうとしていることを示すのは明らかだ、側用人も次席家老の席をも辞せという、さもなければ絶交だと云わんばかりであった。

——慥《たし》かに政治をめぐってなにか動きだそうとしている、そしてその動きには自分も無関係ではないらしい。

それはもう疑う余地がないだろう。病床の父を老臣たちが訪れたのも、父が隠せと命じたあの書類包も、出府したはじめに藩主の云った言葉も、——それから若殿康継の冷やかなあしらいにも、その動きの糸が繋《つな》がっているかもしれない。

——だがいったいなにがどう動こうとしているのか、それはどういう意味をもつのか、その中で自分はどんな位置にあるのか。

金之助は苛々《いらいら》とおちつかず、不安定な暗い気持で日を送った。三月になって間もなく国許の母から手紙が来た。父の病状を伝えるもので、その後いっとき良くなったが、二月になって三度めの発作が起こり、こんどはよほど重態のもようである。勤役ちゅうのことでやむを得ないが、できるならいちど会いに戻れまいか、——そういう文面だった。そして終りのほうに、半三郎どのがまた放蕩《ほうとう》を始めたらしく、由利江さんもお気の毒なようすだ。ということが書き添えてあった。

「——半三郎が、……またか」

金之助は苦いものでも吐き出すように口を歪《ゆが》めた。

父が重態だという、いまなら閑職にいるのも同様だから、そう願えば許しは出るかもしれない。けれどもいつどこから嵐が巻起こるかもわからない今、それを捨てて国へ帰る勇気は彼にもなかった。——眼に見えない周囲のぶきみな情勢、重症の父、早くもまたぐれだしたという半三郎、そして哀れな由利江、「なにもかも暗い、前も後ろも」金之助は溜息《ためいき》をつきながらこう呟《つぶや》いた。

「これからどうなってゆくことだろう」

老臣たちが若狭守の病室を封鎖し、専断に政務を処理している、若狭守はもう恢復《かいふく》したのに、かれらは病状を偽って表へ出さないのだ。そんな風評が、金之助の耳などにもつくようになった。——すると或る日、御殿から住居へ戻ると、一人の下僕ふうの男が待っていて、彼に一通の封書を渡した。

——会って話したいことがある、使いの者が案内するからすぐに来てくれ、まわりの者に不審をもたれぬよう注意のこと。

そういう手紙で、差出し人の名はなにも書いてなかった。金之助はすぐに村松平馬を思いだした。彼に違いない、こう思って支度を直し、その使いの男といっしょに上屋敷を出ていった。——あとで考えると葺屋《ふきや》町である、そのときは初めての町で見当もつかず、ただ案内されたのが芝居茶屋だということだけは察しがついた。着飾った男女が華やいだ声で呼びかけたり、賑《にぎ》やかに話したりしながら、忙しげに往き来する廊下を通り、二階へ上って奥まった部屋の前へゆくと、使いの男は襖際《ふすまぎわ》に膝《ひざ》をついて「平次でござります」と云った。……すると内側から襖が明き、そこに一人の少年が坐っていた。まだ十五六で前髪がある、眉と眼の凛《りん》と張ったなかなかの美少年だったが、こちらの顔を射抜くように見ながら、名を慥かめたのち金之助だけ中へ入れ、襖を閉めて座を立った。

——これは平馬ではない。

こう直覚しながら向うを見た。およそ三十帖《じょう》ほど敷ける部屋の、中央から上座へかけて六曲の屏風《びょうぶ》一双で囲ってある、少年はそこへいって低い声で取次いだのち、戻って来て「預かります」と、金之助が右手に提げていた刀へ手を差出した。刀を置いてゆくとすれば身分の高い人に違いない、——たれびとであろう。金之助は囲ってある屏風の端へいって、坐ろうとすると中から呼ぶ声がした。

「作法は無用だ、はいれ」

金之助は摺足《すりあし》ではいった。緋《ひ》の毛氈《もうせん》を敷いて、酒肴《しゅこう》の膳を前に民部康継が坐っていた。金之助は思わずあっと云ってそこへ手をおろした。食膳の脇にもう一人、やはり十五六の少年が侍している、康継はちょうど手にしていた盃《さかずき》を差出して「近う」と云った。

「いや取次ぎには及ばぬ、このまま取れ」

金之助は膝行《しっこう》して盃を受けた。侍していた少年が銚子《ちょうし》で酌をした、——康継は別の盃を取りながら、少年に座を去れと命じ、金之助と二人きりになった。

「先日は久びさで会ったのに言葉もかけなかった、今日はあの頃の話でもして悠《ゆっ》くり盃を遣わしたいと思うが、事情があってそのいとまがないのだ、——それですぐ要談にはいるのだが」

康継はこう云って脇息《きょうそく》の肱《ひじ》を起こした。逞《たくま》しい頬に血がのぼり、ちからのある澄んだ双眸《そうぼう》がいっそう光りを増すようにみえた。

「さきごろから藩の政治が紊《みだ》れ、老臣どもの汚職のおこないがあることを知っておるか」

「おそれながら殆んど不案内でございます」

「国許ではさような評は出ていなかったか」

「その職にあらぬ者が政治を口にしますことは固く禁じられておりますし、私自身さような評を耳にしたことはございませんでした」

康継は盃を置いた。

「その方が知らなかったのには理由がある、はっきり申せばそのほうの父、沢渡助左衛門がその首謀者の一人だからだ」

「――」金之助はすっと全身の血が冷えるように感じた。

「助左衛門を中軸とする老臣どもが、藩の財政を背景として京、大阪、江戸の三カ所に商舗を経営しているのだ、領内から産する生紙、絹糸絹布、海産物、また米穀売買などまで、商人を使って営業させ、長い年月にわたって私腹を肥やして来た」

「おそれながら」金之助は堪《たま》り兼ねてこう云った、「――私にはお言葉の意味がまったくわかりません、私は父をよく存じております、父はお役に立つほど有能ではないかもしれませんが、さような悪事のできる人間でないことだけは」

「それはわかっている、さればこそおれがそのほうを呼んだのだ」康継はその抗議を予期していたように頷《うなず》いた、「――助左がいかなる人物かということは、父上はもちろんおれにもよくわかっている、また商舗を経営したそもそもの根元には、なにかやむを得ぬ理由もあったようだ、しかしよほど以前から事情はまったく違ってしまった、かれらはその事業を私欲私利の具に使っている、領内の物産はかれらが一手に押え藩の名において不当に安い価格で買上げる、これをおのれらが経営する商舗で売るのは云うまでもない、藩で必要とする物産雑用品も、すべてこの機構を通って納入される、これらの売買による利潤はかれら自身に分配され、損失のあるばあいは藩の財政に転嫁して来た、……そして、かれらはその中軸に助左衛門を据えている、側用人という職はもちろん、藩主の信任のもっとも篤《あつ》い人物として、いざとなれば助左を主謀者とし、助左に全部の責任を負わせるよう、巧みに事が拵《こしら》えてあるようすだ」

康継の眼はするどく光り言葉つきも烈しい熱を帯びてきた。

六

金之助のおどろきは形容しようのないものだった。それが事実であるかどうか、どこまで信じていいかさえ見当がつかなかった。康継は寸刻も惜しむというようすで、——この悪弊をうち毀《こわ》し、紊乱《ぶんらん》した藩政をたて直すのは当面に迫った問題である、その第一は汚職の老臣どもの譴責《けんせき》であるが、いままでのところ汚職の事実を明らかにする的確な証拠がない、つづめて云うとかれらが経営する商舗とかれら一味との関係をはっきり証拠だてる物がない。そこで機会をみて一挙にかれらを檻禁《かんきん》し、国許へ送って裁決にかける。だいたいそういう方法をとることになった、それについては気の毒であるが沢渡にも累が及ばざるを得ない。康継はこう云うのであった。

「父上も助左の功は重くみていらっしゃる、我が藩の今日あるは助左のちからにあずかるところが多い、そう仰せられたこともあった、おれもそのほうをゆくすえたのみの一人と思っていた、情においてはまことに忍びないが、政治の粛正のためにはどうしてもここで断然たる処置をとらねばならぬし、それにはそのほう父子に眼をつむって貰わなければならないのだ、康継ではない亀之助がたのむ、――金之助、これも奉公の一つと思って承知してくれ」

金之助のあたまはまだ昏乱《こんらん》から覚めていなかった。すべてが余りに突然で、殆んど悪夢の中にいるような気持だった。しかし康継の言葉が終ったとき、彼ははっと一つの事に思い当った。それは父に預けられた書類包のことである、武庫から出して自分の部屋の長持の底へしまった、あの由《よし》ありげな包み、――国許の老臣たちが父に強要していたと思えるあの書類包、……あの中にこんどの問題の証拠となるべき物が入っているのではあるまいか、そう思いついたのである。

「仰せの趣よくわかりました、それが事実なればもちろん、私ども父子をいかようにも御処置あそばせ、ただ一つお願いがございます」

「聞こう、遠慮なく申せ」

「私をいちど国許へ帰して頂きたいのでございます、と申しますのは」

金之助はその書類包のことを語った。老臣たちがしつこく父に迫ったようす、それがその書類にあったと思われることまで。――康継はひじょうな興味を唆《そそ》られたらしい、唇を嚙《か》み眼をつむった。それから屹《きっ》とこちらを睨《にら》むようにしたが、「しかしいまそのほうが帰国してはかれらの疑惑をまねく、誰か使いを遣《や》ってとりよせることはできぬか」

「父は家人にも気づかれるなと申しました、それについ先日、国許の母より音信がございまして、父の病状が悪くなったと伝えてまいりました、御承知のように私はいま殆んど御用がございませぬ、危篤の病父を見舞うということがお許しを願えれば、それほど疑われることもないかと存じますが」

助左は重態かと云って、康継は暫く考えたのち、心が決ったように頷いた。

「よかろう、しかし急ぐぞ」

金之助はできるだけ早く許しを取って帰国すること、その包みを開いてみて、もし関係書類であったら直ちに江戸へ戻ること、連絡は下屋敷の村松平馬を通じ、もっとも隠密におこなうことなど、あらましのうちあわせが済んで、さがろうとしたとき、彼は若狭守の容態をきいた。

「助左衛門と同じ御病気だ」康継はふと胸苦しげに云った、「——御発病の初めから全身が御不随であられたらしい、侍医の言を楯《たて》に老臣どもが拒むため、おれもいちどきりおめどおりをしてはいないが、……ただしきりに涙をおながしなさるばかりで——」

それ以上は言葉が続かなかった。金之助は間もなく辞してその茶屋を出た。——上屋敷へ帰る途中、かれはようやくおちついてくる気持のなかで、ありありと自分がいま嵐の中にいることを感じた。父が二度めの発作を起こして以来、眼にし耳に聞いたかずかずの疑惑の断片が、今やはっきりとその正躰を現わすかのようだ。これまで単に不審であったもの、なんの意味とも知れなかったものが、康継の言葉によって仮面をぬがされた。もはや疑う余地はなかった。彼は自分をとりまく嵐の意味と、自分の位置の動かし難さを了解する、それは考えたよりも決定的であり重大である。……だが金之助には不安も恐れもない。寧《むし》ろいままでのどんな時よりちからづよくおちついていた。彼は久しぶりで平明な表情になり、一歩ずつ大地を踏みしめるような足どりで上屋敷へ帰っていった。

金之助がいとまを得て故郷へ帰ったのは四月はじめであった。父は十日まえに死んでいた、その知らせといれちがいになったわけである。――喪主が勤役ちゅうは帰国できるか否かわかるまで葬礼は延ばされるのが通例だった。もちろん遺骸は荼毘《だび》にしてあったが、金之助が着くと共に改めて通夜その他の法要がおこなわれ、そのため人の出入りが多くて、数日はなにをすることもできなかった。

由利江と会って話したのは、それがひとおちつきした日の午後のことだった。朝から梅雨のような細かい雨が降っていて、明けてある窓の外には、庭に茂る樹々の緑がいま描きあげた絵のように、新しく鮮やかに濡れていた。彼女とはそのまえ寺の法会のときにいちど会った。遠くから目礼を交わしただけであるが、軀《からだ》つきにも面ざしにも思ったほど変りがなく、やはりおっとりとなごやかな眼で微笑しているようにみえた。――それが彼の居間へはいって来て、相対して坐ったのを見ると、まったく裏切られたような感じがした。まず驚くほど痩《や》せていた、薄く化粧をしているらしいが、顔色もわるく、窶《やつ》れてみえ、まるい二重顎だったのが、とけたように尖《とが》っていた。

「少しお痩せになったようですね」挨拶が済んでから金之助はそうきいた、「どこか具合でもお悪いのですか」

「いいえそんなことはございません、軀だけはずっと丈夫でございますわ」

「――お軀だけはね」

こう云われて由利江はふとこちらへ眼をあげた、しかしすぐに俯眼《ふしめ》になり、膝の上の手をそっと握り合せた。いじらしいほど寂しげな姿である。どこへでも幸福を持ってゆくと云われた由利江、身のまわりにいつも和やかに温かい雰囲気《ふんいき》をつけていた由利江、見るほどの者に生きることの悦びを感じさせた、あの由利江はどこへ無くなってしまったのか。――こんな寂しげな頼りない姿になるまでに、どれほど苦しい悲しい経験をしたことであろう。

「母からの手紙で知ったのですが、公郷はやっぱりいけませんか」

「わたくしがいたらないのだと思います」

由利江は低いこえで云った。

「公郷の放蕩は、好きでやっているのではございません、見ていても苦しそうなことがたびたびございますの、放蕩をせずには、いられないような、なにか深い悩みがあるのだと思いますわ」

「――例えばどういうことか、あなたにはおわかりですか」

「ほんのおくそくではございますけれど」由利江は両手の指を絡み合せた、「――公郷の父もあのようにして老職をお退きなさいましたし、公郷も学問所から逐《お》われました、父と子とつづいた不運、まわりのかたがたの冷たい眼、寄合席にいるというだけで、一生なすこともなく終りそうな身の上、……こういうことが重なって、ついじっとしていられなくなるのではないかと、思いますの」

金之助は頷いた。そうかもしれない。いやおそらくそれが事実だろう、由利江はさかしくも良人《おっと》の心にあるものをみぬいているのだ、そしてそれを此処《ここ》へ云いに来た気持も、金之助にはおよそ察しがついた。

「そう、たぶん仰《おっ》しゃるとおりでしょう」彼は静かにこう云った、「――もしそれが事実だとすれば、彼には必ず良い機会が来ます、そう遠くない時期に、きっと彼の世に出る機会がやって来ますよ」

「本当にそうお思いなさいますの」

「いちど公郷に会いたいと思うのですが」と、彼は由利江の反問には答えずにきいた、「――いつ頃いったら彼は家にいますか」

「そのときによりますけれど、午《ひる》まえでしたらたぶん――でも、定《きま》ってとは申上げられませんわ」

由利江は恥ずかしそうに俯向いた。やっぱり家を外にして、幾日も帰らないようなこともあるのだろう、彼は由利江の顔が見られない感じで、「では明後日ゆくから家にいるように伝えて貰いたい」と頼んだ。

二人はふと沈黙した。それまでの話とは別に、もっとうちとけて語りたいことがある、お互いにとってもっとじかな、もっと親しく感情で触れあう話が、……由利江はわずかに窓の外へ眼をやった。金之助もそちらへ振向いた。雨にけぶる樹々の若葉からは緑の霧が立つように思える。すでに花期の過ぎた牡丹《ぼたん》畑、――しとどに濡れたその葉ばかりの牡丹を、由利江はじっと思い深げに見まもっていた。

――母親に亡くなられたあと、由利江がこの家へ預けられたときから、もうこんなにも長く時が経ってしまった。

金之助はこう胸の中で呟いた。すべてはながれ去ったのである。どんな方法を以《もっ》てしても、もはやあの頃のお互いをとりかえすすべはない。そればかりか、二人がこのように会うのは今日かぎりになるかもしれないのだ、ことによると再び生きて相見ることはできないかもしれないのである。金之助は胸苦しいような気持におそわれ、ふと太息《といき》をつきながら振返った。

「ひとつおねだりしてもいいでしょうか」

「――――」

由利江はびくっと肩を震わせ怖《おそ》れる者のようにこちらを見た。

「あなたのおてまえで茶を頂きたいんです、道具は母のところにありますから」

「はあ、でもわたくしこんな恰好で」

「初めての、そしてたぶんこれが最後のおねだりです、お願いしますよ」

ではと云って由利江が立とうとしたとき、庭のほうでぱさっとなにかの落ちる音がした。二人は同時に振返った、――金之助は音のしたあたりを見やった。牡丹畑の向うに枝をひろげた梅の樹がある。その繁った葉がくれに、かなり大きくなった実の生《な》っているのが見えた。

「梅の実が落ちたんですね」

金之助は呟くように云った。由利江は息をひそめるように、ひっそりと、暫くそのあたりを見やっていた。

七

明くる日の午ちょっと過ぎに、半三郎から呼びだしの手紙が届いた。――雨はあがったが空は低く雲にとざされ、鬱陶しくむしむしする日だった。彼は支度部屋の長持の底からあの包みを取出し、居間に籠《こも》って中の書類をしらべていた。

それは推察したとおりの物であった。すなわち国許と江戸の老臣たち九名が、合議のうえ四種の商舗を経営するという、連名の旨意書を第一に、経営を任せる商人との契約書とか、年々の収支決算とか、事業に関する往復文書などの類いである。――始められたのは約二十年まえで、当時ひじょうに逼迫《ひっぱく》していた藩の財政を救うため、沢渡助左衛門と江戸家老の灰野内蔵助《くらのすけ》が主となって企画し、十二年続いてうちきられている。つまり藩の財政がたちなおったので、経営は老臣たちの手から離れ、それまで委託していたそれぞれの商人に譲渡されたのである。……書類はそれだけではなかった。次には事業を譲り受けた商人たちから提出された報告とも訴状ともいえる書類で、手を切った筈の老臣たちが依然として経営を支配し、従前どおり利得を収めていることその詳しい事実と数字とが、年度ごとに記録されたものであった。

――これは商人たちから父へ提出されたものに違いない、とすれば父がこれら老臣の一味でなかったことは慥かであろう、いつか事のあった時のために、父は商人たちから詳しい記録を取って置いたのだ、そうでなくてこれをなんのために自分に託する必要があろうか。

彼には父の気持がはっきりとわかるように思った。父は不正の共謀者ではなかった。寧ろその摘発者の立場にいたのである。事が表われて沙汰になったばあい、老臣一味は父を主謀者とするよう、巧みに首尾を拵えてあるという、おそらくそれに相違あるまい、そして父もその覚悟はしていたと信じられる。

——身命を惜しまず、家も名もあらず。

僅かにそうだ、父には自分を救おうなどという考えは少しもなかったのだ。金之助は父の意志と対面する思いで、厳粛な感動にうたれながらやや暫く瞑目《めいもく》するのであった。

使いの者が半三郎の手紙を届けに来たのはそのときであった。——権現《ごんげん》下の柳井《やない》という茶屋に待っている、すぐ来てくれ。そういう文面であった。書類のしらべはもう済んだので、使いの者に承知の旨を答え、包みを元のように始末した。それを江戸へ持ってゆく荷物の中へ入れ、おそくなった午餉《ひるげ》を軽く喰《た》べてから家を出た。……権現下というのは城下町を東にぬけた丘添いの一画の俗称である、丘の上に名高い日吉権現の社があり、近国からも参詣《さんけい》する者が絶えない。古い杉並木のある参道にそういう人たちのための休み茶屋が建っているが、なかには化粧した女などを置いて遊興を主とした家も二三ある。いってみると、柳井というのは明らかにそういう家のひとつだった。

案内されたのは長い廊下をつき当った端の部屋であった。とりまわした庭も悪く凝ったものだし、部屋の飾りつけもけばけばしく安手である。半三郎は酒肴の膳を前に、着ながしのままあぐらをかいて飲んでいた。もうかなり酔っているようだった。

「よう、次席家老、兼、お側御用人の御光来だな、失敬だがこっちは無礼講にして貰うぞ」

半三郎は嘲弄《ちょうろう》するようにこう云った。蒼《あお》ざめて皮膚のたるんだ不健康な顔に、眼だけが毒のある光りを帯びていた。あのときからみると十年もとしをとったようである、金之助はさりげない会釈をして、自分のために設けたと思える膳の前へ坐った。

「明日うちへ来るという伝言を聞いたよ、おれのほうでも会いたかったんだ、しかしお側御用人のお屋敷は閾《しきい》が高いんでね、――そっちにはまたこんな家は汚らわしいだろうが、まあ久しぶりだ、一杯いこう」

「今日は少しまじめな話があるんだ」

盃を受けてから金之助がこう云った。半三郎は唇を歪め、挑むような姿勢で冷笑した。

「まじめ結構だね、よろしいこっちもまじめでいこう、人間万事まじめでなくっちゃあいけない、そこでもう一杯、まじめに献じよう」

「一年ぶりで会うんだ、そういう調子はやめようじゃないか」

「そして金之助のようにまじめになれと云うのか」半三郎は片手で口をぐいと拭いた、「――冗談じゃあない、なるほどおれは身を持崩している、酒を飲み賭博をやる、四方八方借りだらけだ、けれども人のうしろから小股《こまた》をすくうような、卑劣なまねは決してしたことはないぜ」

「――――」

金之助は盃を置いた、さすがに堪り兼ねたのである。盃を置き刀を取って、そのまま席を立とうとした。

「どうするんだ、恥ずかしくていたたまれないのか」

「酔わないときに会おう、今日は帰る」

「よし帰れ、だが」半三郎はこう云うと、ふところからなにか取出して、金之助のほうへ投げやりながら叫んだ、「——帰るならこれを持ってゆけ、当人はあとから届けてやる」

金之助の額がすっと蒼くなった。投げだされたのは手鏡である、由利江がせがんで持っていった、八花形のあの漢鏡であった。金之助はつとめて怒りを抑え、できるだけ静かに相手を見た。

「これはどういう意味だ、半三郎、——当人はあとから届けるとはなんだ」

「しらばっくれるな、おれがこの鏡を知らないと思ってるのか、きさまがお祖母《ばあ》さんの形見だといって大事にしていたことは、子供のじぶんからちゃんと知っていたぞ」——半三郎は血ばしった眼で、嚙《か》みつくようにこっちを見た、「——それを由利江が持っている、宝物かなんぞのように、肌身はなさず大切にしている、……あれはきさまの家にいたことがある、しげしげと出入りもしていた、公郷へ来てからのようすでも、二人のあいだになにがあったかは一目瞭然だ、軀ばかりのぬけがらを貰ってありがた涙をこぼすほど、おれは馬鹿でもめくらでもないんだ」

その言葉をしまいまで聞かず、金之助は席を蹴《け》って相手にとびかかった。

「よし来い、きさまなんぞ」

半三郎もすばやく立った。軀と軀とが激しくうち当り、組んで倒れた。酔いに煽《あお》られた狂暴な力で、半三郎は金之助を押伏せ、両手で相手の喉《のど》を絞めた。だがそれより早く、金之助は下から彼の顋を突上げ、忽《たちま》ち逆に組敷いたと思うと、拳《こぶし》をあげて続けざまに高頬を殴りつけた。七八つちから任せに殴ると、半三郎は肩で息をしながらぐったりとなり、反抗を止《や》めて手足を投げだした。

「おまえそんなに卑しい人間になったのか、半三郎」金之助は馬乗りになったまま、低くころした声で云った、「——おまえにはそんな卑しいことしか考えられないのか、もしそうなら相済まぬぞ、……よく聞け、正直に云えばおれはあのひとが欲しかった。あのひとも沢渡へ来るつもりがあったようだ。けれどもおまえがあのひとを求め、あのひとが来てくれれば身持を直すと聞いて、おまえの妹からもせめられて、本当にそのつもりになって公郷へいったんだ、——あの鏡は、ずっと小さいときに遣る約束がしてあった。あのひとがあれを持っていったのは、二人の思い出をつなぐためではなく断切るためだ、あの鏡には古い思い出がある。置いていっては心が残るようだ、……あのひとはそう云った。古い思い出を断切るために、心残りをなくすために持っていったものだ、それをぬけがらとは」

金之助の眼から涙がぽろぽろとこぼれ落ちた。半三郎はなかば口をあき、眼をつむったまま頭を左右へ揺すった。

「あのひとは見ちがえるように痩せ窶れた。なぜだかわかるか。半三郎には人にすぐれた才能があるのに、不運なめぐりあわせで世に出られない、一生埋れ木で終るかもしれない、それがやりきれなさに放蕩をする、放蕩は苦しさの余りだとあのひとは信じている。そういうおまえを見る辛さがあのひとをあんなに痩せさせたんだ、——よく考えてみろ、半三郎、そんな卑しいことを思うまえに、もっと男らしい思案がなければならぬ筈だぞ」

半三郎はぐらぐらと頭を揺りつづけていた。蒼白くひきつっている頬、歯の見える口、そして双の眼からはしきりに涙があふれ出た。——金之助は立って衣紋《えもん》を直し、刀を取上げて振返った。半三郎は毀《こわ》れた木偶《でく》のように、身を投げだしたまま動くけはいもなかった。

その月の下旬に、金之助は江戸の中屋敷で康継と会い、持って来た包みの書類を差出した。康継はひじょうな悦びで、これでもう事は成ったと云った。そして、国許における裁決には自分も出るが、裁きの責任者として誰かひとり選びたい、自分の側近からでなく、この問題に関係のない人間を選んで公平な裁きをさせたいが、誰か思い当る者はないかと問われた。

金之助はそのとき即座に半三郎の名を挙げた。

「彼なれば必ずお役に立つと存じます」

「——半三郎」康継はなにか思いだそうとするように眼を細めた、「——それはそのほうといっしょにおれの相手に出た、あの半三郎か」

「私には他に思い当る者はございません、繰り返して申上げますが彼はお役に立ちます、誰よりもみごとにやり遂げると存じます」

康継は思いをひそめるように、やや長く沈黙した後、つくづくと金之助を見おろしながら云った。

「親しい友の、一は裁く者となり、一は裁かれる者となる、——そして同じく奉公のためと云いながら、そのほうには悪いめぐりあわせであった、暫くのあいだだ、金之助、……辛抱たのむぞ」

金之助は黙って静かに平伏した。

八

それから二十日ほどして康継が起《た》った。江戸家老灰野内蔵助——これは助左衛門の盟友だった人の子である——植原主水《もんと》、灰野六郎右衛門、時山勘兵衛、以上四名の老臣がとつぜん職を解かれて禁固、またかれらの腹心の者三十余人も検挙のうえ拘束された。金之助もむろんその中に含まれたので、事の始末は詳しくは知らないが、ただちに中老の榊原頼母《さかきばらたのも》を家老に据えたほか、殆んど全重職の更迭がおこなわれ、康継が執政の位地についた。——これら新しい重職はみな若く、ながいあいだ康継と共に弊政転覆のため働いた者たちである。村松平馬もそのひとりで、彼の席は大目付であった。

金之助は四人の老臣と共に国許へ送られ、そのまま大寄合の佐竹靫負《ゆきえ》に預けられた、靫負は由利江の父の弟で、沢渡とも昔から往来があり、金之助もたびたび会ったことがある。——彼には広い庭の一隅にある隠居所風の建物が与えられ、杉田喜兵衛という侍が付けられた。

静かな、しかし退屈な日が経っていった。禁固だから外部との交渉は許されない、起居にも厳しい規律があるのだが、この家の扱いは極めて鄭重《ていちょう》だった。食事はもちろん身のまわりの細かいことまで、殆んど客の接待をするかのようにゆき届いていた。おそらく康継のほうから内命でもあったのだろう、ときには主《あるじ》の靫負が来て話していったりした。——国許でも江戸邸で検挙があるとすぐ、松崎頼母、平川佐太夫、小田切弥三郎、久保源左衛門らが城内に禁固され、その腹心の者二十余名も大目付へ拘束されたということ。また新しい重職のうち公郷半三郎が家督して次席家老に就任し、兼ねて奉行目付支配に命ぜられたということなど、すべて靫負のさりげない話から知ったのであった。

季節は秋になり冬へと移った。

ひとつの騒動ともいえるこの種の出来事は、幕府に摘発されるとうるさい問題になる。金之助にはそれがなにより気懸りだったが、康継の室が老中で羽ぶりのよい堀田氏の出であるのと、その方面への周旋が機を得たためか、幸いなんの関渉も受けずに、済むようだった。

霜月なかばになった。いつもならもう雪になる筈であるが、気候はあと戻りをしたように暖かく、権現山では何十年ぶりかで桜がかえり咲きをしたなどという噂《うわさ》が立った。金之助の謫居《たっきょ》のまわりも、庭木の紅葉したものがなかなか散らず、枝から枝へのどかに小鳥の鳴きわたるような日が幾日も続いた。——或る夜、とつぜん気温が下って夜半から雨になり、明くる日もずっと降りやまなかった。

午をかなりまわってから、なんの前触れもなく由利江が訪れて来た。それまでにも靫負から母に会ってはどうかとすすめられたことがある、幾たびも「会うように」とすすめられたが、それでは法に反《そむ》くからと固く断わって来た。尤《もっと》もそのためわざと前触れをせず、黙って靫負がとおしたのかもしれない。ちょうど杉田もいなかった、窓際の机に倚《よ》って、この家から借りた詩経をみていると、玄関に人のはいるけはいがし、案内を乞う声が聞えた。

女のこえのようなので、不審に思いながら出てみると、由利江が雨除《あまよ》けの被布《ひふ》をぬいでいるところだった。

「どうしたんです」金之助は咎《とが》めるように云った、「――どうしてこんなところへ……」

「公卿に申しつかってまいりましたの」

由利江はこう云いながら、こちらには構わず濡れた足袋をぬぎ、片手に風呂敷包を抱えてあがった。拒まれるのを承知で来たというふうが明らかである。金之助はしかたなしに部屋へとおし、濡縁に面した障子を明けたうえ、火桶《ひおけ》をすすめて坐った。

挨拶が済むとすぐ、由利江は持って来た包みを解き、粗末な物で恥ずかしいけれども、公卿がこころざしだけ受けて頂きたい、そう云ってそこへ差出した。――畳紙《たとう》をあけてみると、小袖ひと重ね、綿入の羽折、肌着、帯、足袋などがはいっていた。高価な物ではないが温かそうな、心のこもった品である。そしてその品々からは、これを仕立て、由利江に託して届けさせた半三郎の気持が、その声を聞くようにありありと伝わってきた。

「本来なら貰ってはいけないのだが、古い友達の贈物という意味で頂きましょう、どうぞあなたから礼を云って下さい」

「公卿のこころざしをわかって頂けましょうか」

こう云って由利江の見上げる眼を、金之助はさりげなく受けながして訊《き》いた。

「彼は元気ですか、よく勤めていますか」

「はい、元気に致しております、この頃はずっと酒も頂きませんし、――調べもので夜を明かすようなことがたびたびございますけれど、軀もすっかり丈夫になりましたようで……」

「それはよかった、あなたのお骨折りがようやく生きてきたわけですね」

金之助がそう云うと、由利江はふいに両手で面を掩《おお》い、耐えかねたように噎《むせ》びあげた。そして抑えても抑えてもこみあげてくる嗚咽《おえつ》のなかで、とぎれとぎれに云いだした。

「公郷はたいそう苦しみました」

「――――」

「次席家老を仰せつけられましたときは、ようやく世に出られる、これからやり直しだ、そう云って悦んでおりました、酒もぴったりやめました、――そのうち、七月はじめでございましょうか、奉行目付支配という重いお役を兼ねることになり、お召しをうけて江戸へまいりました」

雨がしきりに庇《ひさし》を打っている。しみいるように寒ざむとした音だ。金之助はその雨の音からなにかを聞きとろうとでもするように、腕組みをしてじっと耳を澄ましていた。

「新しいお役目は、こんどのお裁きのために設けられたそうで、公郷はなにも知らずにお受けしたのでございます、――そして若殿さまから、御旨意を詳しく承りましたとき、……そのお裁きの仔細《しさい》を伺いましたとき、公郷は、――御辞退を願い出ました、――私には勤まりかねます、他の者に仰せつけられますように、こう繰り返しお願い申したのでございます」

金之助はくっと眉をしかめた、しかしなにも云わなかった。由利江は手指で眼がしらを押えながら、低く震えるこえで続けた。

「若殿は御承知くださいませんでした。そして、おまえが辞退するのは、裁く者のなかに金之助がいるからであろう、だが、――おまえをこの役に推挙したのは金之助だぞ、こんどの裁決は一藩の大事だ、ひとつ間違うと長い禍いの根を残す、この大役をはたす者は公郷のほかにない。……金之助がそう申した。――そのほうと彼とは幼少からの親友だ、彼ほどそのほうを知る者はあるまい、このたびのことでは金之助もすべてを捨てている。家名も、武士の面目さえも捨てている。……紊乱した藩政をたてなおすために、彼はすすんで身を捨石にしてくれたのだ、そしてそのようにあらゆる私情をたちきり、大事を誤りなく裁く者は、半三郎を措《お》いてほかに人間はないと云うのだ。――これでもそのほうは辞退するか、辞退するのが友情だと思うか、……若殿はこう仰せられたそうでございます」

金之助は唇を嚙み、眼をつむって頭を垂れた。康継は彼にはなにも云わなかった。それがいま由利江の口を通じて伝えられたのである、金之助は康継そのひとの声を聞くおもいで、心のなかでひそかに低頭した。

「公郷はお受けをして戻りました。けれどもたいそう苦しみました、――金之助には口に云えない迷惑をかけている、ほかの友達がみんな離れ去っても、彼だけはおれを捨てなかった、さいごまでおれの才能を認め、おれが立ち直ることを信じていてくれた、……こんどのおれの役目は彼が推挙してくれたものだ、そして、それは彼を裁くたちばに立つことだ、――たった一人の友、生涯の恩人ともいうべき友を裁く、……こんなことがあっていいだろうか、そんなことが赦されるだろうか、――公郷は本当に苦しみました、見ているこちらが痩せるほど苦しんでおりました」

「しかし私は信じています」金之助は静かに口を挿《さ》しはさんだ、「――彼は命ぜられた役目の重大さを知っている筈です。そんな私情のために、いつまでも苦しんでいる男ではない筈です」

由利江は涙をぬぐうために言葉を切った。それからかすかに頷いて云った。

「自分はりっぱに役目をはたそう、それが金之助への報恩だ。――公郷はそう申しました、袴《はかま》の上に、ぽろぽろと涙をこぼしながら、そう申しました」

「――――」

「この粗末なお召物は、そのときわたくしが申しつかったものでございます、仕立てもわたくしが致すようにと申しましたし、――公郷も針を持ちました、このお小袖、お羽折、肌着、どれにもひと針ふた針ずつ、公郷が糸をとおしております、……おわかり下さいますでしょうか」

金之助は黙って頷いた。彼はいま康継を想い半三郎を想う。五年間、――学友としてお側にあがったとき、かれらには世間の複雑さや生きる苦しみと無関係であった。ひよわで神経質な少年だった亀之助、いつも活潑にとびまわっていた半三郎、……それがいま三者三様のたちばでそれぞれのぬきさしならぬたちばで対決しようとしているのだ。

――おれたちは此処《ここ》へ来たのだ、そしてここから新しいものが始まるのだ、半三郎、これでおまえの一生がきまるんだ、たのむぞ。

金之助は心のうちでこう叫んだ。

帰ってゆく由利江を、彼は庭の仕切り戸まで送っていった。どんなに幸運にいっても、当分は会うことはできないだろう。会えてよかった、――そしてどうかこれからは仕合せであるように、彼はこう祈りながら、しかし顔にはちからのある明るい微笑をうかべて云った。

「公郷に伝えて下さい、彼の裁きぶりを楽しみにしていると――」

由利江は泣くような眼で見上げ、会釈をして去っていった。――その後ろ姿がみえなくなったときである、右手のほうでとつぜんばさっとなにか落ちる音がした。しんとした雨のなかで、それはかなり大きく聞えた。――梅が落ちた。

金之助はこう思って振返った。そして、ゆうべからの氷雨《ひさめ》でにわかに葉の落ちつくした樹々を見て、自分の連想の誤りに気づき、そっと苦笑しながらこう呟いた。

「そうだ、……あのときも雨が降っていた」

（「講談倶楽部」昭和二十四年七月号）

寒《さむさ》橋《ばし》

一

お孝《こう》はときどき自分が恥ずかしくなる。鏡に向っているときなど特にそうだ。

「――まあいやだ、いやあねえ」

独りでそんなことを呟《つぶや》いて、独りで赤くなって、鏡に写っている自分の顔を、一種の唆《そそ》られるような気持で、こくめいに眺めまわす。全般的に見て、いやな言葉だけれども、膏《あぶら》がのってきている。皮膚が透けるようなぐあいで、なにかの花びらのように柔らかくしっとりと湿っていて、撫《な》でると指へ吸いつくような感じである。

或る気分としては眼をそらしたい。良人《おっと》というものをもって半年あまりになるが、そのあいだに自分の軀《からだ》にあらわれた変化は、これには自分としても衒《て》れて、頬の熱くなることがしばしばあった。

――いやあねえ。

こう思うのはそのままの実感である。胸乳《むなち》のたっぷりした重さ、腰まわりのいっぱいな緊張感、痛いほど張った太腿《ふともも》。そのくせ胴は細く緊って、手足も先端にゆくほどすんなりと細い。その膏の乗って肥えた部分と、反対に細く緊った部分との対比が、娘時代とはあきらかに違ったもので、つい頬が熱くなり、眼をそらしたくなるが、じっさいは胸がどきどきし、唆られるようなふしぎな気持で、いつまでも眺め飽かないのであった。

「――ふしぎだわ、女の軀って、……どうしてかしら、ほんとにいやだわ」

いやだと云いながら、しかも一方では、いくら眺めても眺め飽きないのである。

「――なにをしているんだ、またそんな恰好で、肌をいれたらどうだ、風邪をひくじゃないか」

父親に叱られて、はっとして、そのくせ自分でもわざとらしいほどおちついたすましようで、ゆっくりと着物の袖へ手を入れる。毎々のことだがこれもじつは恥ずかしい。母親がはやく亡くなったせいだろう、まえには父親のほうで気にして、髪結いにゆけとか、白粉《おしろい》の刷《は》きかたがぞんざいだとかよく云われたものだ。

――母親がいないと娘はじじむさくなるって、世間ですぐに云われるんだから、……いっそ白粉をつけないならつけない、つけるなら娘らしくちゃんとつけるがいい。

――今日はこれでいいのよ、今日は白粉ののりが悪いんだもの……それに天気がこんなでくさくさしているのよ、こんな、……白粉なんかどっちでもいいわ。

――それじゃあ済まないんだ、女の髪化粧というものは世の中の飾りといってもいいくらいで、うす汚ない饐《す》えたような裏店《うらだな》でも、きれいに髪化粧をした女がとおれば眼のたのしみになる、……いっときその饐えたような裏店が華やいでみえる、……つまり春になって花が咲くように、世の中の飾りの一つになるんだ、……化粧をするんならそのくらいの気持でするがいい、おまえのは自分本位で、そういう気持はなおさなければいけない。

この種の問答が幾たびかあった。

――まあいやだ、世間の飾りだとか人の眼をたのしませるなんて、あたし聞くだけでも胸がむかむかするわ。

お孝は譃《うそ》のないところこう思っていた。それが時三《ときぞう》を婿にとってから変った。父親の云ったことは本当らしい、髪をいじり化粧をするとき、ふと気がつくと時三の眼で自分の髪かたちや化粧の効果をみている。時三はむくちでなにも云わないが、髪化粧が気にいったときはほうという眼つきをする。

——あざやかだね、眼がさめるようだね。

そんなふうに云っているのがわかる。くち上手な者の百千言よりも、良人のそういう眼つきのほうが含みがあってよほどうれしい。またおたみを伴《つ》れて買い物に出るときなども、人に振返って見られたりすると張合があった。……むすめ時代には自分の縹緻《きりょう》にひかれるのだと思って、いやでないまでも愉快な気分にはなれなかった。しかし今では自分が誰かの眼をたのしませるということが、或る程度まで逆に自分をたのしくさせるようになった。そんなこともしぜん化粧が念入りになった原因かもしれない。

——げんきんなものだ。

父親がそう思っているような感じである。気の勝ったお孝には恥ずかしいが、いろいろな面で云って恥ずかしいが、どうしたって鏡に向うことが多いし、その時間が長くなるのは、これは自分でもいまさらどうにもならない。——春が来て花が咲くようなもんだもの、いいじゃないの。などといっそ肚《はら》を据えたかたちであった。

「どうするの、お父《とっ》つぁん、夜釣りにゆくんならお弁当のしたくをするけれど」

「——時三はあした休みじゃあないのか」

「いやよ、あしたは六間堀《けんぼり》へ菊見にゆくんですもの、釣りになんぞさそいだしちゃだめよ」

「——まるっきり独り占めだ」

「いいじゃないの夫婦ですもの、お父つぁんの御亭主じゃあるまいし、……その代り今夜はおい

しい物をおごってあげるわ、お父つぁんの大好きなおいしい物、ね、いいでしょ」

二

本所《ほんじょ》六間堀と森下《もりした》にまたがって、植辰《うえたつ》という大きな植木屋がある。そのころ菊は染井というのが一般的であったが、数年まえから植辰でも力みだして、一種の風格ある花壇を作って展観させた。大輪とか変り咲きとか懸崖《けんがい》などの、人工の加わったものは少ない、ごくありきたりの種類をごく怠慢にそだてたふうである。その方面に眼のない者は多少失望した。出来そくないだなどと放言する者もあった。けれども文人雅客とか幾らかひねった趣向を好む人々は、つまり具眼の士は感服した。

——野のふぜいですな、よくうつしましたな、どうもなんとも云えぬふぜいですな。

——菊はこう作るのが本筋である、乱菊、これが自然である、染井のなどは邪道であって、あれなどは花を片輪にしたものである、おれとしてはこれなら飲める。

菊を飲むわけではない。菊をさかなにして酒をやろうというのである。そこで植辰がわでは花壇の要所とおぼしき処々へ茶店を設けた。そのうちに四つ五つ小座敷のあるのも建て、そこでは

ちょいとした女などもいるし、きどったような料理などもできる。……お孝は時三といっしょにその茶屋のひと間を借りて、持って来た重箱を開いたり、またその家《うち》の料理など注文したりして、二人で菊を眺めながら半日を過した。

「あたしこのごろ死ぬのがこわくてしようがないの、ねえ、あんたそう思わなくって」

「――軀のぐあいでも悪いのか」

「そうじゃないの、死ねばあんたと別れ別れにならなくちゃならない、顔も見られないし話もできなくなるわ、そう思うと死ぬのがこわくてこわくて、胸のここらへんに固い石のような物が詰ってくるのよ」

「――だっていつかは、……そいつばかりはしようがないだろう」

「だからそう思うの、いつかは死ぬんだから、せめて生きているあいだ、生きてこうしているあいだだけは、紙一重の隙もない夫婦でくらしたい、これまでのどの御夫婦にもできなかったくらいに、……あたしあんたにできるだけのことをするわ、ねえ」

お孝は良人の膝《ひざ》を片方の手で、上から強く押しつけながら、じっとながし眼に見あげた。

「身も心もあんたの思いのままよ、あんたのためならどんなことでもしてあげてよ、ねえ、だからあんたもいつまでも変らないであたしを可愛がってね、よそのひとに気をひかれたり、あたしに隠れて浮気なんか決してしないでね、ねえ、よくって」

「――私にはそんなはたらきはないらしい、だいいち先方で相手にしないよ」

「うそうそ、あんたにはおんな好きのするところがあるわ、あんたを見ているとなにか世話をしたくなるの、男ぶりだけじゃなくひとがらがそうなんだわ、おたみだってあんたを見るときの眼つきはべつなんだもの」

「——ばかなことを」

時三は眉をしかめ、顔をそむけた。

「あら本当よ、槇町《まきちょう》にいたじぶんだって、近所の娘さんたちに騒がれたってこと知ってるわ、歌《うた》沢《ざわ》のお師匠さんのことだって、……いやよあたし、これからもしそんなことがあったらあたし生きちゃいないわ、ねえ、いいこと」

「——いったいどうしたんだ、今日は」

時三はこんどは不審そうにお孝を見た。

「——へんなことばかり云って、本当にどこかぐあいでも悪いんじゃないのか」

「ぐあいなんか悪くはないわ、それにちっともへんなことなんて云やしなくってよ、あんたにはあたしの気持がわからないからそんなふうに聞えるんだわ、そうよ、あたしのことなんて、……あんたはちっとも思ってくれてやしないんだわ」

「ばかなことばかり云って、わけがわからない」

こう云いかけるまにお孝は袂《たもと》で顔を押えて、時三の膝へ泣き伏してしまった。もちろん悲しいのではない、むやみに切ないようなもどかしいような気持で、泣いてしまうよりほかに自分で自分の始末がつかなかったのである。

結婚してから約半年めのその日が、お孝の気持にかなりはっきりと一種の転機を与えた。それは良人が自分にとって絶対にかけがえのないひとだということ、もし良人がよその女に心をうつしでもしたら、本当に自分は死んでしまうだろうということであった。……結婚した女ならそう思わない者はないだろう、ごく普遍的な感情であるが、お孝のばあいはそれがやや極端であった。

下町そだちはいったいにませるものだが、お孝は珍しいくらいおくで、その年の三月、二十歳で時三を迎えるまで男などに気をひかれた覚えは殆んどなかった。家は三代続いた袋物商で、釆女町《うねめちょう》の「田村」といえば一流の店でとおっていた。田村から出て店を持ったものが七軒あり、これをたなうちといって、親類同様にでいりしているが、この人たちがはやくからお孝に縁談をもちだしてきた。それはお孝がひとり娘だからどうせ婿を取らなければならない、「本店《ほんだな》」がおちつかないとたなうちも安心できないという公式論であった。……その裏には「本店」をめぐる親類やたなうちの、一種の競争のようなものもあったらしいが、それはべつとして、お孝もうすうす感じていたのは、父親の伊兵衛の問題であった。

お孝の母はいねといって、お孝の九つの年に亡くなったが、家つきの娘で、伊兵衛は店で育って婿になおったのである。いねはお孝よりずっと縹緻よしだった。なにがしとかいう絵草紙屋が、一枚絵にしたいと云って交渉に来たこともあるそうで、これはもちろん謝絶したが、そのくらいきれいだった代りに軀が弱く、医者のでいりの絶えることがなかった。……そんなところから、気性の知れた温和な、酒も煙草ものめない伊兵衛が選ばれたものらしい。……予想どおり伊兵衛はいい良人だった。いねはお孝を産んでから一年の半分は寝ているというふうで、小田原町の大川に近いこの家も、彼女の療養のために建てられたものであるが、伊兵衛はその小田原町の家と店とを往復する以外には、横丁へも曲らないというくらいに、忠実に妻に仕えとおした。

　妻が亡くなってから、当然あとのはなしがいろいろ出た。しかし伊兵衛は柔和にうけながすばかりで、どうしてもあとを貰おうとはしなかった。……お孝にはやく婿を取らせようという、周囲の人たちの気持には、そうしたあとで伊兵衛を隠居させ、しかるべきのちぞえを持たせようという、含みがあったのである。

　――ねえお父つぁん、どうしておっ母《か》さんを貰わないの、ねえ、おっ母さん貰ってよ。

　十二三のお孝はそんなことをよく云った。それから暫《しばら》く経つと、常磐津《ときわず》やお針の稽古へいって、そこで聞く世間ばなしが、しばしば男女間の艶聞《えんぶん》に属し、ことに男というものが浮気で悪性だという定説になっていることを知り、こんどは父親に対する不信と疑惑に苦しめられた。……伊兵衛はその前後から釣り道楽をおぼえて、ときどき夜釣りなどにいって朝帰ることがあった。そんなときお孝はあて推量で、父親がよそに愛人をかこっていて、その人のところへ泊りにゆくに違いないと思い、胸が半分に縮まるような、呼吸困難に近い苦しい気持におそわれるのであった。

　――ねえ、本当に釣りにいったの、よそへ泊ったんじゃないの、ねえ、本当に釣りにいったの。

　こんなぐあいにうるさく云って、しまいにはいっしょに付いていったことも幾たびかあった。伊兵衛はその頃からお孝と小田原町の家へ移り、飯炊きの老婆と女中を使って、父娘《おやこ》二人さし向いの生活を始めた。……妻と娘とが交代したかたちである。店と小田原町とを往復するほかには、やっぱり横丁へも曲らないといったふうで、夜釣りも近くの寒橋《さむさばし》のあたりで満足した。寒橋というのは小田原町から築地《つきじ》明石町《あかしちょう》へ渡したもので、京橋堀と見当堀が大川へおちるおちくちにあった。汀《みぎわ》に大きな石のごろごろした、吹きさらしの、「さむさ橋」という俗称のぴったりする観景である。……伊兵衛はそこで釣りをした。寒い季節には布子《ぬのこ》を重ねたうえから羅紗《らしゃ》の古いみちゆきを着て、もうろく頭巾をかぶって、崩れた石垣の上につくねんと糸を垂れている。お孝はそんな恰好をしばしば見にいった。

家から近いので、眠れないときなどは、熱い湯茶を持ってゆき、父のそばに身を踞《かが》めて、暗い大川の水を眺めながら、ながいこと時を過すこともあった。

――軀のぐあいのいいときには、おっ母さんも茶や弁当を持って来てくれたもんだ。

伊兵衛はときにそんな話もした。

――目黒から来たおとりという女中がいて、それに持たせて来るんだが、……おまえが今そうしているそこんところに踞んで、いつまでも私の釣るのを見ている、……おとりは眠いさかりだから迷惑なはなしだ、よくいねむりをしたっけ、……そうするとおっ母さんも笑いながら、しかたなしに帰ってゆくんだが、……その笑い声がまだ耳にのこっているようだ。

お孝にもそのようすが見えるようだった。病弱な母と温和で実直な父との、互いに劬《いたわ》りをこめた静かな愛情、初冬のやわらかい日ざしのような、透明な暖かい愛情、それがお孝にだんだんとわかってきた。

――お父つぁんがあとを貰わないのも、よそに好きな人をつくったり、浮気をしたりしないのも、亡くなったおっ母さんが忘れられないからだ、二人はそんなにも愛しあっていたんだ。

お孝はそう思った。世間では男は浮気で悪性と定説になっている、そういう事実も見たり聞いたりする。父のような人はおそらく稀《まれ》だろう、とすれば男なんていやらしい、どんなことがあっても結婚なんかしない。……こんなふうに一つの信条さえもつようになった。軀のほうも発育がおそかったらしいが、父親のほかには男などまっぴらという気持だった。

結婚して半年めぐらいからの、良人に対する激しい愛着心は、うがって云えばその反動でもあろう、発育のおくれていた軀や心が、にわかに生き生きと成長し始めたためもあろう。いずれにせよ、男と女の愛情というものが、身を灼《や》くように楽しく、一面にはこんなに苦しく哀《かな》しいものかということを、お孝も自分で体験する時期になったのである。

三

一年と経ち二年と経った。

時三が来てまる二年めの五月、父の伊兵衛がとつぜん吐血して倒れた。医者は胃に潰瘍《かいよう》が出来たという診たてで、そのまま九月まで寝とおした。この期間ずっと、伊兵衛の世話は女中のおたみが独り占めでやった。まず喰《た》べ物を作るのが手間と時間をくうし、温石《おんじやく》を当てるとか胃部を冷やすとか、薬を煎《せん》じるとか便器のめんどうをみるとか、動くことを禁じられている病人なので、看護にはたいへん手数と努力が必要だった。……お孝も傍観していたわけではない、つとめて世話をしようとするのだが、おたみが先へ先へと奔走するし、当の病人からしておたみにかかりたがった。

「それはおたみにさせるからいい、おまえはそっちにすることがあるんだろう、構わないからそっちのことをしてくれ」

こんなふうに云って、なるべくお孝の手を避けようとした。

「へんねえ、なんだかへんだわ、まさかと思うけれど……どうしたのかしら」

「へんなことはないさ、おまえは私のこともしなくちゃあならないし、おたみならかかりっきりになれるからさ、……動けない病人には看病の手の替ることがいちばんいやなものらしいよ」

「それはそうかもしれないけれど、でも……」

お孝は良人とそんなことを話しながら、ひとつ頭にひっかかるものがあった。それは去年おたみに縁談があって、又とないくらい良縁だったのをおたみが断わった。……おたみは南千住に家があり、十五の年から奉公に来ている。お孝より一つ下で、気はしもきくし縹緻も悪くない、いわゆるおかめ型のぽっちゃりした、軀つきも小柄な愛嬌《あいきょう》のある娘だった。……それまでにも幾たびか縁談があったが、いつもまだ年が若いからと首を振っていた。

――あたし一生お孝さんのそばにいたいんです、お嫁にゆくのなんかいやなこってすわ。

こう云い張っていた。しかし去年のときはもう二十にもなるし、断わる理由がどうにもわからなかったのである。お孝は冗談のように、

――あんたが好きだからよ。

などと良人に云ったことがある。それには時三が婿に来てから、おたみのようすがどことなくなまめかしくなり、時三になにか云われたりするとふと顔を赤くしたり、またしおのある眼つきでじっと見たりした。……いつか六間堀へ菊見にいったとき、思わずそのことを良人に云って、

不愉快そうにそっぽを向かれたことがあるが。……父が病気になってからのようすを見ると、やはりそこにあたりまえでないものがあるような感じで厭《いや》だった。

「いいじゃないか、お父つぁんが気にいってるんだから、おたみだっていやいやしているんじゃあないし、気を揉《も》むことはないじゃないか」

「あたしってやきもちやきなのかしら」

「あっさりしているほうじゃあなさそうだな」

「――憎らしい、あんたのせいよ」

「またそれか、よく飽きないものさ」

「だって本当なんですもの、あんたといっしょになるまえには夢にもこんな気持は知らなかったわ、こんな気持って、……本当に自分でもいやよ」

あんたのせいよと云う言葉は無根拠ではなかった。時三は日本橋槇町の「松葉屋」という、やはり袋物商をしている家の二男で、男ぶりもいいし職人はだで、近所の娘たちにずいぶん騒がれたというし、稽古にかよっていた歌沢の若い女師匠とは、かなり深いつきあいがあったということを聞いている。……もちろん結婚するまえにきれいに片がついていたらしいが、いっしょに生活してみると、そういう事実があったろうということが、お孝にはよくわかった。

時三は田村へ来てからも、店に坐るよりは仕事をするほうを好んだ。店は他吉という番頭に任せて、自分は一日じゅう仕事場にこもっている。あいそっけはないし口数は少ないし、いつもむっとしたような顔をしているが、そこにちょっと説明のつかない強い魅力があった。……一手にひきうけて世話をしてやりたいとか、思いっきり虐《いじ》めてやりたいとか、薄情なめにあって泣かされてみたいとか、それぞれ気性によって違うだろうが、いずれにせよ彼を見ているとなにかかまってみたくなる、要するにほうっておけない気持になる。

——これがおんな好きのするっていう型なんだわ、いちばん危ない型だわ。

お孝は自分の身にしみてそう思った。

結婚してまる二年も経ち、疑わしいようなことはいちどもなかった。良人が誠実であるということは慥《たし》からしい、嫉妬《しっと》などする余地は少しもない。こう安心していながら、一方ではそんな筈がないという気持がぬけず、ついすると良人をうるさがらせ、自分でもいやになるようなことを云ってしまう。

——みんなあんたのせいよ。

お孝としてはこう云うよりほかに立つ瀬がなかったのである。

四

伊兵衛は九月の下旬にとこばらいをした。

そのちょっと前のことであるが、或る夜ふっと眼がさめると、いつも点《つ》いている有明行燈《ありあけ》が消えていた。油でもきれたのかと思って、そのまま眼ろうとしたが、どうしてか眼が冴《さ》えてしまって眠れない。暫くしてそっと起き、音を立てないように気をつけて手洗いにゆこうとした。……すると廊下の向うですっと襖《ふすま》の明く音がし、ひと言、低く誰かの囁《ささや》く声が聞えた。父がおたみになにか云ったのだろうと思い、廊下へ出ると、足音がこっちへ来た。高いれんじ窓はあるが夜中のことで、まっ暗でわからない。お孝は用心して、

「——だあれ、おたみかえ」

と声をかけた。ぶっつかってはいけないと思ったからだ。すると向うは気がつかなかったとみえ、よほどびっくりしたようすで、

「——私だ、……どうしたんだ」

へんにうわずった声で時三が答えた。

「あんたなの、暗くってわからなかったわ」

「——どうしたんだ、そんなところで、……なにをしているんだ」

「ばかねえ、こんな時刻になにをするわけがないじゃないの」

お孝は低く笑いながら、

「ああ気をつけてね、行燈《あんどん》が消えててよ」

こう云って良人とすれ違った。もういちどはもとの常磐津の師匠が病気だというので、四五人の稽古友達とみまいにゆくことになった。おたみの手がはなせないので、みまいの品を持って独りででかけたが、帰りにはみんなで夕飯をすることになっていたから、念のため釆女町の店へ寄った。

「たぶん日本橋の花川だと思うの、お文ちゃんもよんちゃんもいける口だから少しおそくなるかもしれないけど、……もし早かったら槇町へちょっと顔出しして来ますからね」

良人にこう断わっていった。

師匠の家は木挽町三丁目《こびきちょう》にある。もう五十六七になる陽気な人で、腰の筋を違えたというだけの、病気とはいえない軽い故障だった。集まった友達はみんな結婚していたし、下町で育って下町ぐらしの、それぞれ活《い》きのいい者ばかりだから、いっそ花川などはやめて此処《ここ》で賑《にぎ》やかにやろうということになり、たちまち受持をきめて必要準備をととのえ、正《まさ》しく賑やかに酒宴を始めた。

音頭取《おんどと》りはお文ちゃんであった。お孝とは隣りづきあいの幼な友達で、家は佐野庄という大きな足袋屋、お孝より二年はやく婿を取って、もう三人の子持ちだった。

――亭主なんてのさばらしちゃだめ、暴れ馬を扱うこつでやるのよ、がっちり轡《くつわ》を嚙《か》ませてぎゅうぎゅう手綱を緊めておくの、あたしなんかぐっとも云わせやしないわ。

こんなふうに威勢がいい。女中のおたみもお文ちゃんが世話をしてくれたものだ。……なにがさてみんな二十二三の若い世帯持ちで、いっぱし世間の味を知ったつもりでいるのだから、少し酒がはいると一座は壮観を呈してきた。お孝もいくらか飲める口ではあるが、あまりにみんなの話が刺戟《しげき》的なのと、いつもより少し過したせいかまもなく気持が悪くなり、とうていつきあいきれないと見込みをつけ、うまくごまかして独りだけ先にぬけだした。

時刻はまだ早かった。外へ出て風に当ってみるとさしたることもない、槇町へゆこうかと思ったが、それも億劫《おっくう》で、店へも寄らず家へ帰った。……すると、――もともと寮ふうに造った家で、かなりな庭にふじつぼの殻《から》の付いたしびの垣根をまわし、萩《はぎ》を編んだ折戸の小さな門があるが、――その門をはいるとすぐそこの、袖垣の蔭《かげ》のところに時三とおたみが立ち話をしていた。

このときはどきりとした。おたみは泣いているらしい、良人は腕組みをし、うなだれて、なにか低い声で話していた。ほんの一瞬のことだったが、お孝は足が竦《すく》みそうになった、しかしそれより早く良人がこっちへ振返った。……門のあく音で気がついたのだろう、こっちへ振返って、おちついた眼つきで、

――いいから家へあがれ。

というような合図をした。そのおちついた眼つき、少しも慌てたようすのないそぶりでお孝はほっとし、黙って家へはいったが、着替えをするときもまだ胸がどきどきしていた。

「お父つぁんに叱られたんだ、おまえは知らないつもりでいるほうがいい」

あとから来て時三はそう云った。

伊兵衛がとこばらいをしてから、おたみのようすがどことなく変ってきた。いつも浮かない顔をしていて、これまでついぞないことだが皿小鉢を破《わ》ったり、腹ぐあいが悪いといって四五日も黙って寝ていたり、また夜中にお勝手で嘔《は》こうとして、いやな声をだしていたりした。

そうしておたみは十月の末になって、軀の調子が悪いからと、急にひまを貰いたいと云いだし、ひきとめる手を振切るようなぐあいに実家へ帰っていった。

「どうしたんでしょ、七年もいて家の者も同様にくらして来たのに、なにが気に障ってあんなふうに出ていったのかしら」

「――急に嫁のはなしでもあったんだろう」

時三はこう云っていた。

「――どうせ死ぬまでいる者じゃなし、いつかは出てゆくんだから、私の病気もおちついたところだしいいじゃないか」

伊兵衛もこう云うだけだった。お孝は多少くらしいと思ったが、そのままにしておけないので、嫁にゆくゆかぬはともかく、かねて予算していただけの品物を買い揃《そろ》え、それ相当の金も包んで、南千住の実家というのへ届けてやった。

半月ばかりして女中のはなしが出たが、子供でも生れるまでは用もないので、お孝は自分でやってゆくことにきめた。

「それにしてもへんねえ、あたし赤ちゃんが出来ない軀なのかしら」

「子供なんか急ぐことはないよ」

「だっていやなのよ、友達に会うときまってからかわれるんですもの、……あんまり仲がよすぎるんだとか、お迎えが激しすぎるんだとかって、ねえ、本当にそんなことってあるのかしら、仲がよすぎると、……あらいやだ、へんなこと云いだしちゃって、あたしどうかしてるわ」

「独りではしゃいで独りで赤くなってりゃあ世話あねえや」

「いいじゃないの、おたみがいなくなってから初めてしみじみした気持になれたんですもの、初めて夫婦さし向いって気持なんですもの、これで早く赤ちゃんが出来れば申し分ないんだけれど、……あたしどこか信心してみようかしら」

年があけて正月の二十日に、常磐津の師匠の総ざらいがあった。毎年の例で、三十間堀の「半《はん》勝《かつ》」という貸席でやる。当日は古い弟子もみんな集まって景気をつけるのだが、そこではごくたまにしか会えない人に会い、いろいろ情報も聞けるので、古顔は一種の親睦会のように心得ていた。……ここでも経済的な意味ばかりでなく、性来の世話やき好きでお文が采配《さいはい》を振り、総ざらいが終るなり師匠を拉《ら》して来て、

「さあこれからお師匠さんのとこあげ祝いよ」

などと気勢をあげた。弟子たちの家からも祝いのお重や広蓋《ひろぶた》がたくさん届いている。そのうえ近所の仕出し屋から酒肴《さけさかな》を取って、去年の病気みまいどころではない、華やかで大掛りな宴会が始まった。……こんどは男もかなりまじっているので、女たちの騒ぎには限度があったが、それだけどことなく色っぽい空気がただよい、いい年のおかみさんふうの人までが気取って笑い声をたてたりした。

「お孝さん、ちょっと」

盃《さかずき》がまわりだしてからまもなく、お文が来て坐って、うす笑いをしながらこっちを見た。

「どうした、あんたの旦つく、この頃はおとなしくしている」

お文はわざとそういう口をきく、奮闘したあとで酒がはいって、酔ってもいるらしい、白粉の剝《は》げた頰が巴旦杏《はたんきょう》のように赤く光っていた。

「この頃っていったって、うちじゃあいつも同じことよ、たいしたこともなしだわ」

「そんなこと云ってるからいけないんだ、あんたは旦つくに惚《ほ》れちゃってるんだから、ねえいいこと、夫婦であろうとなんであろうと、男と女のあいだじゃ惚れたほうが負けよ、向うに惚れさせなきゃだめよ、……そりゃあ時さんはいい男でしょ、あたしだってちょいと浮気がしてみたく

なるくらいだけど、だからよけい弱味を見せちゃいけないの、……それをあんたはあけっ放しなんだから、あけっ放しで惚れきってるからあんな事になるんだ、なによ、……相手が吉原《なか》とか柳橋あたりで、だれそれといわれる姐《ねえ》さんならともかく、女中に亭主をとられるなんて女の恥じゃないの」

お孝はあっけにとられた。お文がそんなに酔っているのかと、つい笑いながら顔を見なおした。お文はそれをどう取ったものか、ひどくいきごんで云い続けた。

「おまけにお孝さんときたら、あとから着物や、小箪笥《こだんす》なんぞ買って、お金まで付けて遣《や》ったというじゃないの、いまに赤んぼが生れたら引取って育てるなんて云うんでしょ、あたしだったらおたみなんかびりびりにひっちゃぶいてやるわ、しっかりしなさいよお孝さん」

「——おたみって、おたみがなにか……」

「あたしに隠してどうするの、おたみを世話したのはあたしじゃないの、あたしお孝さんに申しわけがなくって、だからよけい肚が立って、南千住までいってそ云ってやったわ、……もう決して若旦那には会いません、赤ちゃんを産んだら田舎へひっこんでくらしますって、……神妙な顔で泣いてたけど、心のなかでなにを考えてるか知れたもんじゃないわ、いつも云ってるでしょ、旦つくにはがっちり轡を嚙ませて、手綱をぎゅうぎゅう緊めていなければいけないって、……あんたは甘いから……」

お孝はもう聞いてはいなかった。軀がぐらぐらして、倒れそうな気持で、やがて激しい嘔《は》きけにおそわれて座を立った。

五

それから五日五晩お孝は思い惑った。

お文の話しぶりはずばりとしていて、思い違いではないかという隙が少しもなかった。要約するもしないも、良人とおたみがそういう仲になり、おたみがみごもったので実家へ帰った。それだけの事実をはっきり事実として語っている。南千住の家まで訪ねてゆき、そこでさんざん怒って、おたみが泣いて詫《わ》びたという。なかでも——もう若旦那には決して会わない、という言葉は辛辣《しんらつ》であった。それは疑いもなく二人の仲を立証する言葉だった。

——本当だろうか、……いやそんな筈はない、あのひとがおたみにそんなことをする筈がない。

そう思えば思うほど、お孝にも幾つか疑わしい記憶がよみがえってきた。有明行燈の消えていた夜のこと、袖垣の蔭で良人と二人きりでおたみが泣いていたこと、それから良人が来てからのおたみのなまめいたようすや、じっと良人をみるしおのある眼つきなど。

そうしてとうとう耐えかねて、六日めの夜になって、お孝は良人にそのことをきいた。この瞬間に自分の生き死にがきまるという気持であった。

「本当のことを云って頂戴、あたしおちついて聞くから、……ねえ、決して騒いだりなんかしないから、本当のことを聞かして頂戴」

時三は黙って自分の膝を見ていた。こころもち額が白くなったようである、それからやや暫くして、呟《つぶや》くように云った。

「——済まない、勘弁してくれ」

「いいわよ勘弁してくれなんて、いいのよそんなこと」

お孝は慌てて笑いながら遮《さえぎ》った。自分でもふしぎなくらい明るい笑いかたで、寧《むし》ろうきうきした調子でさえあった。

「本当のことがわかればいいの、それで、……おたみはいつごろお産するの」

「——今年の五月だったと思うが……」

「そう、五月ね、それを聞いておかなくっちゃあ、……だって知らん顔をしているわけにはいかないでしょ、お産するとなればいろいろ、……あたしとしたって、してあげなければならないことがあるし、……でもわかってよかったわ、あたしちっとも知らなかったんですもの、よっぽどばかでぬけてるのね」

「——お孝、おれが悪かった」

時三は顔をあげてお孝を見た。きれいな澄んだ眼に涙が溜《た》まっていた。

「——魔がさしたんだ、……まちがいだったんだ、本当に悪かった、勘弁してくれ」

「いいわよ、もういいのよ、誰にだってまちがいということはあるわ、あたしだって、……あら、お父つぁんが呼んでるんじゃないかしら」

お孝はあたふたとそこを立った。

良人の前ではとうとう泣かずに済んだ。恨むこともできなかった。そしてそれから二三日は気分も明るく、ふだんと同じように笑ったり、陽気にお饒舌《しゃべ》りをしたりした。……だが或る夜、良人が自分の夜具へ手をかけたとき、その瞬間、お孝は激烈な嘔きけを感じ、お勝手へいって、嘔こうとして、こんどはとつぜん胸をずたずたにひき裂かれるような、非常な苦悶《くもん》と絶望におそわれ、呻《うめ》き声をあげてそこへ倒れた。

「お孝、どうした、どうしたんだ」

こう呼ばれて我にかえると、自分が良人に抱き起こされていた。お孝は頭を振り、笑おうとした。なんでもないのよ、こう云おうとして、抱いている良人の手のぬくみを肩に感じたとき、蛇にでも触ったように、総身を震わせ、叫び声をあげて良人の手をすりぬけた。

「——お孝、いったいどうしたんだ」

「あっちへ、……あっちへいって、……なんでもないの、あたしだいじょぶよ、……あっちへいって」

全身の震えで揚板ががたがたと鳴った。時三は暗がりのなかでじっとこちらを見つめていたが、やがて黙ってお勝手を出ていった。

それからお孝の苦しみが始まった。その苦しさは肉躰《にくたい》的なもので、まず嘔きけが起こり、ついで胸を搾木《しめぎ》にかけられるか、ひき裂かれでもするような気持になる。眼の前が急にまっ暗になり、息ができなくなり、そのまま気が狂ってしまいそうな感じにおそわれる。

「——ああ、……ひどい、……あんまりひどい」

肩で喘《あえ》ぎながら呟いて、身もだえをして、誰にも見られないところへいって泣く。

「——なによ、このくらい、ざらにあるこっちゃないの、平気じゃないの」

泣きながらこんなことも云ってみる、しかしそう云いながらまた身をもだえ、転げまわって、絶叫したいような衝動に駆られるのであった。

その日は朝から南風が吹いて、気持の悪いほど暖かかったが、風がおちてからも気温が高く、花でも咲きそうな陽気だった。このところまた胃の調子がいけないらしく、沈んだ顔色をしていた父が、その夜は気分がいいとみえて、夕食のときには久しぶりに釣りの話などした。

「こんな晩はあなごがくうんだがな、……しかし海ばかりやって来たから、今年はひとつ鮒《ふな》をやってみようかと思う、……槙町じゃあ惣かそのほうの天狗《てんぐ》だったたな」

「親父《おやじ》のは口ばかりですよ、釣りにゆくんじゃなくって酒を飲みにゆくんですから」

「いや釣ったものをそこで作って飲むのが釣りの本味《ほんあじ》だというくらいなんだ、私は飲めないからだめだが……」

お孝は二人の話を聞きながら、寒橋の夜の河岸を思いだしていた。

父が寝て、良人が寝てから、暫く解き物をしていたお孝は、ふいと誰かに呼ばれるような気持で、膝の物を押しやって立ち、音を忍ばせて裏口から外へぬけだした。……十一時ごろだろう、近所は戸を閉めて寝ていたが、ところどころ灯がもれ、楽しそうな話し声の聞える家もあった。まっすぐに河岸へぬけ、寒橋の、いつも父の坐る崩れた石垣のところへいって佇《たたず》んだ。川上の佃島《つくだじま》のほうに、舟で燃す火がぽっと霞《かす》んで、点々と五つ六つ見えた。白魚網《しらうおあみ》だろう、そのあたりから水面を伝って、人の声がとぎれとぎれに聞えて来る。

「――おっ母さん」

お孝はそっと呼んだ。父親がそこに釣糸を垂れている、母が女中に茶や弁当を持たせて来て、父のそばへいって踞む。

——来なくってもいいのに、風邪でもひいたら困るじゃないか。

——でも寂しくって、……寝られなかったから来てみたのよ、お茶をあがったら。

——済まないな、ちょうど欲しいところだった、おまえそうしているならこれをちょっとひっかけているがいい。

——あらいいのよ、それじゃああんたが寒いわ。

父と母とのこんな会話が、現にそこでとり交わされているように、ありありと聞える気がした。父と母との穏やかな、まじりけのない温かな愛情、お互いに劬りあい相手に誠実であった愛情、……それがそのまま、寒橋の岸のその石のところに、そのまま現に残っている、二人の愛情は今でもそこに生きている、そこに、その石の上に、……お孝にはそれが眼に見えるように思えた。

「——おっ母さん、あたし苦しいの、生きているのが辛いのよ、ねえ、……おっ母さん、あたしどうしたらいいの」

お孝は暗い水を覗《のぞ》きこんで云った。

「——こんなに苦しいのに、あのひとが憎めない、憎いんだけれど離れられない、まえよりもあのひとが恋しくって、それでそばへ寄られると鳥肌の立つほどいやで、……独りになると死ぬほど苦しくなるの、ねえ、どうしたらいいの、教えて、おっ母さん、ねえ、あたしどうしたらいいの」

たぷたぷと岸を打つ波の中から、母の顔がすっと浮きあがり、手招きをしながらこう云った。

「――おいで、お孝、こっちへ、おっ母さんのほうへおいで……」

お孝はぞっと総毛立った。あまりにはっきり聞えたからである。そして後ろへさがろうと思いながら、ふらふらと逆に足が前へ出たとき、強い力で激しく肩を抱き緊められた。

「ばかなまねをするな、お孝」

耳もとでこう叫ばれ、はっとして、身をもがいてその手を振放した。

「なによ、なにがばかなことよ」

お孝は髪へ手をやりながら云った。

「むしむしして頭が痛いから、ちょっと川風に当りに来たんじゃないの」

「――お孝……」

時三は大きく喘ぎながら、ごくっと唾をのみ、片手を妙なぐあいに振って、それからしゃがれたような声で云った。

「すぐ帰ってくれ、お父つぁんが悪くなったんだ、おれはこれから医者へいって来る」

「――お父つぁんが、どうしたんですって」

「また血を吐いたんだ、まえよりたくさん吐いた、すぐ帰って、濡れ手拭で胃のところを冷やしていてくれ、医者を呼んで来るから」

「――お父つぁんが」

こう云いながらお孝はもう駆けだしていた。

良人がなにか叫んだようだった。けれどもお孝はなかば夢中で走り、家へ着くまでに二度も転んで、片方の膝をひどく擦剝《すりむ》いた。……父は仰向けに寝て、胸の下まで夜具を捲《まく》って、枕から頭を外していた。顔はきみの悪いほど蒼《あお》く、頰がこけ、汚れた口をあけて、急速な浅い呼吸をしている。拭くひまもなかったのだろう、そのあたりはまだ汚れたままだった。お孝はできるだけおちついた動作で枕もとへいった。

「お父つぁんどう、……苦しい、いまうちでお医者へいったからすぐ来るわ、少しの辛抱だからしっかりしててね」

「——大丈夫だ、もう苦しくはない」

伊兵衛は眼だけをこちらへ向けた。

「——それよりお孝、おまえに話がある、もっとこっちへ寄ってくれ」

六

「だっていま話なんかしちゃだめよ、お医者の来るまで静かにしていなくっちゃ」

「いや聞いてくれ、いま話さなくっちゃあ話すときがないんだ、……私は、お孝、……おまえにも済まない、時三にも済まない、……いいか、うちあけて云うが、お孝、……おたみが産むのは私の子なんだ、時三のじゃあない、おたみはこの伊兵衛の子を産むんだ」

ああとお孝は息をのんだ。

「時三は私を庇《かば》ってくれた、親の恥を身に衣《き》てくれたんだ、おたみにもそう云い含めたらしい、……おまえにも決して云うなと、あれは私にそう約束させた、……だから黙っていたんだ、けれど、もうこんどは私もいけないという気がする、このままでは死ねないからうちあけたんだ、お孝、……わかったか」

「――お父つぁん」

お孝はとつぜん父の手を握り、その手に頬ずりをしながら泣きだした。

「――うれしい、お父つぁん、うれしいわ、あたしうれしい」

そしてまるで笑うような声で遠慮もなく泣いた。伊兵衛は眼をつぶって、そっと頷《うなず》きながら云った。

「おまえが苦しんでいることは、私はよく知っていた、……さぞ辛かったろう、身も世もない思いだったろう、……だが事情がわかってみれば、私のあやまちだということがわかれば、もうその苦しさもなくなる筈だ」

お孝はまだ泣きながら、自分の涙で濡らした父の手の上で頷いた。

「人間は弱いもんだ、気をつけていても、ひょっと隙があれば、自分で呆《あき》れるようなまちがいをしでかす、……だれかれと限らない、人間にはみんなそういう弱いところがあるんだ、……ここをよく覚えておいてくれ、いいか、……そんなこともあるまいが、長いあいだには、時三も浮気ぐらいするかもしれない、……そのときは堪忍してやれ、夫婦のあいだのまちがいは、お互いに堪忍しあい、お互いに劬り、助けあってゆかなくちゃならない、それが夫婦というものなんだよ」

父の言葉をはっきり聞きとめようとしながら、お孝はもう幸福とよろこびで頭がいっぱいになり、軀が溶けるような思いで泣き続けた。

「――約束だから、この話は、おまえの胸ひとつにしまっておいてくれ、……みんながそのつもりでいるんだから、時三にも云っちゃあいけない、わかったな」

伊兵衛はこう念を押して口をつぐんだ。

それからほんの僅かして医者が来た。けれども手当てにかかる暇もなく、また大量な吐血があり、昏睡《こんすい》状態になって、日本橋のほうの蘭方医《らんぽうい》を呼ぼうと、使いを出してまもなく、伊兵衛は昏睡したままついに息をひきとった。

三七日《さんしちにち》が済むまでは、お孝は身も心も自分のもののようではなかった。時三が心配して、坐っていればいい、なにもするなと叱ってくれ、じっさいまたそう働くこともなかった。それでいて絶えず追いたてられるように、そわそわとおちつかず、夜も熟睡することができなかった。

「そんなことはないよ、ゆうべなんか鼾《いびき》をかいて眠ってたぜ、私が二度も起きたのを知らないだろう」

良人はそう云って笑ったが、自分ではそうは思えない、慥かに一晩じゅう眠れなかったようで、昼になると疲れて眠くてしかたがなかった。

三七日には寺で法事をしたあと、金六町の「菊屋」で客に接待をした。みんなで三十人ばかりだったが、諸事たなうちの者が奔走するので、お孝は坐って挨拶だけしていればよかった。……接待が済んで、いちど店へ寄り、小田原町へ帰る頃にはすっかり昏《く》れて、家にはあかあかと灯がはいっていた。

留守番の者もかえし、二人だけになって、ほっと息をついて顔を見合せたとき、お孝は媚《こび》のある眼で良人に頬笑んだ。

「たいへんだったわね、疲れたでしょ、なにもかもあんた一人にして貰って、……本当に悪かったわ、……ごめんなさいね」

「自分の親のことじゃないか、おまえに礼を云われることはないさ」

「お父つぁんうれしかったと思うわ、なんにも心残りはないし、こんなにして貰って、生みの子にだって出来ないことをして貰って、本当に安楽に死ねたと思うの」

「そんなことがあるもんか」

怒ったようにこう云って、時三はふと脇へ眼をそらした。二十日あまりの心労が出たものだろう、頬が少しこけて顔色も悪い。彼はいったん脇へそらした眼を伏せ、湿ったような低い声で呟いた。

「私は心配のかけっ放しだった、これから少しは孝行のまねごともしようと思っていたんだ、……いま死なれちゃあどうしたって気持が済まない、おれは諦《あきら》めきれないんだ」

「いいえそうじゃない、あたしみんな知ってるの、お父つぁんはあんたにお礼を云ってるわ、あたしだってどんなにうれしいかわからない、うれしくって、……どうお礼を云っていいかわからないわ」

お孝は襦袢《じゅばん》の袖でそっと眼を押えた。時三は不審そうにこっちを見て、まるで傷口にでも触れるように云った。

「――みんな知ってるって、……いったい、なにを知ってるんだ」

「おたみの産む子が誰の子だかっていうこと、あの晩あんたがお医者へいったあとですっかり話してくれたの、あんたがお父つぁんの恥を身に衣て、自分のまちがいのようにとりつくろって、おたみにまでそう云い含めてくれたということをよ、……あたしばかだから、そうとは気がつかずにあんたを怨んだわ、苦しくって悲しくって、……生きているのが辛かったわ、……だからうれしかった、うれしくって、あんまりうれしくって、……もういつ死んでもいいと思ったわ」

「――お父つぁんが、そう云ったのか、お父つぁんが、おたみの産む子は、……お父つぁんの子だって」

「あんた、堪忍して」

お孝は良人の胸にしがみついて、ふるえながら頬を良人の胸にすりつけた。

「あたし自分のことしか考えなかった。可愛がられることばかり思って、あんたの身になってみる気がなかったの、お父つぁんがそ云ったわ、……人間は弱いもんだって、夫婦はお互いに許しあい、劬り助けあってゆくもんだって、……あたしようやく大人になったような気がするの、おたみのことがもしあんたのまちがいだったとしても、こんどは、その半分はあたしの責任だと思うことができるわ、ねえ、……あたしこれからいい妻になってよ、だから堪忍して、……これまでのことは堪忍して頂戴」

そうして甘く噎《むせ》びあげるお孝を、時三は黙ってひき緊め、その頬へ自分の頬を押しつけた。涙に濡れて火のように熱い頬である、時三は眼をつむり、抱いた妻の軀を、子供でもあやすように、静かに揺すった。

「おたみが子を産んだら、うちへ引取って育てさせてね、……あんたには済まないけれど、あんたの子にして、……そうすれば、貰い子をすれば、子供が出来るというから、あたしにも赤ちゃんが出来るかもしれないわ」

「――もしおたみが放したらな」

「おたみはこれから嫁にゆく軀ですもの、わけを云えば放すわよ……ふふ」

お孝は泣き声で含み笑いをした。

「お文ちゃんがむくれるわね、いつか云ってたとおりになるんだもの、……あんたはいまにその赤んぼも引取るっていうんでしょって、……これだけは本当のこと云えないんだから、あのひときっとまっ赤になって怒るわよ」

その晩は絶えて久しく、そして二人がいっしょになってから初めて、夜具は一つしか敷かれなかった。……桃の節句も近いというのに、春寒というのだろう、珍しく冷える夜で、火の番の柝《き》の音が遠く冴えて聞えた。

夜半をずっと過ぎてから、時三がそっと起きて来て、物音を忍ばせて仏壇の前へゆき、そこへきちんと坐って、頭を垂れた。

「――有難う、お父つぁん」

彼は低い声でこう囁いた。

「――もうこれっきりです、決してもうあんなことはしません、見ていて下さい、……私はきっとお孝を仕合せにします」

彼は腕で眼を掩《おお》った。咽《むせ》び泣きの声が彼の喉《のど》をついてもれた。ずっと遠くで、火の番の柝の音が冴えて聞えた。

（「キング」昭和二十五年二月号）

わたくしです物語

第一講　使番《つかいばん》辞退の事

美濃《みの》国の多治見《たじみ》の城主、松平河内守《かわちのかみ》康秀の国家老《くにがろう》に知次茂平《ともつぐもへい》という老人がいた。やや肥えて顔も軀《からだ》も円く、口は大きなへの字なりで、多少ゼンソクのけがあり、疳持《かんも》ちで、苦労性で、単純な人がたいていそうであるように、口小言《くちこごと》が多くて、そして五十七歳であった。

「どうも心得がたい、世の中が進むに従って人間が退化する、学問でも武芸でも、今の若い者のすることを見ているとじれったくてぼんのくぼが痒《かゆ》くなってくる、第一かれらの骨の細くなったことはどうだ、みんなひょろひょろ腰で、背骨のしゃんとしたやつは一人もいやしない、いやにかしこまって、おどおどして、そのくせ詰らないような縮尻《しくじり》ばかりやらかす、嘆かわしい、こんな有様で、いったい人間はどうなってゆくつもりか」

これは茂平老が、酒を飲んだときの定《きま》り文句である。

「気にいらない、どうも気に入らない、なぜこう今の若い者はふわふわしているのか、どうしてこう肚《はら》が据らないのか、胆が小さくて鼻先思案で、ちょこまかうろうろ、まるでなってない、これではゆくさきが案じられる」

茂平老は国家老として、政務を執るばかりでなく、あらゆる事務、行事、もめごと、譴責褒賞《けんせきほうしょう》、人事相談、なにもかも自分でやる。自然すこぶるいそがしい。いつもせかせか歩いている。老職部屋にいたかと思うと足軽組頭《くみがしら》の溜《たま》りにいる。いま廊下を歩いているのを見て、だが焚火《たきび》の間《ま》で茶を啜《すす》っているというからいってみると、もう奉行職と書院で対談している。或るとき記録所総務で仙波《せんば》又助という侍が、急に会う必要があって、茂平老の部屋へいった。

　この話は、多少誇張されていると思うが、伝えられているとおりに紹介すると、……又助が役部屋へいってみると、茂平老はいま書庫にいるという、それで書庫にゆくと、「ついさっき郡《こおり》奉行の部屋にいった」と云われた。それからそこへ駆けつけたところが、「今までいたのだが収納方へゆかれた」という。収納方では普請奉行へいったと云い、普請奉行では与力詰所へまわられたという。与力詰所では「お役部屋へ戻られた」ということで、廊下を走って元の老職部屋へ走《は》せつけた。すると又しても、書庫へいったというのである。

「なんでも、貴方《あなた》を捜していたようだ」

　そこで書庫へゆくと、「いま郡奉行へいった」と云い、郡奉行ではほんのひと足ちがいで、「収納方から与力詰所へまわると云われた」という返辞である。城の中を四角八面に駆けまわったが、どこへいっても、「今そこにいた」と云い、どこへいっても、「いやどこそこへいった」と答える。そして到るところの者が、「——御家老も、貴方を捜していましたよ」というのであった。午前十時から午後三時まで、あちらへゆきこちらへゆき、しまいに眩暈《めまい》と息切れと疲労とで、自分の役所でぶっ倒れ、口中薬をのんで伸びていると茂平老が駆けこんで来た。もう起きる気力がないので、寝たままそっちを見て、

「ああ御家老、なにか御用ですか」

と云うのと同時に、茂平老も同じことを云った。

「どうした仙波、なにか用か」

「御家老は、私を捜しておられたのでしょう」

「おまえがわしを捜しているというから、わしはおまえを捜していたのだ、いったい今までどこをうろうろしていたのか」

「はあ、……要するにあちらこちら」

「なにがあちらこちらだ、おかげでわしは汗だくになっておる、少しはおちついておれ」

それから多治見藩では、格言ができた。

「御家老に用があったら、坐って待て」

ひと処《ところ》にじっと坐っていれば、必ず茂平老に会える。捜しては急用の間にあわない。こういう意味だそうである。

右のようなわけで老はたいそう多忙だ、頭も軀も休まる暇がないが、近頃とくに気懸りなことが起こった。それは忠平《ただひら》考之助という若者についてである。

忠平というのは老職格で、考之助の父の存右衛門は、茂平老の莫逆《ばくげき》の友であった。八年まえに亡くなったが、そのときせつに考之助の将来を託され、後見として指導し援助することを誓約した。

考之助は、一人息子に通有の、温和な、気の弱い、はきはきしない性質で、この後見には茂平老はずいぶん肝《きも》が煎《い》れた。

考之助は、美男であった。学問も武芸も中くらい、どこにこれといって取柄はないが、容貌姿態だけは、群をぬいていた。これは不幸である。見かけが平凡なら誰も気にしないが、男振りがみずぎわ立っているために、中ぐらいの才能が無能にみえる。

「あれは底の抜けたどびんだ」

見かけばかりで使い途《みち》がないという、それが家中《かちゅう》の一般の定評のようになっていた。

茂平老は、くやしがった。亡友に誓約したてまえもある。後見としての責任、男としての意地もある。いろいろと鞭撻《べんたつ》これ努め、十九歳のとき使番《つかいばん》の役に就かせた。

使番というのは、藩主と老臣とに直属し、政務上の重要懸案があるばあい、特に両者のあいだに使いする役目で、定期的な使者とは別格であった。

「使い途があるかないかは、使ってみなければわからぬ」

こう主張して、少し早いが使番にした。家中の情勢にさからったかたちであって、茂平老としては、彼に芽があるとすれば、その芽を伸ばす機会を与えたわけであった。しかし考之助には迷惑だったらしい、尻込みをして隅のほうへくっついて、さも居心地が悪そうにしていた。江戸への使いを命じると、顔を蒼《あお》くし、頭と手をいっしょに振って断わる。

「まだ未熟者ですから、お役に立てそうもありません、疎忽《そこつ》があるといけませんから、どうぞこのたびは……」

しんけんな表情で、謝絶するのであった。まったく自信がないらしい、むりに遣《や》れば本当に疎忽なことをしそうなので、茂平老としても、そこまで冒険をする気にはなれなかった。二年経ち、三年経っても同じことである。そこで老は、ごく通俗的な妙案を思いついた。

「人間は、女を知ると自信がつくものだ、噂《うわさ》によるとあれは茶屋町へいったこともないという、ひとつ妻を持たせてやろう、妻帯すれば独身者のように暢気《のんき》にしてはいられない、世間へ出てもいちにんまえの責任が生ずる、そうなればいくらあれでも……」

茂平老は手をこすって、七日七夜ばかり、あれかこれかと物色したのち、ようやく彼に似合いの相手をみつけた。

これは与瀬《よせ》弥市という勘定奉行の二女で、名を伊久と云い、頭もよく容姿も美しく、才媛《さいえん》と評判の高い娘であった。話をすると親の弥市夫妻はたいへん乗り気である。そこで吉日を選び、知次の家で両人を会わせた。娘の伊久はそのあとで、

「お父さまお母さまの宜しいように」

こう云って、頬っぺたを赤くしたという。茂平老は、早速に考之助の説得にかかった。大いに舌を疲らせ、汗をかいたが、その結果としては単に「婚約だけなら」という答えを得たに過ぎなかった。

「まだ人並なお役にも立たぬのに、妻を持つなどという自信はございませんから」

考之助はそう云って、べそをかいたような顔で、それ以上は梃《てこ》でも動かなかった。ではとりあえずということで、半ば強制的に婚約の盃《さかずき》を取交わしたのであるが、そのとき考之助はなんと、婚約者に向って次のように云ったそうである。

「こんなことになってまことに済みません、私はどうでもいいのです、もし貴女《あなた》が嫁にゆきたい人をみつけたら、そのときは遠慮なくどうぞその人の処へいって下さい、私はそれに就いては決

して文句を云いませんから、決して……」

そのとき相手の伊久は、一種の捕捉《ほそく》しがたい微笑をもらし、うわめづかいにじっとこちらをみつめ、そして次のように念を押したという。

「わかりましたわ、決して文句は仰《おっ》しゃいませんのね、決してですのね」

婚約の盃と同時に、破婚のときの契約をしたといったふうで、もちろん与瀬夫妻と茂平老は知らなかったらしいが、これはいっぷう変った儀礼といっても、過言ではないだろう。

これは考之助が、二十五歳の春のことであった。さすがに、婚約が出来たので少しは肚を据えたものか、その年の晩秋、彼は使番になって六年目に初めて江戸へ使者に立った。茂平老が喜んだことは云うまでもない。これで自信もつくだろうし、伸びるものも（あるとすれば）伸びるだろうと思った。正直のところ、ほくほくして手をこすったのであるが、江戸から帰って来た考之助は、悄気《しょげ》て、痩《や》せて、溜息をついて、そうして使番の辞職を出願した。

「私には、到底このお役は勤まりません、どうか、お廊下番にでもして下さい」べそをかいて、泣きだしそうな眼つきでそう嘆願し、茂平老があっけにとられて、頓《とみ》に返答もできずにいると、続けて左のように言明したのであった、「与瀬の伊久さんとの婚約も、取消しにします、私にはまだ妻を持つ資格はございません、きっぱりお断わり申しますから……」

そして、しょんぼりと退《さが》っていった。

茂平老は、疳の虫が起こり、五日ばかりゼンソクの発作で苦しんだ。いろいろ呪詛《じゅそ》だの罵詈《ばり》めいたことを口にし、やけ酒を飲んだりしたが、それでもおさまらず、一種のつらあてのような気持になって、考之助を焚火の間の取締に左遷し、与瀬との婚約も破談にした。……どうだ、思い知ったか、そんなふうなおとなげない気分がだいぶあった。もちろんその反面には、「これで奮起すればしめたものだ」という老婆心もあってのことだが、考之助はしごく泰平で、左遷など少しも苦にするようすがなく、実にまじめに、人の軽侮の眼など知らぬ顔で勤めているのであった。

「これはとんだことをした、これでは左遷が左遷の意味をなさない、これでおちつかれては亡き存右衛門に申しわけがない、これは困った、どうしよう」

茂平老にはまた悩みのたねが出来たのである。そうして、しかも、そこへおどろくべき事態が現出した。

第二講　伊久女懐妊の事

茂平老の、なによりの楽しみは晩酌である。城中で一日じゅう奔走した軀を、帰宅してまず風呂をあび、くつろいで酒の膳に向う。このときは妻女と差向いで、よほど重大な公用でもない限り誰にも会わない、茂市郎という息子夫婦も、十六になる二男の茂助も、この席へは出入禁止である。

「これはおれたち夫婦だけの時間だ」

こう宣言しているのである。これはおよそ十年来の習慣であって、もう知らない者はないと云っていいだろう。

その夜も老は、「夫婦だけの時間」を楽しんでいた。初夏の風の吹き入る窓を背に、いい機嫌で盃をあげていると、与瀬弥市が訪ねて来たという。

「なにか重大な事が起こりましたそうで、ぜひともお会いしたいと申されます」

茂平老は、にがい顔をした。だがこの時間のことは弥市は知っている筈である、知っていてぜひというからには、それだけの理由があるに違いない。老はこう自分をなだめ「では客間へとおせ」と云い、みれんらしく一二杯やってから盃を置いた。

与瀬弥市と対座して、いかなる話があったものか、取次ぎの者は重大なと云ったが、重大のなかでも特別重大な出来事なのだろう、客間へはいってほんの暫《しばら》くすると、茂平老のたまぎるような叫びが起こった。

「なに、なに、ばかな、さような、いや待て、そんなとんでもないことを、……いや信じられぬ、なに、なに、ばかな、……こ、これは」そして老は客間からとびだし、妻女を捉《つか》まえて肩で息をしながら云った、「か、かよ、水を飲ませてくれ」

これより時間にして二時間ばかり早く、考之助の家でもかなりのごたごたが起こっていた。彼はその日はちょうど半勤に当り、午後から家にいて、庭いじりをしていた。

焚火の間というのは、休息所である。位置はこの藩では重臣詰所と奉行職溜りとの間にあり、四季をとおして炉の火を絶やさず、いつでも湯茶が出せるようになっている。

此処《ここ》へはいれるのは、目見得《めみえ》以上でも番頭格から上に限り、いろいろやかましい規則がある。

夏はさほどでもないが、冬季は火の気があるのは此処だけで、藩主のほかには火鉢は使わない定めであるから、寒くなると人が集まる。そして茶を飲みながら閑談に耽《ふ》けるとか、なかにはそこへ仕事を持って来る者などもある。

右のような関係上、焚火の間の勤めは時間が長い。取締一人に侍が五人、走りという少年が三人、藩主が在国のときは茶坊主が二人という編成で、これが五人ずつに組んで交代に夜明かしをしなければならない。

考之助は取締だから夜明かし番はないが、一日おきに夜の九時まで勤め、その翌日は半勤といって半日で帰る定めである。

なんとなく知ったふうなことを云ったようだが、話を元へ戻せば、つまりその日は彼は半勤で、半勤とは以上のような仕組みだと思って頂けばいい。

日が昏《く》れてきたので、考之助は庭いじりをやめ、手を洗い汗を拭いて、さっぱりと着替えをして、夕餉《ゆうげ》の膳に向った。

「今日は初鮎《はつあゆ》でございますよ、塩焼きに致しましたの、骨を取りましょうね」

ばあやの桃代がこんなふうに云って、塩焼きの鮎の骨を取ってくれた。

桃代などというと色っぽいが、彼女はもう五十二歳である。考之助の生母が弱かったため、彼は桃代の乳で育ち、生母が十六の年に亡くなるまえも、亡くなってからのちも、彼の身のまわりの事は、いっさい桃代が世話をしてくれた。

彼女は亡父の代から勤めている左右田宗太《そうだそうた》という侍の妻で、考之助と同じころに生んだ子に死なれ、そのあと一人も出来なかったせいもあるかもしれないが、存右衛門が生きていた頃は、三日にあげず怒られるほど考之助を溺愛《できあい》した。

「ばあやの坊ちゃま、ばあやの可愛い可愛い坊ちゃま、天下一おきれいでお利巧な坊ちゃま、なんてお可愛いんでちょ、ぱくぱくぱく、喰《た》べちゃいますわよ、ほら、ぱくぱくぱく」

こんなぐあいであった。江戸へ使番にいって来て、おれには勤まらないから辞職すると云ったときも、桃代は一議に及ばず賛成し、それに反対しようとした良人《おっと》の宗太と、激しい口論のうえ沈黙させた。

「坊ちゃまが勤まらないと仰しゃるのになんですか、もしむりに勤めて頂いて、お軀に障りでもしたらどうしますか、坊ちゃまには坊ちゃまのお考えがあるんですから、もう子供ではいらっしゃらないんですからね、あなたは黙って仰せに従っていればいいんです」

そして彼女自身は、今も見るとおり魚の骨を取ってやっている始末だった。

こういうところへ、左右田宗太が客を取次ぎに来た。使番のときには侍がいたが、現在では宗太が家扶《かふ》と侍を兼ねている。彼は五十七歳なのに、もう腰が曲りかげんで、足痛風《そくつうふう》の持病があった。

「与瀬さまのお嬢さまです」宗太は、ぼそぼそした声でこう取次いだ、「ぜひお眼にかかってお話し申したいと云っておられます」

「与瀬のというと、伊久という人かな」考之助は噛《か》みかけたものを嚥下《のみくだ》して、ちょっと首を捻《ひね》って、それから桃代の顔を見た。

「こんな暗くなって訪ねていらっしゃったんですから、なにか急の御用なのでしょう、会ってお話を聞いておあげあそばせ」

桃代はそう意見を述べ、客間へとおすようにと良人に云った。

食事が終ると、女の客だからということで、桃代は彼に着替えをさせ、髪を撫《な》でつけたうえで客間へやった。

来ていたのはもちろん伊久である、ひときわ美しく化粧をして、ちょっと眼のさめるくらいあでやかであったが、顔にはなにか思いつめたような色があり、眼も少しばかりうわずっているかにみえた。

「わたくし暫く、この家に匿《かく》まって頂きにまいりました」

いきなりである。考之助は、すぐにはその言葉がのみこめず、きょとんとした眼つきで、はあというように相手を見た。娘はその眼を大胆に見返しながら、

「匿まって下さいますわね」

こう押しつけるように云った。

「よくお話がわからないのですが、匿まうといって、それはいったい……」

「わたくし家にいられなくなりましたの、家にいれば自害をするか、父に斬られるか、どっちにしろ生きてはいられなくなったのですわ」

「それは、どうも、その……」考之助はますますめんくらって、困惑のあまりとりあえず笑った、

「まさかそんな、いきなり死ぬの生きるのと云って」

「わけを申せば、わかって下さるでしょう」

伊久は、ぽっと赤くなった。しかし依然つきつめた表情で、じっと考之助の顔をみつめながら、

ずばりと投げるように云った。

「わたくしみごもっておりますの」

「はあ、……というと、その、なにか……」

「おわかりになりませんの」

娘はとつぜん、両手で顔を掩《おお》った。耳のところまで染めたように赤くなり、そして掩った手の蔭《かげ》ではっきりと云った。

「わたくし、赤ちゃんが出来ましたのよ」

「――――」

「そして相手は、あなたですの」

続けざまの痛棒《つうぼう》である。暗がりでいきなり殴られたように、考之助はぽかんとして、しかしすぐに愕然《がくぜん》と坐りなおした。

「貴女はいったい、なにを仰しゃるんです、そんなとんでもない、むやみなことを云って」

「もちろん、本当はあなたではございません、本当の相手はほかにいますわ、でもあなたとはいちどは婚約のお盃もしていますし、ほかの人よりは親たちが赦してくれるかと思いましたの、それであなたのお名を出したんですわ」

「とんでもないことを仰しゃる、そんな乱暴なことを、断わりもなしに、そんな」

「でもあなたにも、罪のないことはございませんのよ」伊久は顔から手をおろし、こんどはやや蒼ざめた表情でこちらを見た、「お盃を交わしたとき、あなたはこう仰しゃいましたわ、私はどうでもいい、もし好きな者が出来たら遠慮なくいってくれ、決して文句は云わないからって、……覚えていらっしゃいますでしょう」

「それは覚えています、けれどもそれは」

「ええ、わかっていますわ、わたくしだってこんな事になるとは思いませんでした、ちゃんと結婚するつもりでしたわ、でも相手の人に事情があって、すぐには結婚ができませんの、……こんなからだにはなるし、結婚は延びますし、どうにもしかたがなくなって、母にだけそっとあなたのお名を告げて、こうして家を出て来たのでございますの、もし匿まって下さらなければ、わたくし死ぬばかりでございますわ」

ここまで聞くうちに、考之助の気持に一種の決意とふんぎりがついたらしい。彼は肚を据えたという顔になり、

「いいでしょう、承知しました」こう云って頷《うなず》いた、「相手の名を聞いておきたいが、そういう事情では仰しゃりにくいだろうし、私ということにしてお引受けします」

「まあ匿まって下さいますの」伊久は身もだえをするようなふぜいで、眼をきらきらさせながらこちらを見た、「これで安心いたしました、やっぱり来てようございました、有難う存じます」

「ばあや、桃代はいないか」

考之助がそう呼んだとき、廊下をどかどか踏み鳴らし、ぜいぜいと荒い息をしながら、いきなり障子をあけて、まっ赤な顔に汗をかいて、なんと茂平老が現われた。

「ああこれは、知次のおじさま」考之助は、度胸をきめた声で云った、「この人は此処にいます、

どうぞこちらへ」

第三講　知次国老《こくろう》の難儀なる事

この出来事は、完全に陰蔽《いんぺい》された。

伊久は病気のため、出養生《でようじょう》にやったということになり、世間はそれを信じた。

与瀬夫妻としては特別な苦情はない、いちど解消はしたがもともと婚約した相手だし、その当人とのまちがいだと思いこんでいるので、時期が来て正式に結婚さえすればいい。こう考えておちついていた。

だが茂平老としては、面目まるつぶれである。与瀬弥市に話を聞くなりとびだして、忠平《ただひら》へいって、こっちから問い詰めるよりさきに、

「申しわけありません、私です」

こう云われたとき、老は自分の軀を頭からまっ二つにされたように思い、くらくらと眩暈におそわれたくらいであった。

「もうおまえの事はわしは知らん、なにもかも好き勝手にしろ、二度とおまえの顔を見たくない」

こうどなりつけて帰ったのであるが、茂平老としてはペテンにかかったような気持であって、また三日ばかり疳の虫とゼンソクに悩まされた。

「おれはあの生《なま》っ白《ちろ》い面《つら》を、ひっ、ひっちゃぶいてやりたい、こう、こう、こんなふうに」

老は例の夫婦の時間に、このように云って、両手でなにかを掻《か》き挘《むし》るような真似をし、続けさまに酒を二三杯も呷《あお》りつけた。

「与瀬との婚約もお断わり申します、へっ、いやにすましたようなことを云って、その舌の根の乾かぬうちに密通じゃないか」

「あなた、子供に聞えますよ」

「あの娘も娘だ」老は続けた、「あんな罪のないような顔をしていて、あたくしなんにも存じませんの、てなような顔をしながら、実はなにもかも承知、万事万端、人躰のどこがどうなっていて、どこをどうすればどんな気分になるか、みんな知っていたじゃないか、知っていて実行したればこそ」

「あなた、子供に聞えると申上げてますのよ」

「聞えたら耳を塞《ふさ》いでいろと云え」老はまた二三杯も呷った、「とにかくあの娘は、ちゃんと知るべきものを知っていた、いや、ことによると娘のほうから押っ付けたかもしれぬて、うん、なにしろ女という動物は総体がス……」

「あなた、わたくしも女でございますよ」

「だから云うんじゃ、現におまえがなにも知りませんてなような顔で来て、そのつもりでいたらいやはや、どう致しまして、とんでもない」

「あなた妙なことを仰しゃいますのね、それではなんでございますか、なにも知らないような顔をして、実はわたくしがス……」

「これ声が高い、子供に聞えるではないか」

さもあればあれ、茂平老はつぶれた面目に賭《か》けて忠平と手を切る決心をした。勝手にしろ、どんな事があったってもう構わない、これだけは神に誓う。こう肚をきめたのである。それはそれで尊重していい、また尊重さるべきであると思うが、しかしなんと人生転変の頼みがたく、かつ予測しがたきものであることか。

というのは、茂平老が手を切ると決心してから、却《かえ》って考之助との関係が深くなり、ますます疳の虫とゼンソクを昂《たかぶ》らせるという、実に迷惑なことになったのである。

それは梅雨の降る或る日から始まった。

茂平老が記録所で、例のように小言を云っていると、書院番の若侍が蒼くなってとんで来て、すぐには舌が動かず、眼をしろくろさせ、口を四五たびぱくぱくやり、そうしてごくりと唾をのんで「大変です」と云った。

「なにをうろたえておるか、なにが大変だ、武士が大変などという言葉をかるがるしく」

「ギヤマンのお壺が毀《こわ》れております」

老は、うっといって顎《あご》を出した。

「な、なに、なにが、どうしたと」

「お白書院の床《とこ》の、ギヤマンのお壺が、粉々に毀れております」

茂平老は笑いだした。いやそうではない、笑うように見えたが笑ったのではない、それは素人の観察であって、実はもっと複雑深刻な、一種の云いあらわしがたい感情の表白だったのである。

……老は直線をひいて、白書院まで走った。そうして目前にその事実を認めて、もういちどうっといって顎を出した。

藩主河内守の愛するオランダ渡来のみごとなギヤマンの壺が、白書院の床間でめちゃめちゃに砕けていた。

それは多治見松平の始祖が、二代秀忠から下賜されたもので、諸侯のあいだにも評判であり家宝の一つでもあり、河内守が特に大切にしていたものである。

平常は宝庫にしまって置くが、そのままでは色が濁るということで、毎月五日ずつ出して風を当てる定りだった。

白書院は藩主の不在ちゅうは使わない、殆んど人の出入りがないので、その床間で風入れをするのが例であった。

「今日《こんにち》の当番は誰だ、そのほうか」

「当番は島津太市です、いま詰所で謹慎しております」

「おれの部屋へ来いと云え」

茂平老は震える拳《こぶし》で汗を拭き、こうどなって自分の役部屋へはいった。もう噂が拡がったのだろう、廊下のあちらこちらに人が寄り、なにかひそひそ話しあっていた。

部屋へはいると、そこに忠平考之助がいた。神妙な、なにかしら諦《あきら》めたという顔で坐っている。老は気があがっているので、

「なに用があって来た、おれはいま忙しい、なにか知らんがあとにしてくれ」

こう云って老が自分の席に就くなり、考之助はおちつきはらった声で云った。

「お壺の件について申上げにまいりました」

「お壺、……お壺がどうした」

「実はあれは、私が毀したのです」

約十秒ばかり、茂平老は石のようになった。全身のあらゆる機能が停り、かつ硬直したふうである。そしてやがてそれらがいちどきに活動を始め、火のように燃えあがった。老はどういうわけか右手で自分の頭を押え、左手で膝《ひざ》を殴りつけ、そして喚きたてた。

「謹慎だ、いや大閉門だ、さがれ、しばり首にしてくれる、この、この、うう大不埒《ふらち》者」

「お沙汰をお待ち申しております」

考之助はいやに冷静にそう云って一礼し、あてつけのように沈着な足どりで出ていった。

茂平老はすぐさま重臣会議を召集、考之助には居宅差控《きょたくさしひか》えを命じておいて、江戸の藩主へお伺いの急使をとばした。今でいえばカットグラスの壺一個で、大の男がこんな騒ぎをするのはばかげてみえるが、当時としては殊によると当人は切腹、重臣も責任を問われかねない出来事であった。幸い河内守という人が、いくらかものわかった人物とみえ、

――高がギヤマンの壺一つで騒ぐには及ばない、当人には謹慎二十日くらいで許してやれ。

という寛大な沙汰があった。

その謹慎が解けて、考之助が登城し始めて半月と経たなかったろう。勘定奉行の収納方の侍が、五十両というたいまいな金を紛失し、奉行から家老に申し出て、厳しく調べられているという噂

が、焚火の間で話題になった。

「和田櫛束太郎《わだくしつかたろう》だろう、あいつこのごろ茶屋町の妓《おんな》にのぼせているというから、紛失したなどと云って実は着服したに違いないぞ」

「当人は役所の机の上に置き忘れたと云っているそうだ」

「そんな迂闊《うかつ》なことがあるものか、収納方に七年も勤めていて、五十金という金を机の上に置き忘れる、云いわけにしても下手すぎるよ」

　黙って話を聞いていた考之助は、さりげなく立って出ていった。

　そして約二時間ほどして現われると、焚火の間へははいらず、そのまま茂平老の役部屋へいった。

　老は一人だった。勘定奉行と和田櫛はもういなかった。調べても埒があかないので、ひとまずうちきりにしたところである。

「なんだ、なにか用か」

　茂平老はこう云って、そこへ坐る考之助を見たが、あとで老が告白したところによると、そのとたんにぞっと寒気《そうけ》立ったということだ。理由《わけ》はわからないが、本能的にぞうっと全身が寒くなったそうである。

「御心配をかけて申しわけありません」考之助はこう云って、二十五両の包みを二つ、そこへ差出して、静かに茂平老を見た、「私がお預かりしていて、いましがた話を聞いて思いだしたのです、つい忘れておりましたので、どうぞお許しを願います」

「あ、あず、あ、預かった」老は吃《ども》った、「おまえがこの、収納方の金を、どうして、なんのために、だってこの金は」

「机の上に置いてあったのです」考之助は、泰然とそう答えた、「通りがかりに見て、これは不要心だと思いまして、係りの人は手洗いにでもいったのでしょう、誰もおりませんし、万一のことがあってはと思いまして私が」

「おまえはなんだ、おまえは、おまえは収納方の人間か」老は喚きだした、「おまえは焚火の間の取締だろう、それがなんで収納方の部屋など覗《のぞ》いたのだ」

「覗きはしません、通りかかったのです」

「なんの用があってだ、えっ焚火の間と収納方となんの関係がある、なんのためにそんな処を通りかかったんだ」

「問題は金でしょう」考之助はたしなめるような声で、おちつきはらって云った、「忘れたのは悪うございますが、私が預かって、私が此処へ持って来たのですから、むろんお咎《とが》めは覚悟のうえですが、そうお騒ぎにならないで下さい」

「騒ぐ……、おれが騒ぐ……」

茂平老は、またしても右手で自分の頭を押えた、そして喉のほうから漸次に上へ赤くなり、額まで赤くなると共に、はたして左手で膝を叩きながら叫んだ。

「ええ、この、その、さがり、さがりおれ、きさまなどはその、この、ええくそっ、消えて無くなれ」

「お沙汰をお待ち申しております」

第四講　もう一人の女性の事

今の若い者はどうしてこう肚が据らないのか、胆が小さくておどおどして、背骨のしゃんとしたやつは一人もいやしない、これではゆくさきが案じられる。

知次茂平老が、常づねにこう嘆いていたことは冒頭に述べた。それはもう念仏のようなもので、「三日にいちどくらい聞かないと物足りない」などと云う者もいるほどであるが、それがふしぎにぴたりとやんだ。理由は判然としないが、一つには考之助の存在が関係していたかもしれない。

「お沙汰をお待ち申しております」

このセリフを秋九月までに五回、僅か百二三十日のあいだに、茂平老は五回も彼から聞かされたのである。第一と第二は既述の壺の件と金五十両の件、そして第三は藩祖の甲冑《かっちゅう》の件、第四は椎間《しいま》千造の娘の件、第五は茶屋町「かなえ」の件といったぐあいである。

ここではその概略を記すにとどめるが、第三の件というのはこうである。河内守の常居の間には、いつも藩祖の甲冑が飾ってある。藩祖の家継という人は、たいそう名君だったそうで、その徳を伝え、その風格を偲《しの》ぶために飾ってある、ということだが、その甲冑が倒れ、兜《かぶと》の黄金作りの竜頭《りゅうず》と鍬形《くわがた》が折れて取れてしまった。

係りの沢駒太郎が蒼くなり、それから老職たちと茂平老が蒼くなった。そこへ考之助が、自若《じじゃく》として名乗って出たのである。

「私です、私の疎忽です」と云う。

彼の自白によると、敬慕の余りひそかに拝礼にいったところ、あたかも藩祖の生きて在《おわ》すが如く見え、おなつかしさに前後忘却、つい知らず縋《すが》りついたということであった。

敬慕の余り拝礼にいったというのはまあいい、それは主君の常居の間などへはいった申しわけになるが、つい知らず縋りついたという点で、茂平老は顔面がむずむずしてきた。

「生きて在すがように見えた、おなつかしさに前後忘却というが、そのほう法相院（藩祖の法名）さまを存じあげているのか」

「それはもう、稀代《きたい》の名君に在しまし」

「そんなことは誰でも知っておる、人を愚弄《ぐろう》するな、法相院さまは百年以上もまえに亡くなられた方だ、それがどうしてつい縋りつかずにいられないほど、なつかしかったというんだ」

「そこは、あなたがそう仰しゃるなら、そこは私としてあなたに伺いたいですな」

「控えろ、国老職に向ってあなたとはなんだ」

「では御家老、えへん」考之助はいやに丁寧に叩頭《こうとう》した、「では御家老に伺いますが、君臣の情というものを、御家老は御存じでしょうか」

「君臣の情で、御兜をぶち毀したのか」

「ですからそこは、つい、あれです、おなつかしさの余り、その、前後を忘却」

「同じことを云うな、人を愚弄するな」

老はまっ赤になって怒り、考之助はお沙汰をお待ち申すという挨拶をしてさがった。

第四は風儀上の問題である。筆頭年寄の椎間千造に松代という娘がいる。縹緻《きりょう》が悪い代りには小太刀などの上手な、もう二十七になるおとこまさりな女性であったが、友人を訪ねておそくなり、夜の九時過ぎに独りで帰途についた。そういう女性だから、夜の独り歩きくらいへとも思わない、まさか詩吟はやらなかったろうが、折から闇の道を悠々と帰って来ると、大門小路という広い辻《つじ》で、向うから来た男に抱きつかれた。

相手は酔っていたらしく、いきなり抱きついたうえ、好ましからぬ動作に及びながら好ましからぬことを云った。

——樋《とい》という物は、ときどき竹棹《たけざお》を通して掃除しないと、詰った物が臭くなって、しまいには腐ってしまう。

こんな意味合いのことだそうである。松代女史は相手の腕を逆に取り、大喝一声、はね腰にかけて投げとばした。男は悲鳴をあげ、取るものも取りあえず逃げ去った。すなわちその取り損じた持物を置いていったわけで、女史が帰宅して調べてみると、安倍《あべ》幸兵衛という馬廻りの侍の燧《ひうち》袋《ぶくろ》であった。

藩の規則として、手まわりの品には名を記してある、それが動かぬ証拠になったのだが、呼び出された幸兵衛は、「数日前にどこかで紛失しました」と主張した。松代女史はこれを聞いて、それなら裸にしてみるように進言した。

——投げとばしたとき、腰を打ったと思う。おそらく打撲傷かアザがあるに違いない。

もちろん安倍幸兵衛は謝絶した。裸にして調べられては武士の面目が立たぬ、いっそ切腹をす

ると答えた。それでは済まない、いや腹を切る、こう押し問答をしているところへ、

「私です、それは私がやりました」

考之助が、また悠然と名乗って出た。

このときは面白かった。彼は燧袋をどこかで拾ったという。どこで拾ったか忘れるほど酔っていた。そして道でぱったり女史に出会ったが、あまりに女史が美しい、それは闇夜であるのにも拘《かかわ》らず、思わずあっと云ったくらい、それはもう光り耀《かがや》く美しさであった。酔ってもいたし余りの美しさに、われながらぞっとして……

「また前後を忘却したか」

茂平老は、先手を打って叫んだ。

「まったくそのとおりでございます」考之助は端然と答えた、「あの方がお美しかったというほかには、なにも記憶しておりません、申上げたいのはこれだけでございます」

面白いというのはこの結末で、松代女史は名乗って出たのが美男の考之助であり、かつ専《もっぱ》ら彼が女史の美しさを称してやまなかったと聞き、すぐさま公訴を取消した。

――自分にも、少し思い過しの点があった。

というわけで、どうか考之助どのにお咎めなどのないように、こう切願したそうである。

第五は無銭飲食関係であって、茶屋町のかなえという料理茶屋に、忠出《ただいで》久左衛門なる侍があがり、五日五夜、芸妓を五人あげづめで、飲んだり食ったり大々的遊興をやった。そして屋敷はどこそこだから、勘定は屋敷へ取りに来いと云って帰った。それで早速どこそこを尋ねたところ、

そこにはそんな屋敷はなかった。二十日ばかり待ったが店へも来ないので、奉行所へ訴えて出たものであった。

忠出久左衛門などという侍は家中にはいなかったが、ここに一つの証拠があるという。……それは芸妓たちの中に、その男を特別に介抱した妓がいて、その妓の証言によると、「いなような個所が、極めていないようであって、だがおれはちょんぎれでも、あの方面の技にかけてはひけはとらぬといいばり、また事実そのとおりだった」と云って、その証人は赤い顔をしたそうである。

当時「ちょんぎれ」といえば、家中で殆んど知らぬ者はなかった。語意は今つまびらかでないが、それは加梨《かなし》左馬太《さまた》という物頭《ものがしら》の仇名《あだな》である。彼は三十二になるのに独身、たいそうな酒好きで、そのために貧乏で、ときどきひどく脱線する。

あれに相違ない、左馬太ならやりそうだ。みんなの意見がそこへ集中した。そのときまたまた考之助が、「私です、私がその本人です」と名乗って出たのである。そして遊興代八両二分一朱というものを支払ったので、表沙汰にはならずに済んだが、十日間の謹慎を命ぜられた。……このときは茂平老はリュウインを下げたらしい。老は謹慎を申し渡したあと、さも愉快そうに鼻をうごめかし、

「ほう、おまえさんちょんぎれか、ほう、それは知らなかった、ちょんぎれかおまえ、はっはっは」こうそら笑いをした、「初耳だ、実に気の毒なものだ、そうとは知らなかった、はっはっは、いやどうも」

「だが安心して下さい、子供は出来ますから」

考之助は、そうやり返した。茂平老はまたいつかのように、とつぜん、全身硬直におそわれた。考之助のセリフは、平手打ちをくれたみたようなものである、すなわち与瀬の伊久が懐妊している事実をさすので、しかも堂々と知次茂平にやり返す態度、まるで人間が違ったような度胸、これは老にとって少なからぬオドロキでなければならぬ。

「よし、云ったな」老は硬直が解けるなり叫んだ、「わしが知らぬと思って、この、……よしそう思ってろ、わしを騙《だま》しとおせたつもりだろうが知ってるんだぞ、甲冑のときも、五十両も、ギヤマンの壺もわしはみんな知ってるんだぞ、いいか、ちゃんと知ってるんだぞ、おれにだって眼という物があるんだぞ、いまにその化けの皮を……」

考之助は会釈をして、おちつきはらって立っていった。

茂平老は切歯扼腕《せっしやくわん》した。今こそなにかがはっきりした、これまで五回に及ぶ「私です」が怪しいこと、どういう魂胆かわからないが、誰かのした事を代って名乗り出たこと、……いま我知らず口を衝いて出た自分の言葉によって、老はどこかの膜が破れでもしたように、その真相を察知したと思った。

「ようし、……ようし」茂平老はこう唸《うな》った、「みていろ、この知次茂平が、それほどお人よしかどうか、みていろ、……ふん、まあみていろ」

考之助が帰宅してみると、客が来ていた。それも女客で、もう一時間も前から伊久と話しこんでいるという。

「椎間さんという方のお嬢さまです」とばあやは着替えを手伝いながら云った、「その方から伺ったんですけれど、また御謹慎ですって、いったいどうなすったことでございますか」

「なんでもない、十日だからね、心配することはないんだよ」

ばあやの追求を逃げるために客間へいった。そこには伊久と椎間の松代とが、茶菓を前に対座して話していた。

「まあこれは、お留守に伺いまして」

松代女史は、逞《たくま》しい軀をすべらせ、肉付きのいい日焦《ひや》けのした張切った顔を赤くし、肩を突っ張らかして挨拶した。いかにも逞しい、そのまま女丈夫といった風格である。

「いつぞやは思わぬ事で、却って御迷惑をおかけしまして」女史はこちらにものを云わせず言葉を続けた、「まさか忠平さまとは存じませんでしたの、それであんな恥ずかしい事を訴え出たのですけれど、おかげさまで庇《かば》って頂きまして、……さもなければ恥の上塗りをするところでしたわ、本当にもう……」

そして女史は、伊久のほうをちらと見た。

第五講　時が来れば時が来る事

女史は伊久のほうを見て、哀願するように云った。

「あのう、申し兼ねますけれど、ちょっと座を外して頂けませんでしょうか」

「はあ」伊久は微笑し、「気がつきませんでした、どうぞごゆるりと」

そして考之助にからかうようなながし眼をくれ、かなり眼立って来た腹部を袖で隠すようにしながら、優雅な身振りで出ていった。

「あのう、……あのう、……わたくし」

　女史は二人きりになると軀をもじもじさせ、今や殆んど顔を焦茶色に染め、可憐《かれん》な少女のように口ごもったのち、「なんですか」という考之助の言葉に縋りつくかの如く、息を喘《はず》ませて云った。

「まことにあの、お恥ずかしゅうございますけれど、あのう、あの晩の、あの事だけは、内証にして頂きたいのですけれど」

「あの晩のあの事、……と仰しゃると」

「いやですわ、知らない顔をなすって」

　松代女史は、羞恥《しゅうち》に耐えぬふうに身もだえをした。考之助は、気の毒なような気持になって、

「ああ、あの事ですか」と頷いてみせた。

「ええ、あの事ですの」女史は眼を伏せた、「恥を申しますけれど、わたくしもう二十七にもなりますでしょう、へなへな男はこちらが御免ですし、こちらの望む相手は貰って下さいませんし、女も二十七になりますと、そこはやっぱりあれ、いあれでございましょう、……それでつい、あんなあの、……あら恥ずかしい、どうしましょう」

　そして嬌羞《きょうしゅう》の身振りをしたが、それは一種もの凄《すご》いような印象のものであった。

「どうぞ、極秘にして下さいましね」

　女史はこう繰り返し、なお今後も末ながく交際して貰いたい、あなたのような御美男の方の妻

になろうなどという野心はない、せめて心の友として、またお美しいお妹さまの友達として、終生おつきあいがしたい。懇々とこのように云って、女史は帰っていった。……女史が去ると、伊久が妙なにやにや笑いをしながらはいって来た。

「お話伺っていましたわ、お隣りの部屋で、よっぽどいい事をなすったとみえますのね」

「なんです、……なにがです」

「なにがってあのことですわ」伊久は熱っぽいきらきらするような眼で考之助を見た、「女も二十七になると、そこはあれだというあのことですわ、あなたもああの事かと仰しゃってましたわね」

「云ったことは云いました、しかし私はもちろんなにも知らないのです、ただ」

「お隠しなさらなければならないんですのね、そうだとすると大門小路の事はあれだけの話ではなかったんですのね、家にわたくしという者がいるのに、あなたはよそでそんな事をなさいますのね」

「そんな事といって、それは」考之助は些《いささ》かまごついた、「しかしですね、どっちにしろそれは、貴女に関係がないことでしょう」

「まあっ、関係がない、ですって」

「貴女はあの人に妹だと云ったらしい、それにもともと」

「ええ、そうです、わたくし妹と云いましたわ、だってそう云わなければあの方に会えないじゃございませんの、そうでございましょう」

「だって、なぜ貴女が会うんです」

「なぜですって、まあっ」伊久は真正面からこちらを見た、「大門小路の話はわたくし知ってますのよ、こんどの茶屋町のかなえの事も、証人の妓があなたのあの方面の技はすばらしいって云っていたということも、……そこへ松代というあの人が臆面もなく訪ねて来て、わたくしが平気でいられるとお思いになるのですか」

「どうも、そのよくわからないんだが」考之助は、かなり当惑して首を撫ぜた、「つまりですね、それにしても貴女には無関係だと思うんだが、なぜって貴女はですね、もともと此処へ来たのも、要するに」

伊久女は初めてそこに気がついたらしい、急に口へ手を当て、顔色をさっと白くして、かなり突然に笑いだした。

「ああ、わかりました、そのことを仰しゃってらっしゃるのね、ほほほ」それからぎらぎらとまた眼を光らし、「でもお断わりしておきますけれど、わたくしの身ごもっている子は、あなたのお子ということになってますのよ、父も母も、御家老の知次さまも、みんなあなたのお子だと信じていますのよ」

「しかしそれは、もちろん、貴女と貴女の相手の人にその時期が来れば、つまり、……要するにその時期が来るまでの」

「ええ、そのとおりですわ、でもわたくしにもしそのつもりがあれば、ようございますか」

伊久はすっと立った。そうして冷酷と思えるような眼で、こちらを見おろして、歯と歯の間から次のように云った。

「もしわたくしにそのつもりがあれば、わたくしは忠平家の妻になり、この子供はあなたのお子にすることができますのよ、えへん」

そしてゆっくりと、部屋を出ていった。

一年四季。春になれば花が咲きだす。咲きだす時期が来れば、梅、桃、菜種、連翹《れんぎよう》、こぶし、桜というぐあいで、契約したように次々と開花する。松代女史が現われた翌々日から、忠平家には訪客の時期が来たらしく、続けさまに思わぬ客が現われ始めた。

——もしかすれば、……わたくしがその気になれば。

伊久女の言葉は、脅迫的であった。考之助は謹慎中のことで、家にじっとしているから、気が紛れない。それでなおさら気になるのだが、女というもののふしぎさ、その心情の解しがたさに、思えば思うほど溜息が出るばかりだった。

「いったいどういう気持かしらん」彼はこう独り言を云った、「まさか、いくらなんでも他人の子を、おれに押付けるわけもないだろうが、ではいったい、どうしてあんな怖ろしいようなことを云ったものか」

その日も思いあぐねているところへ、和田櫛束太郎が訪ねて来た。謹慎中だから表からは入れない、裏から来てぜひ会いたいと云う。断わったが「どうしても」というので、客間へ通して会った。束太郎は勘定奉行の収納方へ勤めている、顔を知っている程度の男であるが、坐ると、黙って、いきなりそこへ二十五両の金包を二つ差出し、

「その節はまことに、まことに」

こう云って、膝へ両手を突っ張り、眼からぽろぽろ涙をこぼした。考之助は黙っていた、べつに云うことはないらしい。束太郎も、言葉では胸中の感慨は表現できないとみえ、

「なにも申上げません、有難うございました、武士いちにん死なずに済みました、この御恩は忘れません、有難うございました」

そしてやや暫く嗚咽《おえつ》していたが、やがて涙を拭いて帰っていった。茶を運んで来たばあやの桃代は、客がいないので吃驚《びっくり》し、そこにある金包にもういちど吃驚した。

「まあまあ、お客さまはもうお帰りなすったんですか、そしてそこにあるお金は……」

「いつか用立てたのを返しに来たんだよ」考之助はそう云って金包を押しやった、「返さなくてもよかったのに、律義な男なんだな、そっちへしまって置いてくれ」

その翌日は二人来た。午前ちゅうに島津太市、夕方には安倍幸兵衛が、……島津は書院番で年はようやく二十歳。味噌漬の樽《たる》をばあやに渡し、「これは自分の母が漬けたものでたいへん美味《うま》いから忠平さんにあげて下さい、お口に合ったら、これからときどき届ける」と云ったそうである。考之助にはべつになにも云わなかった。客間で対座すると、少年のように頬を赤くし、じっとこちらを見て、

「私は、あの事は、一生涯、……」

こう云いかけて、そこで言葉が切れてしまった。そしてぺこりと大きなお辞儀をし、「失礼しました」と云って帰っていった。

「まあまあ、どういうわけでしょう」桃代は眼を丸くして味噌漬のことを報告した、「どういうわけでしょう味噌漬だなんて、坊ちゃまこれがお好きで、そう仰しゃりでもなすったんですか」

「なにも云やあしない、ギヤマンの壺が樽になったんだろう」

「なんのことかわかりませんわ、なんの壺がどうしたんでございますの」

「いいんだよ、なんでもないいんだ」

考之助は手を振って立った。

安倍幸兵衛が来たのは夕方で、灯を入れるちょっと前だった。彼は気の弱そうな、痩せた、色の黒い顔におどおどしたような眼つきの、ひねたような若者で、絶えず小刻みに軀を揺する癖があった。

「いいお住居でございますな」という挨拶から始めて、天気のことやら庭木のことやら、犬は可愛いとか、栗がもう出はじめたとか、とりとめのないことをいろいろ並べたうえ、こんどは抜打ち的に両手をつき、ごく小さなへどもどした声で、なにやらへどもど礼を述べた。そうしてから、こんどはまたいきなり怒ったような調子で、

「しかし私は手は出しません、あれは全然あべこべです」安倍幸兵衛は、こう主張した、「それは酔っていましたから、少しばかりからかったのは事実です、それは認めます、しかし抱きついたのは向うです、彼女は私のからかったのを聞くと、そんなら竹棹で樋の掃除をしてくれと云い、いきなり私に抱きついたんです、誓いますがこれが真相です、神に誓って云います、そして私が逃げようとしたら、彼女は私の竹棹を侮辱したうえ、無法にも私を投げとばしたんです、これが

まったくの真相です」

「ほう、竹棹を侮辱したですか」

考之助がそう聞き返したとき、どこか近くでぷっと失笑《ふきだ》す声がした。幸兵衛は昂奮《こうふん》しているので気づかなかったらしい、なおいろいろと申し開きをし、一方では懇篤に礼を述べ、そうして、

「今後は慎むから、どうかこの事は御内密に」と嘆願して帰っていった。

安倍幸兵衛が去るとすぐ、伊久が灯を入れた行燈《あんどん》を持って、居間へ来た。

彼女は部屋へはいるがいなや笑いだし、行燈を置くより早くそこへ坐り、自分の大きな腹部を押え、そしてきりもなく笑い続けた。

第六講　国老は依然として難儀の事

「ああ苦しい、ああ可笑《おか》しい、助けて」

伊久女は、ついには悲鳴をあげた。こういう年ごろの女性が、このように笑いだしたら、これはもう放って置くよりしようがない。

考之助は憮然《ぶぜん》として、そっぽを向いていた。……伊久はやがて鎮静し、坐りなおし、涙を拭きながら、ひどくしんみりした声で云った。

「御免あそばせ、このあいだのこと、わたくしそうとは知らなかったのですもの」

「どうか偸《ぬす》み聴きなどは、やめて下さい」

「でもそのために、わたくし生き返りましたわ、まさかあなたがとは思いましたけれど、女はや

はり本当のことを聞かないうちは安心できませんのよ、いまの方の話を伺ってすっかりわかりました、椎間さまがどうしてあんなふうに仰しゃったか、……ああ困りましたわ、わたくしまた笑いそうですわ、どうしましょう、ああもうだめですわ」

そして彼女は、激笑の発作におそわれ、その大きなおなかを抱えて、廊下から自分の部屋へと逃げこんでいった。

謹慎の解けるまでに、角下勝太《かくしたかった》が来、加梨左馬太が来た。

角下は扈従組《こしょうぐみ》の若侍で、藩主が参覲《さんきん》ちゅうは、留守の居室の番を勤める。甲冑の件は、この男のやったものらしい、これもなにか桃代に手土産を渡したが、考之助には改まった礼は云わなかった。

「私もいつか必ず、貴方のお役に立つ覚悟です」

こんなことを、さりげなく云って去った。

加梨左馬太は、べろべろに酔って来た。彼は袖口の綻《ほころ》びた着物を着、ほうぼうにかぎ裂《ざき》のある袴《はかま》をはいて、三上戸を兼ねているとみえ、はっきりしない舌でなにか云っては、怒ったり泣いたり笑いだしたりした。

「高いす、八両幾らなんて、べやぼうな勘定す、よって払わない、はは、貴方にも払わない、恩は恩す、有難い、感謝に耐えんす、そえは実に」こういう個所で彼は泣くのであった、「だがあのおかめはなんすか、あのおかめは、私は貧乏、このとおり、この着物を見れば、嘘も隠しもない、だがす、あのおかめは人をばかにしとるじゃないすか、私はつとめたす、ちょんぎれであってみれば、そこは、貴方にはわかやない、だがつとめたす、汗だくになったす、にも拘《かかわ》やずすね、あのおかめは下手だとぬかしたじゃないすか、貴方もそれは認めて貰いたい、下手、おかめは出臍《べそ》すぞ、大々的な出臍《で》す、……八両幾ら、下手くそ、私としては貴方の恩は有難い、未曾有《みぞう》なものす、しかし払いません、勘定はまっぴら、はは、冗談は嫌いすからね」そして左馬太は、袴の紐《ひも》を解き始めた、「その代りにすね、私は貧乏、勘定は払わない、代りにです、断乎《だんこ》として私は貴方に見せてあげるす、どういうものであるか、私のちょんぎれなる物を、えいっ、貴方に」

考之助は、謝絶した。幸い袴の紐がもつれて解けないので、左馬太も諦め、それから今後は無銭飲食はしないと誓い、いちど盛大に飲もうと云い、笑ったり怒ったり、ついには泣きながら帰っていった。

以上のような事があって、そうしていよいよ謹慎が満期になり、明日から登城するという前夜のことであるが、ばあやの桃代が珍しく改まった顔で、考之助の前にきちんと坐って、「今夜は坊ちゃまの正直な気持を聞きたい」と云いだした。

「ばあやはこれまで、たびたびの御謹慎も、坊ちゃまがお若くて世間知らずのためだと思っていました、男はこうして大人になってゆくのでしょう、やがて御老職にもお成りなさるんだから、若いうちの過ちは却ってお薬になる、そう思ってなんにも申上げませんでした」

「そのとおりさ、それでいいじゃないか」

「いいえ違います、ばあやはすっかり聞きました、五回が五回とも、坊ちゃまは他人の代りにおなりなすった、御自分はなんにも罪がないのに、縁もない方の罪を引受けていらしったんです、……どうしてでございますか」桃代は、涙のいっぱい溜まった眼でこちらを見た、「どうしてそんな、思いもかけないような事をなさるんですか、坊ちゃま、他人のためもようございますけれど、御家名や御自分の名に瑾《きず》がつくのを御承知でございますか」

「知っているよ、だがしようがないんだ」

「なぜしようがございませんの」ばあやの唇は震えだした、「御使番をおやめなさるときから、ばあやは、坊ちゃまがどこかお変りなすったことに気がついていました、これにはなにかわけがあるのでございましょう、それを正直に聞かせて下さいまし、さもなければ亡くなった旦那さまや奥さまに、ばあやが申しわけがございません」

考之助は、暫く黙っていた。それから眼を伏せ、低い声で、罪を告白するような調子で、ぽつりぽつりと云った。

「誰にも云わなかったが、おれはねえばあや、使番で江戸へいったとき、尾張の或る宿屋で、たいへんな疎忽をしたんだよ」

「疎忽とは、……どんな事でございますの」

「それがね、口では云えないくらい恥ずかしいことなんだよ」

彼は、囁《ささや》くように云った。かいつまんで紹介すれば、その宿へ着くまえに、きれいな旅の女と道伴《みちづ》れになった。一人旅で淋しいから伴れになってくれという、彼は正直のところ多少どきどきし、かなり嬉しいような気持だった。女もたいへんいそいそし、「宿屋では御夫婦ということにしましょうね」などと云い、驚いたことには風呂へもいっしょにはいった。そこへ妙な男が現わ

れたのである。背中に賑《にぎ》やかしい刺青《いれずみ》のある男が、肌脱ぎになって風呂場へはいって来て、

――おれの女房を寝取った、姦通だ。

などと、ばかげた声で喚きだした。

――二人を奉行所へひきずってゆく。

こんなことまで云った。ごく安直なつつもたせというやつらしい、考之助はそんな知識はないから蒼くなり、「これは切腹だ」と覚悟をきめた。ところが、そこへ救いの神が出て来たのである、浪人者らしい、二十七八になる質素な身扮《みなり》をした男で、

――その話は、おれがつけてやろう。

こう云って割り込み、考之助には、

――此処は自分が引受けた、貴方は主人持ちらしいが自分は浪人である、どこで死んでも悔いのない軀である、心配はいらないから、すぐ此処を立退《たちの》くように。

男はそう云って、考之助を押し出すようにした。

「切腹と思った命をこうして救われた、それで役目は無事にはたして帰ったが、おれはつくづく自分が情けなかった、……底の抜けたどびん、そのとおりだと思った」彼はそっと自分の手のひらを見た、「それから考えたのだ、自分はお役に立つ能がない、だから、自分があの浪人に助けて貰ったように、せめて過失をした人間の身代りになろう、いちどは死ぬと覚悟をきめた軀だ、あのとき切腹したと思えば、どんな咎を受けても惜しくはない、こう考えたのだ」

「わかりました、坊ちゃまよくわかりました」

ばあやは、泣きだしていた。涙で顔をぐしょぐしょにしながら、嬉しさに耐えられぬという態《てい》で、惚《ほ》れ惚《ぼ》れと考之助を見た。

「やっぱり坊ちゃまは、ばあやの思ったとおりです、おりっぱでございます、旦那さまも奥さまも、きっと御満足でございましょう、本当におりっぱでございます」

「これを褒めるのは皮肉だよ、ばあや」

「いいえ違いますわ」桃代は屹《きっ》とした姿勢で云った、「坊ちゃまは、お人柄が変りました、御自分ではお気づきなさらないでしょうけれど、もう以前の坊ちゃまではございません、人の過失の身代り、……それも大門小路の事やちょんぎれ……御免あそばせ、……そんな過ちまで堂々と御自分の罪にお引受けなすった、それが活きてきたのですわ、人には出来ない修業をなすって、それが坊ちゃまを変えたのですわ、今ではもういつ御老職になっても大丈夫、誰にもひけをとらないりっぱな御老職でございますわ」

「老職なんかとんでもない、それはまだこっちで御免蒙《こうむ》るよ」考之助は、衒《て》れたように苦笑した、「だがそんなに褒めるなら、なにか褒美が出そうなものじゃないか、ばあやのくれる褒美なら貰うよ」

「ええええ、差上げますとも、御催促がなくとも差上げようかと思っていたんですから」

ばあやは、涙を拭いて立っていった。本当になにかくれるつもりなんだろうか、そう思っているとやがて、ばあやは伊久を伴れて戻って来た。そして伊久を彼の正面へ坐らせ、自分は二人の中間にきちんと坐った。

「さあお受取り下さい、御褒美でございますよ」

「どうしたんだ、どれが……御褒美って」

「伊久さまですわ、お美しさもお気立のよさも、三国一の花嫁さま、これ以上の御褒美はございませんですよ」

「それはいけない、違うんだ、ばあや」

「いいえ、坊ちゃまのほうが違いますの」桃代は考之助を押えるように云った、「坊ちゃまが思い違いをしていらっしゃるんです、その証拠に、伊久さまのおなかをごらんあそばせ」

桃代がそう云うと、さも心得たように、伊久女は前で合わせていた両袖を左右に開いた。……なんと、そこはぺちゃんこであった。つい昼までは産み月に近いほど大きくし、重々しく張り出ていた腹部が、娘らしくかたちのいいまるさにへこんでいるのである。

「ど、どうしたんです」考之助は、ぎくっとしたらしい、「もしや、流産でも……」

「初めから赤ちゃんなど無かったんですの」ばあやは、ちょっと鼻たかだかという顔をした。そうして、「えっ」という考之助を、上から見るようなふうに続けた。「ばあやは女ですから、お預かりしてすぐに気がつきました、それで少し経ってから、わけを伺いました、初めは隠しておいでしたが、そのうちにやっと」

「ばあやさん云わないで」伊久はぱっと顔を染め、その顔を袂《たもと》で掩った、「わたくし恥ずかしい、かんにんして頂戴」

「どこに恥ずかしいことがございましょうか、坊ちゃま、伊久さまは坊ちゃまと婚約のお盃をしたときから、坊ちゃまの妻だと思っていらしったのですよ、それを断わられ、破談になってしまいそうなので、あんな思い切ったことをなすったんです、歴《れっき》とした御大身《ごたいしん》のお嬢さまが、自分のお口から身ごもったなどと云うことが、どんな勇気を要するかは、坊ちゃまにはおわかりになりませんでしょう、でもばあやはわかります、ばあやには、……ばあやは泣きました、伊久さまも御存じないでしょうけれど、ばあやは泣きましたのよ」

　考之助は、ちょっと挨拶に困った。なんだかいやにあたりが眩《まぶ》しいようなぐあいである。しかし彼はなにか云わなければならぬ立場だということは察した、それでなるべくさりげない調子で、伊久のほうを見てきいた。

「すると、なんですか、あのときの、好きな人というのは」

「坊ちゃま御自身のことでございますよ」

「すると、これは、どうなるのかね」

「知次さまに申上げ、与瀬さまへ改めてお話しして、すぐに御結婚あそばすのでございますわ」

「知次さんに云うのかね」考之助は、渋を舐《な》めたような顔をした、「云うのはいいが、あの人はまた疳の虫を起こすだろうな、それからゼンソクも……」

　桃代は、そんなことは聞いていなかった。今夜の彼女はおそろしくいきごんでいる、そして考之助と伊久に姿勢を正すことを命じた。……どうもしかたがない、二人は坐りなおし、神妙にきちんと姿勢を正した。

「ばあやは御免を蒙って、これから亡き旦那さまと奥さまのお口まねをさせて頂きます」

そして、おほんとおごそかに咳《せき》をした。

「考之助、あなたは年も二十六歳、侍としてもりっぱに御成人なすって、本当に満足に思います、……伊久さんもあなたのために、誰にも真似の出来ない勇気をだして、あなたのために恥も苦労も忍んでいらしった、あなたにはこれ以上よい嫁はありません、これからも無くてはならない妻になって下さることでしょう、またとないようなよい妻に……」

伊久の口から、嗚咽の声がもれた。肩がふるえ、やがて耐えきれぬように、くくと噎《むせ》びあげた。

「仲良く、末ながく、二人でしっかりと、助けあって、しあわせに暮して下さい、あなた方がおしあわせであるように、わたくしたちもあの世から、護っていてあげます」

そして考之助の俯向《うつむ》いた眼からも、多少は涙がこぼれていたことは記さなければなるまい。

二人は結婚した。

だがそれで、茂平老の難儀が終ったと思うのは早すぎる。それから約二十日ほどして、考之助は、悠然と老職部屋へ現われた、そして茂平老の前へ、静かに坐って云った。

「私です、あれは私の疎忽です」

老は眼を剝き、赤くなって云った。

「またか、またそれか、またそれでわしをちょろまかす気か、へっ、おあいにくだがもういかん、その手は食わんぞ」

「私だから、私だと申上げるのです」

「では聞くがなんだ、おまえはなにをしたと云うんだ」

「それは、あれです」考之助はちょっと詰る、だが平然と続ける、「いま焚火の間で堂下《どうした》紋太郎が男泣きに泣いていましたが、あれです、あれが実は私の疎忽なのです」

「だからそれはなんだと聞くんだ、どんな疎忽をしたのか、その仔細《しさい》を云えというんだ」

「それはもちろん、あなた、いや御家老が御存じではありませんか」

「おれが知っているのは当りまえだ」茂平老は、ついに叫びだした、「御天守の三重で火桶《ひおけ》をひっくり返し、危うく火事になろうとしたことは、おれは知っている、知っているからこそ、重臣会議を召集しようとしているのだ、しかしおまえは知る筈がない、知る筈のないことを私ですと……」

「いや知っております、御天守の三重で火桶をひっくり返し……」

「黙れ、ものを云うな、それは今」茂平老は片方の手で頭を押え、片方の手で膝を叩きながら喚きだした、「それは今おれが云ったことじゃないか、おまえは焚火の間にいた、そのおまえが御天守の三重で火桶をひっくり返せるか、おまえは化物か、おまえは、……ああ疳の虫が起こって来る、ゼンソクだ、ああ、おれは断言するが辞職だ、おまえ家老になれ、おれはもうまっぴらだ、おれは辞職だ」

考之助は、静かに一揖《ゆう》して云った。

「お沙汰をお待ち申しております」

（「富士」昭和二十七年四月号）

修業綺《き》譚《だん》

一

「話すことがあるから、明日わしの家まで来てもらいたい」

河津《かわず》庄太夫《しょうだゆう》が云った。河津小弥太《こやた》はどきりとしたが、すぐにあいそ笑いをし、子供が褒美《ほうび》でも貰うときのように、いそいそと元気よくうなずいた。

「はい、明日お宅へお話をうかがいにまいります」

「夕食のあとで待っておる」

「はい、夕食のあとでうかがいます」

庄太夫はおちつかない眼つきをした。あまり小弥太のようすが嬉しそうなので、なにかそこに誤解があるのではないか、という気がしたのである。これはいつものことであった、小弥太はその岩のように頑丈な軀《からだ》と、まるくて逞《たくま》しい顔とで、いつも嬉しくってしようがないという表情をあらわしていた。

――ええそうなんです、もうどうにもこうにも嬉しくって嬉しくって堪《たま》らないんです。

全身でそう云っているような感じだった。誰かに小言でも云われそうなときには、それがいっそう際立つので、相手のほうでもつい小言を云いそびれてしまう、ということもしばしばであった。庄太夫はもちろんそれを知ってはいたが、やっぱりこう念を押さずにはいられなかった。

「夕食のあとだぞ、べつに馳走をするわけでもなし物を遣《や》るわけでもない、あらためて話があるのだから、いいか」

それは下城まえ一時間のことであった。小弥太は迷った。話というのは吉か凶か、吉のほうにも思い当ることがあるし、凶のほうとくると有りすぎて自分にはわからない。どっちだろうと迷ったのであるが、すぐ片一方のほうにきめてしまった。彼は不愉快なことは考えないたちであった。不愉快だったり気に障るようなことは、すべて即座に解決して、さっぱりするのが好きであった。

「まあそうだろう、まあそんなところでしょうな」

小弥太は自分の詰所へ戻りながら、こう呟《つぶや》いてほくほくした。

「もう五年も延び延びになっているんですからね、私は構わないけれど、向うは女ですからね、女がそう際限もなく結婚を待っているわけにはいかないさ、ほっ、軀がむずむずしてきたぞ」

彼は手をこすり合せた。ちょうど渡り廊下にかかったところであったが、向うから灰山久兵衛《はいやまきゅうべえ》という若侍がやって来た。小弥太はそれを見るとにっこり笑い、「やあ」とあいそよく手をあげた。向うも笑い返したが、すれちがうとたんに、小弥太は久兵衛の右手を取り、えいと叫んだと思うと、相手を廊下の外へ投げとばしてしまった。

半時間ののち、小弥太はあやまっていた。三人の物頭《ものがしら》の前にきちんと坐って、逞しい肩を竦《すく》めながら、しきりにあやまっていた。灰山久兵衛は横のほうに寝て、頭に濡れ手拭を当てて、唸《うな》っていた。

「ちょっとふざけただけなんです、はあ」

と小弥太は云った。

「決してわる気なんかあったわけじゃありません、本当です、私はこのところずっと慎んでいましたし、それは貴方《あなた》がたも御存じでしょうが、私はずっとなんにも乱暴なことはしません」

三人の物頭は黙っていた。黙ったままじいっと（いやになるほど）小弥太の方を見詰めていた。それで小弥太もやむなく譲歩した。

「それはまあ四五日かもしれません、貴方がたにすればたった四五日ぐらいと思うかもしれませんが、私としてはずいぶん珍しいといっては語弊があるかもしれませんけれども、おれもまんざらではないんだなあとは思っていたんです、それが今日はちょっと嬉しいようなことがあったものですから、本当ですよ」

彼はにこにこと自分でうなずいた。

「それだもんですから私はいい機嫌でやあと云ったんです、そしてほんのちょっとふざけただけなんです、それだけなんです、どうも済みません」

物頭たちはやはり無言であったし、久兵衛はさも苦しそうに唸るばかりだった。相手がなにも云わないので、小弥太としてはどうしようもなかった。彼はもういちど「済みません」とおじぎをし、逃げだそうとして、ふと気がついたのでこう云った。

「まことにあれですが、どうかひとつ今日のところは、御中老の河津さんには内証にお願いします」

それから久兵衛の枕元へゆき、蒲団の端をやさしく叩いて云った。

「貴方も大事にして下さいね、どうか軽はずみをしないように……」

そして彼はそこを退散した。

これはちょっと縁起くそが悪いぞ、と小弥太は思った。明日の晩までは用心しよう、すべて用心に越したことはない、と思った。いつもはすぐに忘れるのだが、そのときは大事な目的があるので、その目的を力いっぱい握りしめたような気持で辛抱し、ともかくも約束のときまで無事にすごすことができた。河津庄太夫の家は大手筋五番町にある。翌日、小弥太は下城《げじょう》するとすぐに夕食を済ませ、支度を直して五番町へいった。玄関の侍は（ぶあいそうな男で、小弥太は平素から嫌いだったが）彼を控えの間にとおし、暫《しばら》く待つようにと云った。

「夕餉《ゆうげ》のあとというお約束だったそうで、まだお夕餉まえでございますから」

とその玄関の侍は云った。

「いつごろ済むんですか」

小弥太はそう訊《き》いた。玄関の侍はいじわるそうな顔つきで、自分はその掛りでないからわからないが済むときには済むだろう、と答えた。いつもそんなふうな男なのである。

——あんな人間がいるから、おれがせっかく慎もうと思ってもつい……なにしてしまうんだ。

小弥太は右手の拳骨《げんこつ》を片方の手でなだめるように撫《な》でた。夕食のあとという約束だから夕食を済ませて来たのだが、なるほど時刻のことは云わなかった。漠然たるものであって、彼は一時間以上も待たされた。そのうえ気になるのは、控えの間で待たされたことである。またいつもなら茶菓の接待に出る筈の伊勢が、まるで姿もみせないことなども、どうやら吉兆とはいえないようだ。彼は少しずつ気分が重くなった。やがて坐った足が痺《しび》れだしたじぶんに、べつの侍が現われて、客間へと案内した。そして、庄太夫は座へ現われるとすぐ、茶も出さずに文句を並べ始めた。

――こいつはいけないらしいな。

小弥太はそう思った。話があるといったのに、『話』ではなくいきなり『文句』をつける感じだった。

「灰山は今日もまだ寝ておる、腰骨もいためたそうだし、あの頭はどうだ」

と庄太夫は云った。

「わしは吃驚《びっくり》した、わしはあの大きな瘤《こぶ》には吃驚させられた」

二

小弥太はむっとした。

――おれが内証にしてくれと頼んだのに、なんというお饒舌《しゃべ》りな人間どもだ。

庄太夫はよっぽど感銘したとみえて、久兵衛の頭の瘤の大きさまで形容した。小弥太もそこまで云われると黙っているわけにはいかなかった。彼は控えめに抗議をした。

「私はあのときすぐにあやまったんですが、決してわる気があってしたわけではありません、決してです、それに貴方はそんなふうに仰《おっ》しゃいますが、あのくらいの瘤はすっ転んでも出来ます、本当ですよ」

「そうか、おまえはそういうことを云いたいのか、そういうことを」

「それにですね、まあ待って下さい」

　小弥太は慌てて手をあげた。

「そこは貴方は御存じないいんですが、じつは灰山はちょいとなにすればよかったんです、ほんのちょっと腰をおとすか、籠手《こて》を振るかすればです、そうすればなにごともなかったんですよ、私はただふざけただけなんですから」

「ほう、ふざけたのか」

　庄太夫の眉毛の左側だけがくっと上った。

「おまえはふざけただけで、悪いのは灰山だというんだな」

「つまり彼が武芸をおろそかにしている証拠だと思うんですが」

「それではっきりした、もう考える余地はない、伊勢との縁組は取消しにする」

「なんですって、縁組をどうすると仰しゃるんですか」

「取消しだ、やめにするというんだ」

「それは無法です、いくらなんでも」

　小弥太もむきになった。

「貴方がなにを怒っていらっしゃるかわかりませんけれども、そんな一方的に縁談を取消すなんて、そんな無法なことは承知できません」

「なに、なに、承知できないと」

「なぜかといえばですね、縁談というものは双方合議のうえで成立つわけでしょう、貴方が娘を嫁にもらわぬかと仰しゃり、私が戴《いただ》きましょうとお答えしました、貴方が勝手にきめたものでもなければ、私が一人で承知したわけでもない、武士と武士が双方の信義の上に立って」

「そんなことはわかっておる」

庄太夫はほとんど叫んだ。

「だがおまえの行状が結婚に適せず、その行状を改める望みもないとすれば、親として縁組をとりやめることは当然ではないか」

「私はそうは思いません、そのくらいの理由で、大切な娘の縁組をとりやめるなんて、私には想像もできないくらいです」

「おまえがどう思おうとわしの知ったことではない、わしは伊勢の父親として縁組を取消すのだ、断じてだ」

「私はまた断じて承知できません」

「わしは取消したぞ」

「私は取消しません」

「帰れ、この」

庄太夫は喚いた。

「わしが人を呼ばぬうちに帰れ、さもないと」

小弥太はおじぎをして座を立った。そして廊下へ出ながら振返って云った。

「どうか忘れないで下さい、私は縁組は取消しません、ようございますか、断じて取消しませんから、いいえどうぞ、それには及びません、これでもう失礼いたします」

彼は逃げるようにそこを去った。

さすがに小弥太は楽天的な気分ではいられなかった。彼が河津庄太夫の娘の伊勢と婚約したのは五年まえのことである。小弥太の姓も河津であるが、両家にはまったく血縁関係はない。五番町の河津は八百二十石余の中老であるが、小弥太の家は代々徒士組《かちぐみ》の組頭で、食禄も百石に足りなかった。ところで家紋は前者が『おもだか』であるに反し、後者は河津氏正格の『いおりもっこう』であって、家系の古統を尊ぶ当時としては、五番町は少しばかりひけめを感じなければならなかったであろう。が、小弥太と伊勢との婚約が、そこから始まったというわけではない。庄太夫が小弥太の人物をみこんで、つまり彼が非凡な人間であり、将来かなりな者になると信じて、庄太夫から望んで婚約がむすばれたのであった。

この縁組は家中《かちゅう》の人々を驚かせた。

――五番町は頭がどうかしたのだ。

などという評さえ起こった。むろん身分の差をいうのではなく、小弥太の人物が問題なのであった。彼は底抜けに明るい性質で活潑で、愛嬌《あいきょう》がよく、誰にも好かれた。人品もかなりいい。背丈も五尺七寸たっぷりあった。徒士組の組頭で食禄こそ少ないが、この藩では古い家柄で、格式はおめみえ以上に伍していた。不幸にして父母に早く死なれたし、彼は一人っ子なので、本来なら内気な寂しい気性になりそうであるが、そんなところは塵《ちり》ほどもない。学問もよくできるし、武芸とくると天才的で、刀、槍、弓、柔術、馬、泳法、すべてに群を抜いていた。どの一つでも師範の価値が充分にあった。おまけに力が強く、おそらく五人力はあろうといわれるくらいだった。

このように挙げてくると、河津小弥太はすばらしい人物のようであるし、右に挙げた条件には少しも嘘はないのであるが、これらと同時に、彼には大きな欠点があった。それは感情の抑制がないということである。自制心とか克己心というものが、まったく欠けているということであった。……彼は、癪《しゃく》に障るとすぐに人を殴る、相手が誰であろうと構わない。顔つきが気にいらないとか、なまいきだとか、えらぶっているとか、少しでも不愉快な感じを与えられると、即座に相手を殴るか投げとばすかした。またひどく陽気な気分のときや、嬉しいこと楽しいことのあるときも（灰山久兵衛の例のように）しばしば、側にいる者を張りとばしたり投げとばしたりする。それが五人力という力量と、ずばぬけた武芸の腕前なので、避けることも躱《かわ》すこともできない、反抗することなどは思いもよらなかった。

——済みません、堪忍して下さい。

乱暴したあとでは、たいていすぐにあやまった。愛嬌よくにこにこと笑い、大きな逞しい軀を縮めて、なんとも恐縮に耐えないというふうにあやまる。自分の投げとばした相手を抱きおこし、痛めたところを撫でたりさすったりしながら、また相手が腰骨の番《つが》いを外したりすると、自分でその家まで背負っていってやりながら、じつにあいそよく、懇切に詫《わ》びを云うのであった。

徒士組の支配は中老に属し、河津庄太夫が総元締をしていた。支配は三人いて、その三人はさんざん小弥太に手を焼いた。どうしようもないのである。

――あとであやまるくらいなら、どうしてそんな乱暴をするのか。

――どうしてもそうなってしまうんです、はあ。と彼は元気よく答える。貴方がたでもどこかしら痒《かゆ》いときはひっ掻《か》くでしょう、あれとそっくり同じなんです。例えば、あいついやな野郎だな、と思うとしますね、するともう先に手が出てしまうんです、あっという隙《ひま》もないんです、本当ですよ。

――つまり不正な人間とか、悪い人間を懲らさずにいられないというわけか。

――とんでもない、決して。と彼はむきになって首を振る、誓ってもいいですが決してそんな悠長なもんじゃありません、悪いとか不正とか、そんな人間は世の中にいるもんじゃないですよ、みんな善良な人ばかりです、どうしてこんなに好い人ばかりかしらと思うくらいです。

三

――それならば。と支配たちは云った。そこもとも武士として自分を抑え、乱暴をしないように克己心をやしなうべきではないか。

――私がですか、この私が……。と小弥太は眼をまるくし、鼻に皺《しわ》をよせながら手を振る。それはだめです、そんなことは、私にがまんしろなんて、そんな無理なことを仰しゃっては困りますよ、そんなことを云われると此処《ここ》で貴方がたを投げとばしたくなります、本当ですよ。

むしろ他のみんなが注意すべきだ、と彼は云うのであった。自分には深い悪意はないのだから、みんなのほうでちょいと体を躱すか、すりぬけるか、手をよけるかすればいい。それができないのはかれらが武芸に不鍛錬であり、要するに日常の心掛がなまくらだからであって、自分としては情けなく思うくらいである。

——しかし誰も彼もが、師範役のできるような腕前になれるものではないだろう。

——とすればですね、そこはもう黙って引込んでいるよりしようがないでしょう。と彼はにこにこした。御家老も殿さまにはかなわないし、御中老は御家老にはかなわないし、貴方がたはまた御中老にはかなわない、みんなが私にかなわなければこれはもうこれでしようがないと思いますがね、はあ。

三人の支配は総元締に訴えて出た。どうか小弥太を他の役に転勤させてもらいたい、というわけである。庄太夫は（かねて評判は知っていたが）三人から詳しい話を聞いて、これは凡人ではない、と思った。それから小弥太と会ってみると、いっぺんに惚《ほ》れこんでしまった。これは非凡な人物だ、と庄太夫は思った。いちどそう思うとなにもかもがよくみえてしまう。

——あの乱暴の明朗さは格別だ、些《いささ》かの陰もないし不純さもない、じつに清純ですっきりしているではないか。庄太夫にはそうみえたのである。それに若いうちの乱暴などは分別がつけばすぐにおさまる、そうなれば彼はその才能を発揮し始めるに相違ない。

そして同じ中老の田上宇兵衛《たがみうへえ》を仲に立てて、娘の伊勢と婚約させたのであるが、それには念のため『但し祝言の盃《さかずき》は乱暴な素行がおさまってから』という条件をつけたのであった。

以来五年、いまだに祝言は延び延びになっていた。五番町を訪ねて、伊勢と会ったり話したりすることは許された。食事に招かれることもしばしばであるが、祝言はずっと延期されるばかりであった。庄太夫もどうやら自分の鑑識が疑わしくなりだしたとみえ、近来は頓《とみ》に小言が多くなり、二度ばかりは激しい意見もされたが、今に到ってついに『この縁談は取消す』と宣告されたのであった。

――私は断じて取消しませんぞ。

こう答弁をして辞去したものの、さすが小弥太も快活な気分ではいられなかった。誰か二三人ばかり投げとばすか、張りとばすかしてやりたいような心持であった。慥《たし》かにそのくらいの気持であったが、小弥太はやはり小弥太である。彼は（まえにも記したように）そんなひずんだような感情に、耐えられる男ではなかった。自宅へ帰り着くじぶんには、もうにこにこと眼を細くして、

「われながらうまく云いましたね、はっは」

などと云って手を擦り合せた。

「縁談というものは合意の上のことですからね、侍と侍とが信義の上に立ってむすんだ契約なんですから、一方だけで解消するなんてわけにはいきませんよ、断じて取消しません！　この一言は金鉄のようなもんです、さあ来いって云うところですよ」

彼は元気をとり戻し、風呂へ入ると破れるような声で朗詠などをやった。その明くる日の宵のことであるが、五番町からとつぜん伊勢が訪ねて来た。

「やあどうも、これはどうも」

小弥太はすっかりとりのぼせてしまった。彼女が訪ねて来たのはこれが初めてである。しかもこんな時刻に、ただ一人で来てくれたのだから、小弥太としては感激せずにはいられなかった。

こんな大胆なことをするほど彼女は自分を愛しているのだ、と考えたのである。

「わたくし内証でまいりましたの」

と伊勢は声をふるわせて云った。

「あなたにお願いしたいことがございましたので、……すぐにおいとましなければなりませんわ」

伊勢はひどく思い詰めているふうだった。彼女は十七歳で婚約したから、今年は数えてもう二十一になる。いったいが小柄な軀で、手足なども愛らしく小さい。綺綾《きりよう》はまず十人並だろう、色が白く眼がきれいであるが、決して美人という型ではない。しかし、婚約者を持って五年、二十一という年齢は、その軀や身ごなしや表情に、あふれるような嬌《なま》めかしさを与えていた。じっさい今にもこぼれそうな、『さかりの艶色《えんしよく》』という感じであった。

「いいえもうどうぞ」

彼女はうろうろする小弥太を制して云った。

「本当に一言《ひとこと》だけお願いを申上げておいとましますの、どうぞお坐りになってお聞き下さいまし」

小弥太は坐った。せめて茶菓ぐらい接待したかったが、伊勢のようすがあまりにしんけんなので、膝《ひざ》を固くして坐った。

「昨夜のお話は父から聞かされました」

と伊勢はこう云った。

「あなたは不承知だと仰しゃったそうですけれど、父はこのままならどうしても取消すと申しておりますわ、いいえ、世間一般の例ではあなたの御不承知はとおりは致しません、父の決心が変らない限り、わたくしたちの縁組はきっと無いものになってしまいます」

「私はそうは思いませんね、私は断じて」

「そう仰しゃる代りに」

と彼女は婚約者をじっと見まもった。

「どうして父の意見をきいて下さいませんの、父の意見をきいて、今後の行いを慎んで下さりさえすれば、それですぐにお式が挙げられるのではございませんの、どうしてそうなすっては下さいませんの」

「というと、つまり、あれですか」

小弥太は訝《いぶか》しそうな眼をした。

「つまり私に、その、乱暴をやめろというわけですか」

「それで万事まるくおさまるのですわ、そうなさるだけでいいのですわ」

「だめです」

小弥太はあっさり首を振った。

「折角ですがそれだけはだめです。勘弁して下さい」

「だって……」

彼女は身《み》悶《もだ》えをした。

「だってそれなら、どうしようと仰しゃいますの、ほかになにか御思案でもおありなのですか」

四

小弥太は考えて、そして云った。

「そのことですが、思案というほどじゃないかもしれないが、いちばん慥かな方法は一つだけあるんです、というのはですね」

彼は急にいそいそし始めた。

「わかりよく云うと、時節を待つということなんです」

「どういう時節をですの」

「つまりです、私もいつまでこんなじゃないかもしれない、年も取るし、そのうちには、乱暴も飽きてくるかもしれない、自分としてはそうなりたくはないけれども、あらゆるものがいつかは変化するといいますし」

「それが時節ですの、それが」

伊勢は怒りの声で彼を遮《さえぎ》った。

「今日まで五年も待ったのに、これからまだそんな、あなた自身にも当てのない時節を待たなければなりませんの」

「しかしですね、それがなにより慥かな」

「わたくしもう二十になりますのよ」

彼女は無意識に一つ年を隠しながら、殆んど躾《しつけ》を忘れた調子で云った。

「今でも普通の婚期にはおくれていますのに、そんなに待っていてはわたくしお婆さんになってしまいますわ」

「それは同じことですよ、私だってそのじぶんにはお爺さんになるんですから」

「まあ、まあ口惜《くや》しい」

伊勢は涙ぐんだ眼で烈しく小弥太を睨《にら》んだ。

「それがあなたの御本心なんですのね、あなたは伊勢がお婆さんになっても可哀そうだとは思って下さいませんのね、ようございます、わたくしおいとま致します」

「待って下さい、そんなに怒るなんて、貴女《あなた》はなにか誤解しているんですよ、とにかく」

「いいえおいとまします」

伊勢は袖を払うといったかたちで座を立った。

「お別れに申上げておきますけれど、いちど婚約をむすびましたからは、伊勢にはあなたのほかに良人《おっと》はございません、わたくしきっとあなたの妻になります」

「それはむろんですよ、私だって貴女のほかに妻はありやしません、本当ですよ」

「わたくしあなたの妻になります」

と伊勢は繰り返した。

「そのためにわたくしはわたくしにできることを致します、どうかそれをお忘れにならないで下さい」

「しかし、な、なにをなさるんですか」

「しなければならないことをです」

伊勢は部屋を出ていった。

小弥太は慌てて彼女を見送り、部屋へ戻ったがおちつかなかった。きみの悪いような心持であった。伊勢の言葉はひどく暗示的であり、おまけに少なからず威嚇的であった。しなければならないことをする……いったいなにが、『しなければならないこと』であるのか、彼には見当もつかなかった。単なる威《おど》かしでないことは、問題が『結婚』であるから間違いはない。女が望ましい結婚に当面したばあいには、その勇気と実行力の点で無敵になる。

「そうだ、ひどく怒ってたからな」

小弥太は独りで呟いた。

「ことによるとおれをへこまそうと思って、桔梗《ききょう》ヶ原のような事を計画するかもしれないぞ」

そうだ、と小弥太はうなずいた。

「たかが女の智恵ですからね、あの連中でさえあの程度だったんだから、まあ精々そんなところでしょうな」

彼の眼は快活な光を帯びてきた。

桔梗ヶ原の件というのは二年まえのことであるが、小弥太の被害者たちが十三人で、小弥太をうまく誘い出し、集団で仕返しをしようとしたのである。かれらは野宴《やえん》を張り、小弥太を主賓にし、大いに飲ませたうえ、偶然のように喧嘩《けんか》をしかけた。小弥太は酔っていたが、酔えばかえって勇気凜々《りんりん》となり、力も一倍強くなるので、むしろ嬉しさのあまり咆哮《ほうこう》した。結果は云うまでもなく、十三人は悲鳴をあげ、互いに助けあいながら逃げ去ったのである。かれらは企んでした事であるし、十三人で一人に負けたというひけめもあって、固く秘密を守ったのだろう、この出来事は誰にも知れずに済んだ。

「あの人もむろん知っちゃあいないでしょう、だからきっとその手で来ますよ」

その手でね、と彼は嬉しそうにほくそ笑むのであった。

小弥太は待っていた。登城のとき下城のとき、人を見ると『やるか』と思った。夜、寝ていてもなにか物音がすると『来たか』と思った。こうして七日ばかり経ったある日、彼が下城して大手筋を歩いてゆくと、一人の妙な老人が向うから来て、小弥太の顔をじろじろ眺めながら、ふと眉をしかめ首を振りながらなにか独り言を云った。

——なんだあの爺い。

小弥太は立停った。明らかにこっちの悪口を云ったらしいのである。年は六十に近いだろう、白髪頭で、おそろしいほど色が黒い、角張って痩《や》せた顔、痩せてはいるが骨太のひき緊った軀、ごつごつした手足など、なかなかひとくせありげにみえる。古びた布子《ぬのこ》に胴着を重ね、たっつけ袴《ばかま》をはいて、腰に短刀を差し、手には五尺ばかりの杖《つえ》を持っていた。

「惜しいことに肝心なものが足りない」

老人はまた首を振り、こんどは、こちらに聞えるように云った。

「逞しくは見えるがうどの大木、あれでは薪《まき》にもならず、炭に焼くこともできない、まことに惜しいものだ」

そうして悠《ゆっ》くり通り過ぎようとした。小弥太はふしぎな気持におそわれた。彼はのちに『口から手を突込んでいきなり心臓を摑《つか》まれたような心持だった』と云ったが、もちろん実感ではなく譬《たと》えであろう。ともあれ小弥太は（どういうわけかわからないが）強い尊敬と畏怖《いふ》にうたれ、老人のあとを追って呼び止めた。

「そうだ、おまえのことを云ったのだ」

老人は振返って、遠くを見馴れている人の眼つきで、小弥太の顔を見つめ、それからちょっと口ごもって続けた。

「おまえはなかなか稀《まれ》な素質をもっておる、おまえの人相でわしにはそれがわかる、だが」

「だが、なんでございますか」

小弥太の態度は早くも師に対する観があった。老人はまた口ごもった、意志の表現に苦しんでいるらしい。やがて云った。

「おまえには肝心なものがない、力もあるし武芸もできるだろうが、それはその、なんだ、両刃の斧《おの》のようなもンだ、うん、なんと云ったらいいか、なんとか云うんだったが……おらあ、わしは世捨て人であって、本名は知らせるわけにはいかねえ、壮年のころは将軍家の手直し番もした、遁世《とんせい》の名は一無斎、いまは黒羽山に棲《す》んでおる」

どうして話がそうなったかわからないけれども、小弥太は老人の教えを受けることになった。一無斎の云うことを聞いていると、自分が『両刃の斧』であり、強いばかりで肝心要《かなめ》なものが欠けている、ぜひもうひと修業しなければならない、ということがわかったのである。老人は入門

を許し、山荘の所在を詳しく教えたうえ、なるべく早く来なさい、と云って別れたのであるが、別れるときにひょいと、

「まいど有難うさんで」

と云った。なにかの口癖らしい、ひょいと口から出たのであるが、小弥太は『渋いな』と思った。なにが渋いのかわからないが、とにかくそう思ったのである。彼はその足で城へ引返した、そして支配に会い、さらに総元締の部屋へまわった。

――おれがこれ以上も修業するといったら、さぞいやな顔をするだろうな、きっと許さないなんて云うことだろう。

そう思っていたが、支配はともかく、河津庄太夫はすぐに賛成してくれた。

「一無斎先生が、……それはそれは」

と庄太夫は眼をみはった。

「剣術の神といわれる先生が当領内におられるとは知らなかった」

「御中老は御存じなんですか」

「まさか知らぬ道理がないじゃないか、わしをそれほど世事に疎い人間とでも思うのか」

庄太夫は云った。

「ともあれ結構なことだ、あまり長くては困るが修業にゆくがよい、留守の事はわしから支配に命じておくから」

こういうよい首尾であった。そして、小弥太はすぐに黒羽山へと笈《きゅう》を負ってでかけた。

五

そこは城下町の北東に当り、領境の大嶺《おおみね》山系《さんけい》のふところに当っていた。苅屋川《かりやがわ》の深い谷に沿って登ること約一里、左右の岸が高く切立って、左岸が黒羽山、対岸が赤岩山で、どちらも炭の産地として名が高かった。一無斎老人の山荘（うす汚ない山小屋であるが）にも後ろに大きな炭焼《すみやき》竈《がま》があり、そろそろ季節なのだろう、まだ火は入っていないが、大量の枯木が積みあげてあった。

「もう来たかよ」

と老人は小弥太を迎えて云った。

「まあだ来やしめえと思ってただが、そのくれえ熱心なら見込があるちゅうもンだろうさ、まあ上るがいいだよ」

山荘にいるためだろう、老人は言葉もくだけているし、身装《みなり》も古股引《ふるももひき》に半纏《はんてん》、頬冠りという気取りのないものであった。そしてときどきひじょうにうまく手洟《てばな》をかんだ。

「断わっておくが、わしの教え方は変っているし厳しいだで、初めに覚悟をしねえと続かねえだよ」

「それが修業ですから」

と小弥太は答えた。

「どんな労苦も厭《いと》いませんし、途中でへこたれるようなことは決してございません」

「では早速だが裏へ来てもらうべえ」

老人はこう云って、小弥太に着替えをさせ、山荘の裏へ伴《つ》れていった。そうして斧と鋸《のこぎり》を渡して、そこに積みあげてある枯木の山を指さした。

「こっちが薪、こっちが炭に焼くだ」

と一無斎は云った。

「薪のほうは鋸で切って割り、炭のほうはこの長さに切るだ、いいかえ、薪はこの寸法でな」

小弥太はちょっと思惑はずれといった感じであった。こういうことも修業の一つだという点はわかるが、それにしてはどこかしら違うようである。どこが違うかといわれるとわからないが、どこかしらちぐはぐなように思われた。

「すると先生は炭焼きもなさるのですか」

「そうでなくってよ」

と云って老人は妙な声で笑った。

「へへへへ、遁世だでなあよ」

小弥太は仕事を始めた。

こうして、城下から三里の道を歩いて来て、着いたとたんから小弥太は仕事を始めた。それは単調極まる苦しい労働であった。労力そのものよりも『単調』であることのほうが苦しい仕事であった。しかしなにごとも修業である。欠けている肝心なものを把握《はあく》し、河津小弥太の稀な才能を完成しなければならなかった。——日が経っていった。彼は全力をあげて仕事に励んだ、炊事もし洗濯もした。一里半もある里の村へ買い物にも通い、しばしば一無斎の肩腰を揉《も》みさえした。

「それ、しっかりやるだあ、これも修業だでなあ」

老人は楽しそうに云うのであった。

「お蔭《かげ》でおらあも助かるし、おめえはおめえで、その、なんだあ、そういうことになるわけだで、へっへ、これが本当に一挙両得ちゅうもンだわさ」

小弥太はまいってきた。繁華な市中で我儘《わがまま》いっぱいに生活していたのが、人影もない山の中で日がな一日、休みなしに木を鋸《ひ》いたり割ったりする、しかも雑用に追われどおしだし、夜などちょっと暇があると炭俵を編んだり、縄や蓆《むしろ》や草鞋《わらじ》まで作らなければならない。つまり、百姓と人足と下男下女と按摩《あんま》まで兼ねるのであった。彼は精も根も尽きるように思われた、このままでゆくと、才能を完成するまえに本物の炭焼きになってしまうかもしれない、という心配も起こってきた。――だがそれだけならまだよかった。こうして約三十日、山のように積みあげてあった木が、ほとんど片づきかけたじぶんから、老人が意地悪なことをし始めた。

「おめえ水泳ぎもうめえだってなあ」

或る日のこと一無斎が云った。

「ひとつ今日は谷へ下りて、魚でも摑《つか》んでもらうべえかな」

「魚を摑むんですって」

「水ん中へ潜って手で摑むだ、釣るよりぞうさがねえだよ」

かれらは谷へ下りていった。

七十尺もある断崖《だんがい》の下に、苅屋川の急流がすさまじい音を立てて流れていた。川幅はさして広くないが、急流に似ず水量が豊かで、ところどころにある淀《よど》みや淵《ふち》は、水の色もきみの悪いほど濃く、なにか異形《いぎよう》のものでも棲《す》んでいそうに思えた。その最も深そうな淵のところで、老人は此処がおらの漁場だと教えた。

「此処にゃ山女魚《やまめ》や岩魚《いわな》がうんといるだ」

と老人は云った。

「覗《のぞ》いてみな、ほれ、この岩の深みに暗いとこがあんべえ、あそこが窪《くぼ》みになっていて、魚たちが尾鰭《おひれ》を休めるだ、眠ってるときもあるわさ、そこを潜ってって捉《つか》めえるだが、……おめえ本当に泳げるだかよ」

小弥太は淵を覗いた。淵は黒ずんだ碧色《あおいろ》で、かなり深いようだし、下に渦でも巻いているのか、ごうごうと低く、鈍い音が聞えていた。

「面白そうですな、やってみましょう」

彼は裸になってとび込んだ。おそろしく冷たい、氷のような水であった。それはいいけれども、五六尺も潜ったと思うと、恐ろしいほどの力で水流が彼を捉《とら》え、ぐるぐると独楽《こま》のように廻転させながら、斜めに深く、眼の眩《くら》むような速度で巻込んでいった。あっと思ったとたん、彼は溜《た》めていた息を吐き出してしまい、底のほうの、岩と岩の割目のような処《ところ》へ、がっちりと軀を吸い付けられていた。……初めは渦かと思った、むろん渦も巻いているが、じつは岩と岩の隙から、地下水道へと水が落ちるのであった。これはあとで一無斎に聞いたのだが、その地下水道は自然に出来たもので、一里ばかり西の白狐《びやつこ》の滝に続いているのだそうである。

——これはいけない。溺《おぼ》れるかもしれない。

小弥太は逆上した。全身の力をふるってあらゆる種類の運動をしたが、引込む水の圧力のほうが遥《はる》かに強大で彼の軀を岩の間隙《かんげき》へ吸着させたまま動かさなかった。彼は頭がぼうとなり、悶絶《もんぜつ》してしまった。

どうして助けられたか知らない、脇腹が火のついたように熱いので眼がさめると、側に一無斎が坐ってこっちを見ていた。

「ああ、貴方ですか」

と小弥太は自分でもおかしな喉声《のどごえ》で云った。

「ひどいめにあいました。いったいあれはなんでしょうか」

「白狐の滝へ落ちる水だあ」

と老人は皮肉なそら笑いをした。

「この辺の者は子供でも知ってるだによ、おめえは侍のくせにしてだらしのねえ、おらが助けてやらねえばあのまんまだっただぞ」

「はあ、知らなかったものですから」

こう云いかけて、寝たままで『熱ッつつ』と叫びながら小弥太はとびあがった。すぐ右側に炉があり、焚火《たきび》が赤々と焰《ほのお》を立てていた。

「おめえの軀を炙《あぶ》っていただよ」

一無斎は云った。

「それがほんとの水火の難だ」

老人は可笑《おか》しそうにけたけたと笑った。

こうして、それをきっかけのように、いろいろな事が起こった。深さ一丈もある陥穽《おとしあな》（それは古く熊に仕掛けたものだそうであったが）に落ちて足を捻挫《ねんざ》したり、夜中に丸太が倒れて来て、（それは壁に立てかけてあった）額に自分の眼で見えるほどのすばらしい超特大の瘤を出したり、飯を炊いていたらいきなり地雷のようなもの（それは猟師の使う狼火《のろし》用の火薬だそうであった）が爆発して、危うく死にそうになったり、木を伐《き》りにいって（溜まっていた疲労のあまり）ちょっと午睡《ひるね》をしていると、上から大きな石が転げて来て、もうちょっとで下敷になり損ったり、打《う》ち藁《わら》の中に五寸釘《くぎ》を打った板（老人が蠟燭立《ろうそくたて》に作ったのだそうである）が紛れ込んでいて、骨に徹《とお》るほど踏抜をしたり、……といったような災厄が、毎日のようにふりかかってくるのであった。

六

そのうちに、当然のはなしではあるが、小弥太は気がついた。これらの災厄は偶然のものではなく、みな一無斎老人の企みから出たのだ、ということを。彼は眼がさめた、はっと眼が覚めたように思った。

——そうだ。と彼はうなずいた。山で午睡をしているとき石を転がし落したのも、熊の陥穽へ落ちるようにしたのも先生だ。そして薪といっしょに狼火の火薬を入れて置いたのも、立てかけて置いた丸太を倒したのも、蠟燭立を藁の中に入れたのも、みんなあの人のしたことだ。みんな、……だが、どうしてだろう。

——むろん、修業のためだ。と彼は自分にこう云った。このようにしておれの才能を磨き、おれの怠慢を戒め、おれを抜群の侍にして下さろうという御計略なのだ。

慥かにそうであろう。自分は剣槍弓騎柔泳法《けんそうきゅうきじゅうえいほう》、すべてに師範役の腕前をもっている。そんなものはもう稽古をする必要がない、あとはこのような、……つまりこういったような。——小弥太の思考はそこで停った。理由はよくわかったけれども、これは少なからず『こちたき事態である』と思ったのだ。

——いつどんな事が起るかわからない、おちおち眠るわけにもいかないぞ。

彼は緊張した。緊張し続けた。それはひどいものであった。すでにそれまでの朝夕が、あまりにかけはなれた重労働であって、身心ともに困憊《こんぱい》していたところだから、この絶え間のない神経緊張の持続は耐え難いものであった。

——これはへたるかもしれない。

と小弥太は思い始めた。本当にそう思い始めたとき、一無斎が山から木実《このみ》を採って来て、喰《た》べろと云って、小弥太にくれた。それは豆柿ほどの大きさの赤黒く熟れているが固くて、ちょっと異様な臭みのある果実だった。

「ちょっと喰べにくいかもしれねえだが」

と老人は云った。

「それを食うと精が付くだよ、あんまりねえ木実だでな、おめえに食わせべえと思って採って来ただよ」

彼は老人の親切に対して礼を云い、そしてそのかなり喰べにくい物を三つ喰べた。

「軀の薬になるだから美味《うま》かあなかんべえわさ」

一無斎はそう笑って云った。それは午飯《ひるめし》のちょうど前で、ひどく空腹のときであったが、喰べてから食事の支度をしていると、突然、胃が猛烈に痛みだした。まるで錆《さ》びた錐《きり》を揉み込まれるような痛みで、手足がぎゅんと縮まった。小弥太は炉の側へ横になり、転げまわりながら呻き声をあげた。

「あれ、いけなかったかな」

老人は側へ来て、小弥太の苦しむのを眺めながら云った。

「おめえは丈夫だし利巧者だから、たぶん間違えはあるめえと思っただが」

「なんです」

苦悶のなかで小弥太が訊いた。

「なにが間違いがないっていうんですか」

「いまの木実よ」

と老人が答えた。

「あれは猿だましといってな、毒だからって、この辺じゃ子供も食わねえもンだによ」

「な、なんですって、毒、……」

「そうだっていうだ、子供らも食わねえし、ほかの鳥やけだものも食わねえ、ときたま猿の中でも底抜けのばか猿が食うだが、えらく苦しがってねえよ、しめえにゃあ血を吐いておっ死《ち》ぬだあ」

「そんなものを、な、なんのために」

と小弥太は転がりまわった。

「なんのために貴方は、この私に食わせたんですか、……おまけに精、精の付く薬だなンて云って」

「そう思っただに」

老人は暢《のん》びりと云った。毒だなどといわれる物が、えてして貴重な精分を含んでいるものである。ものは試し、喰べてみなければわからない、幸い小弥太は武芸百般に秀でているし、おまけに五人力である。本当に毒なら、まさか喰べるようなまぬけなことはしまい。こう思ったというのであった。

「そんなばかな」

小弥太は喘《あえ》いだ。

「いくら私が五人力で、武芸が上手だって、木実の毒までわかる道理がありません」

「そうだかえ、おらそうは思わなかったでよ、ほんに、人間にゃ誰にもかなわねえことがあるだが、五人力で武芸の達人ちゅうおめえにも、やっぱりかなわねえことがあるだなあ」

小弥太はなぜかしらぎくりとした。なんでぎくりとしたのかは自分でもわからない、いきなり平手打ちでもくらったような感じだった。

「すると、私はこれで死ぬのでしょうか」

「なんとかしてみべえ」

老人はこう云って立った。

「たぶんだめだんべえが、もうしようがあんめえと思うだが、ま、とにかくやるだけのこたあってみるとすべえ」

そして、老人はなにかの粉末(それは干したなにかの木の皮を粉にしたようなものであったが)を出して来、水に混ぜて小弥太に服《の》ませた。こんどこそ毒じゃないでしょうな、と小弥太は念を押して服んだ。慥かに毒ではなかったが、まもなく恐ろしいほどの嘔吐《おうと》と下痢《げり》が始まった。恐ろしいほどの吐瀉《としゃ》だった、それこそ信じられないくらい激烈なもので、むしろ苦しさは毒の木実以上であった。

「いくらか苦しかんべえさ」

老人はそう励ますのであった。

「これはへえ普通の薬じゃねえ、猪《いのしし》を捉めえる薬だでねえよ」

「しし、猪を、ですか」

「そうだてば」

老人はうなずいた。

「米と糠《ぬか》の団子の中にこの粉を混ぜて、畑へ、そっと置いとくだ、すると猪の中でも底抜けのばか猪がいて、知らねえで喰べて、さんざ嘔《は》いたり痢《くだ》したりしたあげく、動けなくなってぶっ倒れるだ、まぬけな猪もあるもンだが、そこを待っていて……」

小弥太はもう聞いていなかった。

——猿だましのあとで、猪だましか。と彼は眼をつむって思った。このくそ爺いめ。

一無斎老人はへらへらと笑っていた。

七

小弥太は城下へ帰った。ひどく痩衰《やせおとろ》えていて、歩くことができず、山駕籠《かご》で玄関まで舁《かつ》ぎ込まれ、そのまま寝ついてしまった。

どこへも知らせなかったが、すぐに五番町から伊勢が下婢《かひ》を伴れてみまいに来た。小弥太は意外に思って、どうして帰ったのがわかったのか、と訊いた。伊勢は当然のことのように答えた。

「それは許婚《いいなずけ》の愛情でございますわ」

そして小弥太の家には女手がないので、下婢を手伝いに置いてゆき、自分も毎日かよって来た。心のこもった、やさしい温かい、それこそ痒《かゆ》いところに手の届く介抱であった。

——女がいるというものはいいものだな。

彼はそう思った。あらゆる点で、感覚のすべてで、身にしみてそう思った。

——これは早く結婚することにしよう。

病気ではなかったので、(つまりあの吐瀉のための衰弱だったので)小弥太は五六日するとすっかり恢復《かいふく》し、それから七十日ばかりして、伊勢とめでたく祝言をした。ということは、彼が温和になり、誰も手の出しようのなかったあの乱暴が治ったということである。

「これでやっと望みがかないました」

式の夜、伊勢は涙ぐんだ眼で良人をじっと見つめ、喉になにか詰ったような声で、囁《ささや》いた。

「ずいぶん待ちましたわね、あなた、……わたくし本望でございますわ」

小弥太はひどくてれて、赤くなった。

彼は変った。人柄がまるで変った。なぜだろう。小弥太そのものは以前のとおりである。癪に障ることもあるし、肚《はら》の立つこともあるし、誰かの顔が気にくわないこともある。えい畜生ぶん殴ってやろうか、思いきり投げとばしてくれようか、こう思うこともしばしばあった。すると、ふしぎなことにすぐ、山荘のあの災厄が眼にうかぶのである。……張りとばすか投げとばそうと思う相手が、あのときの可哀そうな無力な自分の姿にみえるのであった。

水底で溺れていた自分、丸太の下で悲鳴をあげた自分、狼火の爆発で胆を消した自分、猿だまし、底抜けにばかな猪を捕る薬、……その他いろいろの場合の、べそをかいた、手も足も出ない自分の姿。

——そうだ。と彼は自分に呟く。人間には、みんなかなわない事があるものだ、……こいつも可哀そうなやつにちがいない。

彼は初めて忍耐することを覚えた。

小弥太はもう乱暴はしなかった。決して、絶対にしなかった。そのことにまちがいなしと知って、こんどは周囲の者たち（彼の被害者を主として）のほうで、小弥太に意地わるをし始めた。

彼は瘤をでかしたり、足を挫《くじ》いて帰るようなことがたびたびあり、またかれらのあいだでこんなことが云い囃《はや》された。

「やってみろよ、大丈夫なにもしやしない、こんどこそおれたちの番さ」

人間というものは悲しいものである。

年が明けて春になった。小弥太はその日は非番で、居間の窓に凭《もた》れてぼんやり外を眺めていた。なにを眺めるのでもない、けだるく満《みち》足りた気持で、ぼんやりと春暖の陽をあびていたのであるが、ふと右のほう（そこには納屋があった）で、こう云うのが聞えた。

「じゃあ奥さまに宜しく云ってくんろよ、おら帰るだで、……まいど有難うさん」

小弥太はそっちを見た。声に聞き覚えがあったのである。見ると納屋の脇を向うへ、百姓ふうの老人が去ってゆくところだった。

――あっ、あれ。

小弥太は殆んど叫びそうになった。それは一無斎先生によく似ていた。一無斎にそっくりであった。似るといってもあまり似ていたし、『まいど有難うさん』と云った声にも記憶があった。

――うん、ことによると、……うん。

彼はやや暫く考えていた。それからしだいに渋いような顔になり、やおら立って、妻の部屋へいった。伊勢は縫物をしていた。彼女はめっきり肌が艶《つや》やかになり、まるく肉づいて、いかにも若妻らしく嬌めいてみえた。

「いま裏へ誰か来ていたね」

彼はさりげなく、しかしやさしく訊いた。

「百姓のようだったが、誰だい」

「山の六助ですわ」

と妻は答えた。

「今年の炭の註文《ちゅうもん》を取りにまいりましたの、……ずっと五番町の家で取っていたものですから、こちらへも来るように云ったのですわ」

「ふうん、で、炭は自分で焼くのかい」

「ええ、自分で炭も焼きますし、猟師もしますし、川魚を捕ったり畑も作ります、吃驚するほど智恵のまわる働き者ですのよ」

「そうらしい」

彼は云った。

「本当にそうらしい、私にはよくわかるよ」

伊勢は口の中であっと云った。小弥太がそっちを見ると、妻もこちらを見ていた。針を持ったままで、驚かされた山鳩のような眼で、少しばかり惧《おそ》れるように良人を見あげていた。

「——誰の智恵だい」

小弥太が云った。

「自分で思いつきましたの」

伊勢はあっさり自白した。

「それから父に相談し、六助に頼みましたの、だって、……わたくし待遠しくって辛抱できなかったのですもの」

「私はもっとほかの手で来ると思っていたよ」

「とても待遠しかったのですもの」

と若い妻は鼻にかかった声で、色っぽくあまえるように云った。

「それなのにあなたは、御自分の乱暴を治すことがおできにならない、と仰しゃるでしょう、もしあなたにできないとしたら、妻になる筈の伊勢がお助けしなければならないと思いましたの」

小弥太は憮然《ぶぜん》と黙した。伊勢はあまえながらも、たいそう自信ありげに云った。

「それが夫婦の情愛というものでございますわ」


（「キング」昭和二十八年七月号）

法師川八景

一

——法師峡は城下の北、二里三十二町にある。

つぢは豊四郎の顔を見ていた。

久野豊四郎の顔には、決意と当惑の色とが、交互に、あらわれたり消えたりした。よし、肚《はら》をきめよう、という表情と、困ったことになった、どうしよう、という当惑の色とが、木漏《こも》れ日の斑点が明滅するように、不安定にあらわれたり消えたりした。つぢはおちついた静かな眼で、それを見まもりながら、待っていた。うちあけるまでの不安やおそれはもうなかったし、豊四郎がどう答えるかも、殆んどわかっていた。

——城下の北口から、御領ざかいの地蔵嶽に向って延びる野道が、笈川《おいかわ》村を左折すると、まもなく勾配《こうばい》のゆるい坂にかかる。

やがて豊四郎が云った、「それにまちがいないことなんだね」

つぢは頷《うなず》いた。

「思い違いではなく、はっきりしているんだね」

「ええ、はっきりしております」

「それならもう問題はない」と豊四郎は微笑した、「こころ祝いに酒をもらってもいいだろうね」

つぢは「どうぞ」と答えた。豊四郎の微笑は人をひきつける。きれいな澄んだ眼にあたたかさが湛《たた》えられ、眼尻が少しさがる。そして、ふしぎなほど純潔な感じのする赤くて薄い唇を、ひき緊めて上へもちあげるのだが、その眼と唇のあらわす魅力は際立っていた。するとつぢは「どうぞ」と答えながら、その眼に頬笑み返した。すると彼は衝動的に伸びあがり、つぢの肩へ腕をまわしてひきよせ、暴《あら》あらしく唇を吸った。非常にすばやい動作だったし、その腕には力がこもっていたので、つぢは避けることができなかった。

——あのときもこうだった。

いつもこうなのだ。そう思いながらつぢは眼をつむった。しかし、彼が次の動作に移ろうとすると、激しくかぶりを振って、「いけません」と拒み、両手で彼を押しのけた。豊四郎はうらめしそうにつぢを見た。

「どうして、どうしていけないんだ」

つぢは手を鳴らしながら云った、「お酒の支度をさせますわ」

「どうしていけないんだ」

「おわかりになる筈です」とつぢが云った。

豊四郎はしょんぼりと坐り、つぢは立っていって障子をあけた。その座敷は谷に面していて、狭い庭の向うに、法師川の対岸の断崖《きりぎし》が、眼近に迫って見える。深い谷間には谿流《けいりゅう》の音があふれている、断崖のところ斑《まだら》に生えている小松や灌木《かんぼく》の茂みが、まるでその水音に煽《あお》られるかのように、さわさわと絶えまなしに揺れていた。

——坂道にかかって十五町あまり登ると王子ノ滝があり、道はそこから二た曲りにして、法師川に沿った断崖の上に出る。

うしろで豊四郎が女中に酒肴《しゅこう》の支度を命じていた。つゞちは向うの断崖の中腹にある、小松の茂みに眼をとめ、去年のあのときは、そこに桜の若木があって、まばらに白い花を咲かせていたことを思いだした。谷間の風が荒いためだろう、その若木は上へ伸びることができず、横へ枝をひろげており、その枝にぱらぱらと、数えるほど僅かな花をつけていた。初めて豊四郎とそうなったあとのことだ。この座敷には屏風《びょうぶ》がまわしてあり、彼はその屏風の中で眠っていた。つゞちはそこをぬけだして来て、障子をそっとあけ、汗ばんだ熱い肌に風をいれながら、ぼんやりと対岸を眺め、そうして、その小松の茂みの中に、若木の桜の咲いているのをみつけたのであった。

「なにを見ている」

うしろから豊四郎がつゞちを抱いた。両手でつゞちの肩を抱き、頬ずりをした。つゞちは頬ずりにこたえながら、向うを指さした。

「あの断崖の大きく裂けているところに、小松がひとかたまり茂っていますわね」

豊四郎は「どこに」と云いながら、片手をつゞちの胸へすべらせた。つゞちはその手を除けようとしたが、豊四郎は左手でそれをきつく押え、右手で胸のふくらみを包んだ。

「あの小松がどうかしたのか」

「去年あの小松の中に、桜が咲いていたんですの、まだほんの若木で、花もまばらにしか付いていませんでしたけれど」つゞちは身をもがいた、「いけませんわ」

「ではその桜は初咲きだったんだな」

「どうぞおやめになって」

「その桜がいまはないというのか」彼はつよく頰ずりをし、指をこまかく動かした、「去年はじめて咲いて、今年はもう枯れたか、人に抜かれたかしたんだな」

「あんな断崖にあるのを抜きにおりる者があるでしょうか」つぢは自分の胸にある彼の手を押えた、「そんなふうになすってはいや、痛うございますからおやめになって」

「どうして、痛い筈はないじゃないか」

「からだのせいでしょうか、痛いんですのよ」

「ああそうか」と彼は手を平らにした、「それは気がつかなかった、ごめんよ、でもこうしているだけならいいだろう」

「もう坐りましょう、女中がまいりますわ」

「まだ大丈夫だ」彼はつぢの軀《からだ》をやわらかく左右に揺った、「――そのときつぢは、独りでその桜を眺めていたのか」

「あなたは眠っていらっしゃいましたわ」

豊四郎はつぢをやさしく抱き緊め、そのときのことを回想するように、やや暫《しばら》く黙っていた。

――道が断崖へ出た処《ところ》から、奥の地蔵堂までのあいだ二十五町を法師峡といい、御領内随一の奇勝である。両岸は相接してそそり立ち、低いところで七十尺に余り、高きは百尺を越える。

豊四郎が溜息《ためいき》をついて云った。

「ここへ来たのはこれで五たびめだね」

つぢはゆっくりと頷いた。

「初めて来たのが三月、次が六月」

「五月でございましたわ」

「その次が十月、十月から暫く折がなくて、今年の正月、そしてこんどだ、つぢはよく私のたのみをきいてくれたね」

「でももうそれも終りですわね」

「うん終りだ」と彼は云った、「人眼を忍んで逢うのも楽しかったが、今日でそれもおしまいにしよう、私は母にそう云うよ」

つぢは黙って頷いた。

「母はうすうす勘づいているらしい、父だってむずかしいことは云わないと思う、だが、つぢのほうはいいのか、佐藤のことで面倒が起こるんじゃないのか」

「それは一年まえに申上げましたわ」

「しかしまだ断わってはいないのだろう」

「わたくしの事はわたくしが致します」と云ってつぢは声をひそめた、「女中が来たようですわ」

豊四郎はつぢからはなれた。

酒肴をはこんで来た女中たちは、二人の前に膳を直すと、茶道具を片づけて去った。膳の上の物は鳥の煎煮《いりに》と、小鮎《こあゆ》の煮浸しを除いて、皿も鉢も昆布《こんぶ》、わかめ、山蕗《やまぶき》、芽うど、自然薯《じねんじょ》、茸《きのこ》、豆腐、湯葉、牛蒡《ごぼう》、栗などを、蒸したり、胡麻《ごま》で和《あ》えたり、焼いたり煮たりしたもので、椀も一が白豆腐、二が梅干に木芽というぐあいだった。

——右岸は嶮《けわ》しい山つづきで道もないが、左岸には、鬼覗《おにのぞ》き、七曲り、猿渡し、美代ヶ淵《ふち》などの勝景があり、地蔵ノ湯には料亭を兼ねた湯治宿が五軒ある。「観峡楼」はその一で、光樹院さま御代よりしばしば藩侯のお渡りがあり、精進料理を自慢にしている。

豊四郎はつぢより酒が弱く、たちまち酔ってしまい、すると、いつもの癖であまえだした。

「ちょっと向うへゆこう。ちょっとだ」

つぢはかぶりを振った。

「たのむよ」と彼はしめっぽい声で云った、「ここで逢うのはこれっきりだからね、はなしがきまれば二人は看視されるし、式をあげるまでは逢えなくなるよ」

つぢはまた静かに首を振った。

「逢えなくなってもつぢは平気なのか」

「ほんの暫くの辛抱ですわ」

「私はだめだ、私は淋しくってがまんできそうもないよ」

「十月のあとは六十日もあいだがございましたわ」

「それとこれとは違うよ、いまはこうして逢っているんじゃないか、こうしてつぢを見ていて、これから逢えなくなるというのに、このままで別れるなんてひどいよ、ねえ」と彼はすり寄ってつぢの手をつかんだ、「長くとはいわない、ほんのちょっとでいいから向うへゆこう、ちょっとでいいんだ、たのむよ」

つぢは、躯が萎《な》えるように感じた。つかまれた手から痺《しび》れるような感覚が伝わってゆき、それが躯ぜんたいにひろがったうえ、芯《しん》のところで熱く凝固するように思えた。つぢは眼をつむり、豊四郎はすばやく立って、彼女をかかえ起こした。

——この家は名物は初茸《はつたけ》、しめじ、手作りの白豆腐、湯葉、芽うど、若鮎の煮浸しなどであるが、「松ノ間」からの眺めは、これらの珍味にもまして、絶景というにふさわしい。谷間から湧《わ》き上って来る谿流の音がつぢの耳には、雨でも降っているかのように聞えた。

「どうしたんだ」と彼が囁《ささや》いた、「ねえ、なんでもないのか」

つぢは答えなかった。

「まるで冴《さ》えているようじゃないか、つぢ、こっちまで冴えてしまうよ、平気なのか」

「水の音が雨のように聞えますわ」

「あのことを気にしているんだな、それでいけないんだ、忘れてしまわなくちゃだめだよ、これがこうして逢う最後じゃないか——さあ」

二

——伊田勘右衛門は書院番の頭《かしら》、家禄八百七十石、給人扶持《きゅうにんぶち》七十五石。妻ちよのほか、長男良一郎、その姉つぢの二子あり。屋敷は鳥御門外の辻《つじ》の西側にある。

観峡楼で豊四郎と別れたつぢは、いちど笈川村の万兵衛の家へ寄り、それから城下の屋敷へ帰った。そうして、中二日おいて、久野豊四郎の急死したことを知った。

明日は谷菅斎《たにかんさい》の稽古日で、題詠五首の宿題があった。菅斎は藩の和学の師範であり、西畑町に家塾をひらいていた。つぢは門中でも成績がよく、初級の者には代稽古をするくらいであるが、歌を詠むことは不得手で、そのときも宿題の五首に手をやいていた。すると午後の三時ころ、厩《うまや》のほうで馬を入れる物音がし、弟の良一郎の声が聞えた。――彼は十五歳になるが、去年の春から馬術の稽古を始め、ようやく面白くなったのだろう、今年になってからは稽古のあとでも、ひどく降りさえしなければ、毎日桜の馬場へでかけて、飽きずに馬を乗りまわすのであった。

良一郎は話しながらこっちへ来た。相手は家士の国利大作らしい、良一郎の声はせかせかして高く、言葉つきも昂奮《こうふん》していた。

「速駆けをしていたんだ、いっぱいに速駆けをしていて、急に手綱をしぼったんだ、どうしてあんなことをしたかわからない、私はこっちから見ていたんだけれど、まるでなにか眼の前へとびだしたように、いきなりぐっと、うしろへ反りながら手綱をしぼった、こんなふうにだ」彼は身ぶりをしたらしい、「――馬銜《はみ》が舌を断ち切ったかと思うくらいだった、それで、馬は棒立ちに三度はね、三度めに久野さんは放りだされた、そこへ岡野さんの馬が突っかけたんだよ」

「馬は決して人を踏まない筈ですがね」

「前肢《あし》と後肢で二度踏みつけたんだ、私は見ていたんだ、頭と胸をね、岡野さんは手綱をしぼったけれど、近すぎてどうにもならなかったらしい、頭もひどくやられたし、胸は肋骨《ろっこつ》を二本踏み砕かれたそうだよ」

つぢは筆を置いて立ち、窓の障子をあけた。そこは裏庭で、すぐ向うに竹藪《たけやぶ》があり、まだ黄ばんでいる竹藪の中に、咲き残った山椿《やまつばき》の花が点々と赤く見えた。障子をあけたとき、つぢの眼にはいったのはその椿の花で、「ああ、まだ花が残っているのだな」とつぢは思った。厩は竹藪のうしろにあるが、良一郎と国利大作は、藪の脇の井戸端で話していた。

窓があいたのに気づいて、良一郎が振返り、姉の顔を見るとすぐに、鞭《むち》を持ったまま走って来た。

「お姉さま、馬場で大変なことがあったんですよ」と彼はまだ荒い息をしながら云った、「久野さんが手綱さばきを誤って落馬して」

つぢは静かに遮《さえぎ》った、「もう少しゆっくり仰《おっ》しゃいな、久野さんとはどの久野さんですか」

「御一門の久野さんです、久野の豊四郎さんですよ」

つぢの胸にぎゅっと拳《こぶし》ほどのかたまりができ、それが喉《のど》へつきあげてきて、呼吸が止るように感じられた。

「おけがは、――」とつぢは吃《ども》った、「ひどいおけがをなすったんですか」

「ひどいどころですか、落馬したところをあとから来た馬に踏まれたんです、頭と胸と、すぐに医者を呼んだんですけれど、医者にも手がつけられなかったそうですよ」

「あなた側で見ていらしったの」

「医者が来てからのことは人に聞いたんです、戸板で家へはこんでゆきましたよ」

つぢは障子を閉めた。障子を閉めると、机の前へ戻る力もないように、そのまま窓際に坐った。

――伊田家の庭には古い紅梅が二株ある。池の畔《ほと》りにあるほうが親で樹齢三百年といわれ、勘右衛門の居間の外にあるほうはその子だと伝えられるが、これも樹齢は二百年あまりといわれる。

つぢはこみあげてくる吐きけを抑えるために、片手を畳について前屈《まえかが》みになった。呼吸は浅く、早く、とぎれがちになり、全身がふるふるとふるえた。春の午後の日光が、斜めにさすので、窓の障子が眩《まばゆ》いほど明るく、俯向《うつむ》いたつぢの血のけを失った横顔が、蒼白《あおじろ》くそうけ立ってみえた。——だが、心をきめるまでにさして刻《とき》はかからなかった。ほどなくつぢは立ちあがり、足音を忍ばせて中廊下を納戸へはいると、しっかりした手つきで着替えをした。居間へ戻って髪へ手をやり、それから弟の部屋をぬけて裏庭へ出た。

辻の裏道を鳥御門とは反対のほうへゆき、蔵人町《くろうどまち》から大手筋へ出て、またその裏道をお城のほうへいそいだ。宮町、馬場外、そこを右へ折れると大手二番町で、久野家の屋敷はその角地を占めており、表門は閉っていた。まだそんな時刻ではないので、ぴったりと閉めてある門扉《もんぴ》は、そのまま凶事のあったことを示しているように思えた。

つぢは門の番士に名を告げ、くぐり門を通って内玄関へいった。すぐ脇の供侍に、来客の供とみえる者が五六人おり、つぢが一人で来たのを訝《いぶか》るように見た。つぢは案内を乞い、夫人に会いたいと云って自分の名を告げた。すると、若い家士に代って、老女が出て来、丁寧ではあるが冷やかな態度で、「どういう用であろうか」と訊《き》いた。

「おめにかからなければ申上げられません」とつぢは答えた、「また、ぜひともおめにかからなければならないのです」

老女はさがってゆき、戻って来ると「どうぞ」と云った。通された客間は夫人専用であろう、襖《ふすま》の模様も華やかな色の千草で、床間には南画ふうの山水を掛け、水盤に松と山桜が活けてあった。縁側のほうは障子があけてあり、泉池を囲んで樹立の多い庭の一部が、傾いた陽をあびて明るく見えていた。

久野夫人がはいって来たとき、つぢは床間を見まもっていた。水盤に活けてある松と山桜とが、三日まえのことを思いださせたのである。久野夫人がそこへ坐るまで、憑《つ》かれたような眼で床間をみつめていたつぢは、夫人の坐るけはいで気がつき、赤くなりながら座をすべった。——久野きや女《じょ》は、侍女に茶を持たせて来、侍女はすぐに去らせて、自分でつぢに茶をすすめた。つぢは茶には手を出さず、夫人の眼をみつめながら、豊四郎の奇禍にみまいを述べ、容態を訊いた。

夫人は「死にました」と答えた。

つぢはしっかりしていた。硬《こわ》ばって、白く粉をふいたようにそうけ立った顔は、殆んど生きている人間のようにはみえなかったし、大きくみひらかれた眼は、まるで二つの暗い空洞のようであったが、それでも彼女はしっかりしていた。

つぢは静かに云った、「香をあげさせて頂けますでしょうか」

「まだその支度がしてありませんから」と云って、夫人は不審そうに訊いた、「失礼ですが、豊四郎となにか御縁があるのですか」

つぢの眼にとりすがるような色があらわれた、「あの方からお聞きになりませんでしたでしょうか」

夫人は黙ってゆっくりとかぶりを振った。

「つい三日まえ、――」とつぢは云った、「あの方はお母さまに話すと仰しゃっていました」

夫人は黙ってつぢを見ていた。吟味するようにではなく、珍しい物でも見るような眼つきであった。

「あの方は、豊四郎さまは、申上げた筈です」つぢはけんめいな口ぶりで云った、「まえからお母さまに話すと仰しゃっていましたし、こんどはお話し申さなければならないわけがあったのですから」

「わたくしはなにも聞いていませんけれど、そのわけというのはどういうことでしょうか」

つぢは唇をふるわせた。舌がつるようで、すぐには言葉が出なかった。しかしつぢは勇気をふるい起こした。自分の一生が左右される瞬間だと思い、少しも恥ずる必要はないと信じていたから、――さすがに顔はあげられなかったし、声も高くはなかったが、つぢは紛れのない調子で、「自分が豊四郎の子を身ごもって、いま三月になる」と云った。夫人はかなり長いこと黙っていて、それから、念を押すように訊き返した。

「それは本当のことですか」

つぢは「はい」と頷いた。

「わたくしにはとても、本当だとは思えませんね」と夫人が云った、「――あなたがお一人ここへみえ、御自分のお口からそう仰しゃる勇気には感心いたしますけれど、わたくしにはとうてい本当だとは信じられません」

「ええ、豊四郎さまから聞いていらっしゃらないとすれば、お信じになれないのが道理かもしれません、でも本当なのですから信じて頂かなければなりませんわ」

「ただ信じろと云われても困ります。なにか証拠になるような物でもお持ちですか」

「あの方に愛して頂いたということのほかには、なにもございません」

「それではただあなたのお言葉だけで、その子が豊四郎の胤《たね》だと、信じなければならないのですね」

　つぢは「はい」と頷いた。

「あなたの御両親は知っておいでですか」

「いいえ」

「ではほかに誰か、豊四郎とあなたのことを知っている方がいますか」

　つぢは「いいえ」とかぶりを振った。夫人はつぢを見まもっていたが、やがて、どこでどうして豊四郎と知りあったのか、と訊いた。

「御《お》側小姓《そばこしょう》の佐藤又兵衛という者を御存じでしょうか」とつぢが反問した。

「外三番町の佐藤どのなら、豊四郎のお友達だそうで、両三度ここへもみえた筈です」

「わたくしの母の縁辺に当りますので、小さいときからゆき来をしておりましたが、あの方とも佐藤でおめにかかったのが初めてでございます」

「それで、――その佐藤どのでも、あなた方のことを知らないのですか」

　つぢは「はい」と云った。

三

「おかしゅうございますね、豊四郎とは友達、あなたとは御親戚《しんせき》に当るというのに、それほど深くなっている仲を知らせないとは、――なにかわけでもあるのですか」

つぢは眼を伏せて「はい」と低く頷いた。

「聞かせて下さいますか」

つぢは少し考えていて云った、「いいえ、それは申上げられません」

夫人は溜息をついた。

「むりですね、いかにもむりです」と夫人は首を振りながら云った、「わたくしはあなたを存じあげないし、死んでしまった豊四郎に実否を糺《ただ》すこともできず、証人も、証拠になる物もなしでは、どうしようもないと思います」

つぢは眼を伏せたままで、顔をまっすぐにあげた。眼は伏せているが、その顔には恥じているようすもなく、もちろん臆した色もみえなかった。

「むだでしょうけれどいちおう主人に話してみますから、ちょっとお待ちになっていて下さい」

そう云って、久野夫人は立ちあがった。

――久野は先代の掃部源之《かもんもとゆき》から永代御一門にあげられている。家禄は千二百石。家臣から一門にあげられたのは久野だけで、それは掃部の父の修理亮《しゅりのすけ》が、先代の主君美濃守《みののかみ》則発のため、二十八歳で諫死《かんし》した功によるものである。一門に列したから、仕置《しおき》の席には就けないが、当代の摂津源継《もとつぐ》はにらみのきく人物で、藩侯さえ一目おくと評されている。妻きやとのあいだに、豊四郎、秀之丞《ひでのじょう》の二子があり、秀之丞は十九歳になっている。

つぢはしっかりと自分を支えていた。正坐した肩も胸も張っており、蒼白く硬ばった顔には、なにかに挑みかかるような色があらわれていた。膝《ひざ》の上に重ねてある手は、絶えずおそってくる震えを抑えるために力をこめているので、指の爪尖《つまさき》が白くなっていた。――久野摂津が妻といっしょにはいって来、上座へ坐ってつぢを見た。彼は五十三歳であるが、髪も眉もつやつやと濃く、肥えた重おもしい軀に、血色のいい膚をしていた。

「いや、名のるには及ばない」

つぢが挨拶しようとすると、摂津は首を振ってそう云った、「話は妻から聞いた、豊四郎はしまりのないばか者で、これまでも幾たびか不始末があった、したがってそなたの云うことは事実かもしれぬ、たとえば事実だとして、そなたはどうせよというのか」

つぢは答えに困った。どうしてもらおうという気持があって来たのではない、そんなことは考えてもいなかったので、ちょっと言葉に詰ったが、摂津が「なにが望みだ」とたたみかけると、しっかりした声で云った。

「おなかの子が無事に生れましたら、豊四郎さまのお子として、引取って頂きたいと存じます」

「ばかなことを」と摂津が云った、「たとえそれが事実だったにせよ、親に隠れて密通するような者の子を、孫だなどと認めることができるか、そんなばかなことは考えるだけむだだ、ほかのことで望みがあったら聞こう」

つぢは頭を垂れた。

「金が入用であろう、金は入用なだけ申すがいい」

つぢは黙っていて、やがて顔をあげ、摂津の眼をみつめながら云った。

「いいえ、そのほかにお頼み申すことはございません」

「意地を張ると後悔するぞ」

「ほかに望みはございません」とつぢは云った、「ただひとこと申上げたいことがございます、——いま豊四郎さまのことを、しまりのないばか者と仰しゃいました」

「そのうえに臆病者だ」

「あの方はしまりのないばか者でもなし、臆病者でもございません、そうみえたとすれば、あの方の御性分をよく理解していらっしゃらなかっただけです」

「彼の性分がどうだというのだ」

「また、——」とつぢは構わずに続けた、「密通という言葉をお使いになりましたが、これもお返し申します、言葉ぐらいと仰せかもしれませんが、使いようによっては言葉だけで人を殺す場合もございます」つぢの声はふるえた、「——豊四郎さまとわたくしは密通などは致しません。決して、密通などというものではございませんでした、これだけははっきり申上げておきます」

そこでつぢは口をつぐみ、静かに辞儀をして、「これで失礼いたします」と云った。

摂津は黙って坐ってい、久野夫人が内玄関まで送って来た。夫人は低い声で、なにか自分にしてあげられることはないかと訊いた。つぢは声が出なかったので、そっとかぶりを振った。夫人は気遣わしそうな眼でみつめながら、これからどうするつもりかと云った。

「わかりません」とつぢが答えた。

「でもまさか、無分別なことをなさりはしないでしょうね」

「いまわかることは」とつぢが云った、「——このお子を無事に産み、丈夫な、いいお子に育てるということだけです」

そして、会釈をして外へ出ていった。

つぢはまだしっかりしていた。軀はぐんなりと力がぬけるように感じたが、気持はこれまでにないほどしっかりと、充実し緊張していた。陽はもう沈んだが、空には残照で明るい雲があり、それがつぢの緊張した顔へ、まるで生気をとり戻しでもしたような、赤い反映を投げかけた。

家ではつぢを捜していたようで、すぐ母に呼ばれ、「どこへいっていたのか」と訊かれた。つぢは無断で外出したことをあやまったが、どこへいったかは答えなかった。そうして夕餉《ゆうげ》が済み、父や弟が寝間へ去ってから、母に向って「自分が身ごもっている」ということをうちあけた。母親のちえは訊き返し、笑いだしそうな眼で娘の顔をみつめたが、娘が冗談を云っているのではないと気づくなり、「あ」と口をあけ、その口を手で押えながら立ちあがると、うろたえたようすでその部屋から出ていった。——父の寝間へゆくのであろう、つぢは呼びとめようとした。父に話すまえに母と相談したかったのであるが、良人《おっと》の疳癖《かんぺき》を極端におそれているちえは、娘の相談にのるより、まず良人の怒りを想像し、のぼせあがってしまったのである。

「いまに始まったことではない」とつぢは眼をつむって呟《つぶや》いた、「お母さまはいつもこうなのだ、お父さまの機嫌に障らないように、怒らせないようにと、絶えずはらはらしている、昼も夜も、お父さまを怒らせまいとするだけで精いっぱいなのだ」

「つぢさん、大丈夫、——」と眼をつむったままつぢは自分に問い、自分に答えた、「大丈夫よ、あたし母になるんですもの」

　母が戻って来て、恐怖におそわれたような表情で、「お父さまがお呼びです」と云った。起きて居間にいるというので、つぢは立ちあがって廊下へ出たが、母はついて来ようとしなかった。

　勘右衛門は火のない手焙《てあぶり》を脇に、白けた顔で坐っていた。彼は四十三歳になる、書院番頭という役を誇りにし、役目に失態がないようにと努めるほかには、微塵《みじん》も気持にゆとりのない人であった。

「仔細《しさい》を聞こう」と彼は静かに云った、「おちついて、よくわかるように話せ」

　いきなり喚きだすと思ったので、つぢはちょっと戸惑いをした。勘右衛門はやはり静かに訊いた。

「身ごもったことはわかった、相手は誰だ」

　つぢは答えなかった。

「相手の名を聞こう、誰だ」

「申せません」とつぢが云った。

「なぜ云えない、名も云えないような男か」

「その方が亡くなったからです」

勘右衛門の手が膝の上でふるえた。

「嘘ではないだろうな」

つぢは「はい」と頷いた。勘右衛門は五拍子ほど黙っていて、やがてまた訊いた。

「おまえには佐藤又兵衛という許婚者《いいなずけ》がある、佐藤のほうはどうするのだ」

つぢは俯向《うつむ》いて、もしよければ自分からあやまる、と答えた。

「親はないも同然だな」と彼は云った、「親に隠れて男をつくり、許婚者への詫《わ》びも自分でする、おまえには親など有ってなきも同然らしい、——それもよかろう、だが、自分をどうする、自分の始末をどうするつもりだ」

つぢは答えなかった。そこで初めて、勘右衛門がどなりだした。

——伊田家の親子紅梅には、毎年どこよりも早く鶯《うぐいす》が来るといわれ、その季節には観梅を兼ねて鶯を聞きに来る客が多い。春のなかばになると、鶯は裏の竹藪に移り、そこに巣でもかけるのか、初夏のころまで鳴いているのであった。勘右衛門は娘に短刀をつきつけて、「自害しろ」と喚いた。

「世間にも御先祖にも申し訳が立たぬ。おれは御役を辞して頭をまるめる、おまえも武士の娘なら生きてはいられまい」と彼はふるえながら叫んだ、「——これで自害しろ、おれが見届けてやるからここで自害しろ」

勘右衛門は自分の膝を打った。

「そんなみだらな者を生かしてはおけぬ、自害しなければおれが手にかけるぞ」

「自害は致しません」とつぢが云った、「わたくしはみだらなことをしたのではありません。その方との仲はしんじつだったのです、その方が亡くなりさえしなければ、しんじつだということがわかって頂けたのです」

「黙れ、そんなことは申し訳にならぬ、自害するかおれが手にかけるか、道は二つだ、おれが手にかけようか」

そこへ母が来た。襖の向うで聞いていたのだろう、泣きながらはいって来て、おろおろと二人のあいだに坐った。

四

つぢは笈川村の万兵衛の家に預けられた。

そこは勘右衛門の乳母の里で、乳母のおたつはもう亡くなっていたが、その孫に当る太助が伊田家で下男をしており、律義な当主の万兵衛は、伊田家の二代相恩の主人、と思っているようであった。――つぢも弟の良一郎も、幼いころからよく訪ねてゆき、山狩り、摘草《つみくさ》、水泳ぎなどをして遊んだものだ。万兵衛はもう四十五歳になり、妻のおことは一つ年上で、太助、丈吉、おきみ、と三人の子がある。二十一になる太助は伊田家に奉公してい、十九になる丈吉と、十七歳のおきみとが、親たちと共に一町歩あまりの田畠《たはた》を耕していた。

つぢは亡くなった乳母の隠居所へはいった。それは別棟になった六帖《じょう》と二帖の建物で、少し高くなっている敷地の、端のほうにあり、田圃《たんぼ》や雑木林の向うに、法師峡へゆく道と、法師川の流れが見えた。川は少し上のところで、東から流れて来る枝川と合流しており、法師川は北へのびて、地蔵嶽の谷間へと消えている。これらの景色は、隠居所の六帖に坐っていて眺めることができた。

家族の人たちはつぢに冷淡であった。

勘右衛門からも「構うな」ときびしく云われたようだが、親の許さない者の子を身ごもっている、ということで、律義な万兵衛はすっかり肚を立て、つぢのために自分で恥じていた。三度の食事と風呂のとき以外は、誰も隠居所へ近よろうとしないし、特に丈吉とおきみとは口もきかなかった。——食事や風呂の世話はおことがしてくれるのだが、これも万兵衛に云い含められたとみえて、必要なことだけするとすぐに去り、こちらから話しかける隙も与えなかった。

つぢにはそのほうがよかった。なまじ同情されたり、諄《くど》くわけを訊かれたりするよりも、独りでそっとしておかれるほうがおちつくし、気持も紊《みだ》されずに済むからである、笈川村へ移って半月ほど経ったとき、つぢは「昌福寺までいって来たい」と万兵衛に告げた。万兵衛はいい顔をしなかったが、「お祖母さまの戒名をもらってくるのだ」と云うと、しぶしぶ承知をし、おことを供に付けてくれた。

昌福寺は浪江《なみえ》村にある菩提寺《ぼだいじ》で、つぢは住職に会い、祖母の位牌《いはい》を作ってもらった。そして帰って来ると、半紙に豊四郎の俗名と年を書き、その位牌の裏に貼付《はりつ》けた。三尺のひらきを片づけ、おことの持って来てくれた、古い仏具を並べて位牌を安置すると、どうやら仏壇らしくなった。つぢはそれから朝と夕方には、欠かさず燈明と線香をあげ、四半刻《とき》ほど経を読むのを日課にした。

「人に訊かれると嘘は云えませんから、あまり外へ出ないようにして下さい」

万兵衛にそう云われたが、おなかの子のためにも、動かずにいては悪いと思うし、つぢ自身は少しも恥じる気持がないので、日に一度は歩きにでかけた。恥じる気持はなかった、つぢはいつも額をあげていたし、はっきりとものを云った。それで万兵衛はますます肚を立てるようだったが、つぢは少しもめげなかった。

七月になった或る日、――つぢが縫い物をしていると、縁先に静かに近よって来る者があった。見ると、それは佐藤又兵衛であった。

「十日ほどまえに江戸から帰りました」と又兵衛が云った、「ぐあいはどうです」

つぢはしっかりと彼を見あげた、「失礼ですけれど、あがって頂くわけにはまいりませんのよ」

「なに、此処《ここ》で充分です」

又兵衛は濡縁に腰を掛けた。笠を脇に置き、手拭を出して汗を拭き、そうして向うの景色を眺めながら、「これはいいところだ」と呟いた。彼の役は側小姓で、一昨年の夏、藩主の供をして江戸へいった。それからまる二年経っているが、まるで昨日別れた人のように、姿にも態度にも、変ったところはみえなかった。

「ここなら城下にいるよりずっとましだ、からだのためにもいいでしょう」と彼は向うを見たままで云った、「――ずっと順調ですか」

「どうぞ、その話はなさらないで下さい」

「その話をしに来たんですよ」と彼は穏やかに云った、「五年まえから許婚者だったことはべつとして、幼な馴染《なじみ》というだけでもいい、おつうさんはまえには、私のことをこんなときの相談相手と思っていたのではなかったかな」

つぢは縫い物を置いてうなだれた。

「じつを云うと、こんどのことについては、私も責任を感じているんです」

「あなたが、――」とつぢは眼をあげた。

又兵衛が云った、「相手は久野豊四郎、そうでしょう」

「お名前は申せません」

「そう云いとおしたそうですね、お父上には理解できなかったようだし、誰にもできることではないだろうが、私はいかにもおつうさんらしいと思った、しかし」と彼は静かに振返った、「――あんなだらしのない甘ったれを、どうしておつうさんが好きになったか、それが私にはわからない、いったいどうしたんです、どんなきっかけでそんなことになったんですか」

つぢはまたうなだれて、そのまえに訊くが、あなたはどうしてあの方だとわかったのか、と反問した。又兵衛は片手をあげて、その手をまた膝へおろしながら、「責任を感じるというのはそこなのだ」と云った。

「家でおつうさんと会うたびに、彼の態度や言葉つきが違ってくる、おつうさんのことを私に話す口ぶりまで、がまんのならぬほど甘ったるくなり、それを隠そうという神経さえなくなってきた、私はよほど出入りを断わろうと思ったのだが、おつうさんの気性を知っていたから、そんな必要もあるまいと、放っておいたのです」

つぢはうなだれていた顔をあげ、向うの法師川のほうへ眼をやりながら、「あの方は可哀そうな方でした」と呟くように云った。

「あなたは黙って坐っていらっしゃるだけで、みんなに注目され、みんなを惹《ひ》きつける力をもっていらっしゃる」

又兵衛は「おう」と首を振り、つぢは静かに続けた、「けれどもあの方は違います、いっしょ懸命に座興をつとめたり、機嫌をとったりしなければ、誰にも認めてもらえませんし、認めてもらってもすぐに忘れられてしまいます、――わたくしは外三番町のお家で、それをずいぶんたびたび見ておりました、あの方が人の注意を集めるために、汗をかいて座興をつとめる姿も、せっかく注意を集めたのにすぐ忘れられて、しょんぼりと坐っている姿も、……お気の毒で、可哀そうで、だんだんとそのままに見すごすことができなくなったのです」

又兵衛はつぢの顔を見たが、なにも云わずつぢはなお続けた、「――あなたがずっと友達づきあいをなすっていたのも、おそらくわたくしと同じ気持だったでしょう。友達づきあいをなすっているあなたも、だらしのない甘ったれなどと仰しゃるし、あの方のお父さまでさえ、しまりのないばか者だと仰しゃいました」

「あの親は子の才分を知っていましたよ」

「わたくしは可哀そうで見ていられなくなりました」

「彼はそこへつけこんだのだ」と又兵衛が云った。

「いいえ違います、わたくしのほうであの方のお力になってあげたかったのです」とつぢは云い返した、「わたくしが側にいれば、あの方に自信をもたせてあげ、力も付けてあげられると思ったのです、それで」

又兵衛は手をあげた、「わかりました、もう結構です」

「誤ったとすればわたくし自身で、あの方にはなんの責任もございません、これだけは申上げておきます」

「なまいきなことを云いますね」と又兵衛が云った、「――しかしまあいい、その話はもう充分です」

そして彼は立ちあがり、裏のほうへ去っていった。裏の崖《がけ》に泉がある、そこで顔を洗ったのだろう、ほどなく、濡れ手拭で衿《えり》を拭きながら戻って来た。

「さてそこで、――」と彼はまた濡縁に腰をかけて云った、「これからの問題だが、このさきいったいどうするつもりです」

「はっきり申上げることはできませんけれど、お産が済みましたら、ここで寺子屋のようなことでもして、子供を育ててゆきたいと思います」

又兵衛は頷いた。それから、ふとつぢの顔をみつめながら、「当ててみようかな」と云った。

「おつうさんの気持の中には、もう彼の姿など残ってはいないでしょう」

つぢはあっけにとられたような眼で、又兵衛を見あげた。又兵衛は唇に微笑をうかべ、笠を取って立ちあがった。

「その返辞は聞くには及びません」と彼は云った、「今日はこれで帰ります」

つぢは慌てたように云った、「どうぞお願いですから、もうここへはおいでにならないで下さいまし」

「いや、ときどき来ますよ」

そう云って、又兵衛は会釈をし、もういちど景色を褒めてから、静かに去っていった。

——この土地は冬が早く、十月にはいると山に雪が積り、それが一日ごとに里のほうへのびて来て、十一月には見る限り白一色に掩《おお》われてしまう。そうして法師川の流れだけがあるときは紺《こん》青《じょう》に、あるときは黒く、また鋼色《はがねいろ》にきらめきながら、決して凍ることなく、せせらぎの音をひびかせるのであった。

つぢは十一月の初めに男の子を産んだ。

予定より十日ほどおくれたが、初産《ういざん》にしては軽かったし、子供もよく肥えていて大きく、目方の重いのに産婆をおどろかせた。——おそらく又兵衛の好意であろう、七夜《しちや》にはみごとな鯛《たい》と酒が届いたので、子供の枕もとに祝いの膳を据え、つぢが自分で「吉松《よしまつ》」と名を付けた。それは豊四郎の幼名であった。

五

又兵衛は月に一度ぐらいの割で訊《たず》ねて来、いつも濡縁にかけたまま、半刻ほど話して帰った、断わっても相手にしないし、又兵衛が来はじめてから、万兵衛の態度も少しずつなごやかになるようすなので、しいて「来てくれるな」とも云わなかったが、十月に来たあと、年があけるまで姿をみせなかった。

実家からは毎月の仕送りをして来るだけで、母はもちろん、弟の良一郎も訪ねては来なかった。もちろん父に厳禁されているのだろうし、つぢも来てもらいたいとは思わなかったが、正月の七草が過ぎてから、久方ぶりに又兵衛があらわれ、いっしょに良一郎が来たのを見ると、口をきくより先に涙がこぼれた。――一年足らずのあいだに、驚くほど良一郎は背丈が伸び、顔つきもずっと大人びてみえた。

「今日は良さんがいっしょだから、上へあがらせてもらいますよ」と又兵衛が云った。

二人は雪沓《ゆきぐつ》をぬいであがり、炉端へ坐るまえに、寝かしてある子供を、覗きにいった。

「大きな若旦那だ、お手柄ですね」と又兵衛が手を伸ばしながら云った、「――ひとつ抱かせてもらいますかな」

「どうぞあとで」とつぢがいそいでとめた、「いま起こすとむずかって困りますから、どうぞ、――良さんもこちらへ来ておあたりなさいな」二人は炉端へ来て坐った。

「おみまいにも来なく申し訳ありません」と良一郎は手をついて辞儀をした、「――隠れて来ようと思ったんですけれど、お母さまがあんまり心配なさるものだから」

「わかっています、良さんの来られないことはよくわかっていましたよ、それよりもわたくしのことで、お友達などにいやなおもいをさせられはしませんでしたか」

「いいえ」と良一郎は首を振った。

「そんな話はやめだ」と又兵衛が遮った、「じつは今日はお別れに来たんですよ」

つぢはどきっとしたようであった。

「殿さまの参観《さんきん》が繰りあがりましてね、二月はじめに出府ときまったんです、そうなると多忙で出られなくなりますからね、良さんをさそってやって来たわけです」

「王子八幡へ参詣《さんけい》すると云って来たんです」と良一郎が云った、「私もそうだと思ったものだから、浪江村をこっちへ曲ったときは吃驚《びっくり》してしまいました」

「そういうわけで長居はできないんです、若旦那を抱いたらすぐに帰りたいんだが」と云って、又兵衛は枕屏風のほうを伸びあがって見た、「まだ起きそうもありませんな」

つぢは二人から眼をそむけ、なにも御馳走ができないから餅でも焼きましょう、と云って立とうとしたが、そのときふと思いだして、「お七夜には結構なものを——」と又兵衛に礼を述べた。又兵衛は「いや」と云いかけたが、そのままあいまいに口を濁した。

つぢの焼く餅を、健啖《けんたん》に喰《た》べながら、又兵衛と良一郎は半刻あまり話していった。なにを話していたか、つぢは殆んど覚えていない。又兵衛が江戸へいってしまうこと、一年の余も会えなくなるということで胸がいっぱいになり、いくら気持を引立てようとしても、寒ざむとした心ぼそさから、どうしてもぬけ出ることができなかった。

「ではまた来年の夏、——」と雪沓をはいてから、又兵衛が云った、「坊やを抱けなかった事は残念だったと、よくそう云っておいて下さい」

つぢは「はい」と云って深くうなだれた。

「お母さんになってからやさしくなりましたね」と又兵衛が云った、「そのほうがおつうさんに似あわしい、別れにはこのうえもない餞別《せんべつ》です、ではこれで」

つぢは黙って低頭した。良一郎の挨拶にも答えられなかった。喉が詰ったようになって声が出ず、涙がこぼれそうで、顔をあげることもできなかったのである。それから、六帖の端へ出てゆき、丘を下って遠ざかる二人を見送りながら、つぢは歯をくいしばって嗚咽《おえつ》した。

二月の下旬になって、江戸から又兵衛の手紙が来た。無事に着いたことと、こちらの消息を問うだけの、ごく短いものだったが、つぢには胸のときめくほど嬉しかった。幾たびも読み返したのち、じっとしていられなくなり、吉松を抱いて法師川まで歩きに出た。

法師川は雪解けの水でふくらみ、水際にはびっしりと、みずみずしく芹《せり》が伸びていた。朝の陽を浴びた河原は暖かく、猫柳はもう葉になっていた。つぢはあやされるような気分になり、少女のころを思いだしながら、吉松を河原に坐らせて、芹を摘み、蓬《よもぎ》を摘んだ。

――一刻ちかくも遊んだであろう。吉松がむずかり始め、眠る時刻だと気づいたので、つぢは芹と蓬を持って家へ帰った。

母屋へ寄って、摘んだ物をおことに渡すとおことが声をひそめて、「お客さまです」と囁いた。つぢはけげんそうな眼をし、おことはさらに「久野さまという方です」と告げた。つぢは反射的に吉松を抱き緊めた。

「うちの人がお相手に出ています。お待ちかねのようですからすぐいらしって下さい」

つぢの顔は蒼ざめたが、しっかりした歩きぶりで隠居所へゆき、濡縁の所で立停った。六帖に久野摂津と夫人のきや女がおり、万兵衛は二帖のほうにかしこまっていたが、つぢが来たのを見ると、すぐに立って出ていった。つぢは黙って立っていた。

「お留守に邪魔をしていました」と夫人が云った、「こちらへあがって下さい」「孫を見に来たのだ、それが吉松か」と摂津が云った。

　孫という言葉が、つぢの胸を刺し貫くようにひびいた。その率直なひと言は、どんな弁明よりはっきりと、夫妻の気持をあらわしていたし、つぢの気負いを挫《くじ》けさせた。つぢが六帖へあがると、夫人がすぐに吉松へ手を出した。吉松はふしぎそうな顔をしたが、泣かずにおとなしく抱かれた。

「こっちへよこせ」と摂津が云った。

　こらえ性もなくせきたて、奪うように抱き取ると、「これは重いこれは重い」と云いながら、乱暴に揺りあげ揺りあげし、吉松はびっくりして泣きだした。つぢは「もう眠る時刻なのです」と云い、自分のほうへ受取って、二人に会釈しながら乳を含ませた。

「今日は孫に会うかたがた、おまえを迎えに来た」と摂津が云った、「おれは先に帰るから、詳しいことはこれに聞いてくれ、おまえは久野の嫁だ、久野の嫁として恥ずかしくないことを、おまえは自分で証明した、――おれの口からはこれだけしか云えない、肚の立つこともあるだろうが、こっちにも仔細《しさい》があったのだ、よくわけを聞いて、納得したら久野へ来てくれ、そのとき改めて謝罪をしよう」

　そして「待っているぞ」と云うと、さっさと立って出ていった。夫人が「そのまま」という手まねをしたので、つぢは送りには立たなかった。

「つぢさん、堪忍して下さい、あのときはあのような挨拶しかできなかったのです」と夫人は静かに云いだした、「――いまだからうちあけますが、わたくしはあなたのことを聞いていました」

つぢは屹《きっ》と夫人を見た。

「あなたと法師峡へいって帰った晩に、初めてあれが話したのです、わたくしは主人に相談しましたが、主人はうけつけませんでした、――豊四郎のような人間にろくな女がみつかる筈はない、おそらく金でもめあてだろう」夫人はちょっと頭を垂れた、「――ごめんなさい、これは主人だけでなく、わたくしもそう思ったことなのです、ですからあなたがいらしったとき、お人柄があまりに違うので、主人にそう話したのです」

摂津も自分で会ってみて、つぢが想像したような女でないことを認めた。しかし、それだけで嫁と認めるわけにはいかなかった。生れて来る子が男なら、久野の跡継ぎになる。その子の母としての資格があるかないかは、慥《たし》かめてみなければならない。そう考えた結果、あのように無情なあしらいをしたのだ、と夫人は云った。

「人間が人間をためすなどとは、まことに卑しいふるまいですけれど、豊四郎があのような性分であり、あなたという方を少しも存じあげなかったのですから、やむを得なかったと思って堪忍して下さい」夫人はそこで頭を垂れ、両手の指で眼を押えた、「――あなたが家へいらしって、主人に言葉返しをなすった、豊四郎がしまりのないばか者でもなし、臆病者でもない、いまでも覚えています、あのときわたくしは嬉しくって、……それから、その仏壇にある位牌、俗名久野豊四郎と書いてあるのを見て、主人もわたくしも」

つぎはそっと立ちあがった。吉松が眠ったのである、納戸をあけて夜具を出し、枕屏風をまわして、子供を寐《ね》かしつけながら、つぎはじっと眼をつむった。

「わたくし共があなたのことを知ったのは、ある方のおかげです」と夫人は湿った声で続けた、「あなたに許婚者がいらしったことも、豊四郎とそういう仲になったお気持も、御両親に責められながら、とうとう久野の名を出さなかったことも、そうして、こちらへ来てからの少しも悪びれない、凜《りん》としたお暮しぶりも、みんなその方からうかがいました」

つぎはぎゅっと、つむった眼に力をいれた、そうだ、とつぎは思った。

——この子が生れたことも、お七夜がいつだということもその人が知らせたのだ、あの祝いの鯛と酒は、その人の知らせで久野から届けて来たのだ。

つぎはそう気づいて、眼の裏にその人の顔を思い描いた。

「久野へ来て下さい、来てくれますね、つぎさん」と夫人がまた云った、「乳母も雇ってあります、久野へ来て、久野のむすめになって下さい、長くとは云いません、一年もいて下さればいい、——そのあとを云いましょうか」

つぎは「いいえ」と云った。自分に向って頬笑みかける人の顔が、見えるように思えたからだ。

夫人は立っていって、三尺のひらきをあけ、燧石《ひうち》を打って燈明と線香をあげた。

「豊四郎は運の悪い生れつきだったけれど、あなたという方にめぐりあえて仕合せでした」と夫人が云った、「これからはあなたが仕合せになる番ですよ」

(「オール読物」昭和三十二年三月号)

町奉行日記

一

辛酉《かのととり》の年　十二月十日

本日、奉行職新井甚左衛門《じんざえもん》どのが、病弱という理由で辞任され、後任のきまるまで、助役《すけやく》の斧《おの》田《だ》又五郎が代理を仰せつけられた、(以下七項目を略す、筆者)当番書役《かきやく》、中井勝之助。

同十二月二十日

(第一より第四項目までを略す、筆者)

本日、城中において老臣衆の寄合《よりあい》あり、後任町奉行について合議のうえ、江戸邸《やしき》へ使者が向けられた。使者は使番《つかいばん》の大下五郎兵衛であった。当番書役、市川六左衛門。

同十二月二十一日

昨夜九時、江戸から急使が到着した。使者の名は未詳。

本日、奉行職代理の斧田又五郎どのはその役を解かれ、佐藤帯刀《たてわき》どのが代理を兼ねられることになった。佐藤どのは寄合役肝入《きもいり》である。(以下二項目を略す、筆者)当番書役、中井勝之助。

——書役私記「昨夜半より国老《こくろう》出石図書《いでいしずしょ》どの別宅にて老臣衆の寄合があった。江戸邸からの急使に関する評定と思われる。寄合は暁に至って散会したという。今月十日、新井どのが辞任されるまで、今年は三人も町奉行が辞任した。御当代になってから一年、御仕置《おしおき》の御一新によって、家中《かちゅう》にとかく不穏の気がただようようになり、血気の若侍などにはひそかに過激な行動を企てる者ありという評も聞く。一日も早く、こういう情勢がしずまるように祈るばかりである」中井勝之助。

壬戌《みずのえいぬ》の年　正月七日

本日、新任奉行職の通達があった。江戸邸の望月《もちづき》小平太どのという。年寄役武右衛門《たけえもん》どのの長男で年は二十六歳。小姓頭《こしょうがしら》から上意によって町奉行に仰せつけられたということである。着任まで佐藤どのの代理に変りはない。（以下七項目を略す、筆者）当番書役、中井勝之助。

同正月十九日

新任の町奉行は本日着任の筈である。助役三人の内、小島金之助どのは解任、代って田中猪之助《いのすけ》どのが助役に仰せつけられた。田中どのはこれまで書院番であった。（以下五項目を略す、筆者）当番書役、市川六左衛門。

同正月二十三日

新任町奉行はまだ着任しない。途中で故障があったものと推察され、大目付から迎えの者が三名出された。大目付の堀郷之助どのは、新任奉行と在府ちゅうの旧友だと伝えられる。佐藤どのの代理に変りはない。(以下二項目を略す、筆者)当番書役、中井勝之助。

同正月二十七日

新任町奉行はまだ着任しない。

本日当役所において、佐藤帯刀どのと大目付の堀郷之助どのと会談された。新任町奉行の到着がおくれていることについての談合であった。(以下三項目を略す、筆者)当番書役、中井勝之助。

——書役私記「新任町奉行の望月小平太どのは、江戸邸でも悪評の高い人物だといわれる。武芸には長じているそうだが、行状は放埒《ほうらつ》を極め、『着ながし』なんとやらという仇名《あだな》もあるとのことで、家中の一部には反感をいだく者があり、特に徒士《かち》組の激派にその動きが強いようである。評の真偽はつまびらかではない」中井勝之助。

二

望月小平太は手酌で飲みながら、安川雄之介が読み終るのを待っていた。小平太は二十六歳、寝衣《ねまき》のままで、脇には夜具が敷いてあり、その枕許《まくらもと》には女の櫛《くし》が落ちている。安川のほうからは見えないが、小平太の顔にはそんなことを気にしているようすはまったくなかった。安川雄之介は二十五歳で、役目は徒士目付、小平太より年は下であるが、風貌《ふうぼう》は二三歳も上にみえた。

「うん、だいたいこんなところだ」と云って、安川は読んでいた調書を膝《ひざ》の上に置いた、「僅かなあいだによく調べあげたな」
「おれじゃあない」と小平太が云った、「堀が調べたのを整理しただけだ」
安川の眼が不審そうな色を湛《たた》えた、「――堀とは、堀郷之助か」
「ああ大目付だ、飲まないか」
「飲まない」安川は首を振って云った、「誰に限らず、私以外に人とかかわりを持つのは危険だと云った筈だ」
「堀も同じようなことを云っていたよ、彼は江戸にいたときからの旧友なんでね」
安川は膝の上の調書を見た、「――旧友というのは事実なのか」
「彼は横井義兵衛という番頭《ばんがしら》の次男で、おれより年は二つ上だろう、少年時代いっしょにやわらをやったし、それからもかなり親しくつきあっていた」小平太は手酌で飲んだ、「うん、もう八年になるかな、彼は二十歳のとき堀家へ養子にはいってこっちへ来たが、それまでずっとつきあっていたんだ」
それから安川を見て訊《き》いた、「堀郷之助に疑わしいことでもあるのか」
「そんなことはない、堀は家中の評判もいいし、大目付としては近年にない人物だといわれている、だが、――」と安川はちょっとためらってから云った、「腑《ふ》におちないことが一つあるんだ」
「おれに関係のあることとか」
「望月が町奉行に仰せつけられると、まもなく家中に悪評が広まった、行状が放埒無頼でまことに好ましくないという、そのため望月が来たら一と泡《あわ》吹かせようなどと、いきまいている者さえある」と云って安川は少し声を低くした、「それが、――その噂《うわさ》を広めたのが、どうも堀ではないかと思われるふしがあるんだ」

「堀だよ」と小平太がむぞうさに云った、「おれがそうするように彼に頼んだんだ」

安川は上躰《じょうたい》を伸ばした、「それはどういうことだ」

「仕事がやりいいからさ」

「家中の者に反感を持たれることがか」

「仕事の性質がそういうものなんだ」

「どういう意味だ」

「安川だってまさか、おれの仕事が国許ぜんたいから歓迎されると思ってるわけじゃあないだろう」と云って彼はまた自分の盃《さかずき》に酒を注いだ、「――その調書を見てもわかるとおり、毒はずいぶん広範囲にわたっている、これはなまぬるい手段ではどうしようもない、おれはおれ一人の思案でやるつもりだし、殿からもその許しを得ているが、それにはかなり桁外《けたはず》れな行動が伴うだろう、したがって、優秀な町奉行を期待されたり、よけいな好意を持たれたりすることは迷惑だ、むしろ初めから悪評され反感を持たれるほうが、仕事がやりいいというわけさ」

安川雄之介は口の中で「桁外れ」と呟《つぶや》いてから、屹《きっ》と小平太の眼をみつめた。

「おれが来たとき」と安川は云った、「この部屋から出ていった女はなに者だ」

「女だって」と小平太は首をかしげた、「――女、ああ、それならこの宿の女中だろう」

「女中が寝衣で客の部屋へ来るのか」

「気がつかなかったな」小平太は酒を飲んだ、「寝衣だったのか」

「云っておくが、家中の空気は望月が考えているより悪いぞ」と安川は云った、「徒士組の若い者の中には、暴力をふるう者があるかもしれないんだ」

「徒士組なら安川の支配だろう」

「一人どうにもならないやつがいるんだ、柾木《まさき》剛といって武芸も達者だし力があって、おまけに徹底した正義漢だ」

「おまけのほうは苦手だな」

「去年の春ころから、彼を中心に徒士組の若い連中が二十人ばかり集まって、健士組というのを作った、むろん徒党は禁じられているが、武芸練習というのが名目だし、実際にも稽古を励んでいるため、そのまま黙認のかたちになっている、問題はこの連中だ」安川はそこでなにごとかを示すように片手を振った、「――江戸と違って城下町は狭い、特に女との関係はすぐ評判になるから、その点を心得ていないと、すぐにも健士組と面倒なことが起こるぞ」

「安川は江戸詰のときから苦労性だった、いつもおれが女のことで失敗しやあしないかって、そればかり気に病んでいたが、いちどもそんなことはなかったじゃないか」

「さっきの女はなに者だ」

「この宿の女中だと云ったろう、諄《くど》いことはよしてくれ」と小平太は云った、「それより訊いておきたいことが二三ある、おれの住居はきまっているのか」

「奉行所に付属している家だ」

「昼夜とも自由に出入りができるか」

安川雄之介は小平太をにらんだ、「そんな必要があるのか」

「どんな必要があるかわからないさ」と云って彼は安川の眼に気がついた、「——おい、そんなふうに睨《にら》むな、おまえそんなにおれが信用できないのか」

「次に知りたいことを聞こう」

「よしておこう」と小平太が云った、「おまえまた誤解して怒りそうだから」

安川雄之介は黙っていた。

「せんかたなし」と小平太が云った、「二つは省いて最後だけ訊こう、安川との連絡はどこでするんだ」

「城下から西へ一里いったところに、荒浜といって小さな港町がある」と安川が答えた、「そこにながめという旅館がある、これはおれの家に勤めていた杢兵衛《もくべえ》という者が経営している店で、家中《かちゅう》の者は出入りをしないから、必要なときにはそこで会うことにしよう」

「荒浜という港町のながめだな」小平太は盃を口へ持ってゆきながら、横眼で安川の顔を見た、「——女中はみんな筋骨逞《たくま》しい漁師の娘かなんかだろうな」

「心配するな」と安川が云った、「女中などは一人もいないから」

小平太は唇を歪《ゆが》め、その歪めた唇の隅で「この唐変木」というようなことを呟いた。

「なんだって」と安川が訊き返した。

「眠くなったと云ったんだ」小平太は盃を置いた、「用はもう済んだんだろう」

安川雄之介はうしろへさがり、両手を突いて辞儀をした、「ではこれで失礼いたします」
「よかろう」小平太は頷《うなず》いた、「気をつけて帰れ」
「望月さまもどうぞ」と安川が云った。

三

壬戌の年　正月三十日
本日、新任町奉行の望月小平太どのが着任された。望月どのは役所へは出仕されず、住居において、奉行職代理の佐藤帯刀どのと対面、事務の引継ぎをおこなわれた。（以下三項目を略す、筆者）当番書役、市川六左衛門。

同二月二日
望月どのは今日も出仕されなかった。明日十時、城中において御評定があるとのことだが、望月どのが出仕されないため、当役所とはまだ連絡がつかない。（以下五項目を略す、筆者）当番書役、中井勝之助。

四

その日、城中大書院には、今村掃部《かもん》高次《たかつぐ》（城代家老）、森島和兵衛（次席家老）、落合主水正《おちあいもんどのしょう》（家老）、本田斎宮《いつき》（家老兼奉行役元締）、佐藤帯刀（年寄役肝入）その他重職五人が参集。新任町奉

行、望月小平太の赴任披露を兼ねて、重職評定がひらかれた。陪席には大目付の堀郷之助、徒士目付の安川雄之介、納戸奉行、船方、御蔵方、納戸方、勘定方らの諸奉行が加わった。

本田斎宮が小平太の紹介をし、小平太は末席から挨拶した。次に、斎宮が彼を重職の前へ案内して、順に一人ずつその名と職名を告げた。――このあいだ小平太は、食事のあとで爪楊枝《つまようじ》でも使っているような平然とした無関心な態度を崩さなかった。町奉行などは家老の支配に属するもので、役柄としては低いものであるから、重職たちが不快な印象を受け、「面憎《つらにく》いやつだ」と思っていることは、その表情や口ぶりによくあらわれていた。――小平太はそんなことは感じもしないようすであった。彼は元の席へ戻ると、膝の前へ白扇を置いて、ぐるっと一座を眺めまわした。

「私が町奉行に仰せつけられた仔細《しさい》について、これから申述べたいことがございます」

彼は用意して来た調書をそこへ置き、もういちど重職たちを見まわした。

「おそれながら」と彼はかすかに頭を下げてから云った、「――故、智光院（信厚《のぶあつ》）さま御他界によって、和泉守信真《いずみのかみのぶよし》さま御相続このかたすでに三年、このあいだ御仕置御一新のおぼしめしをもって、諸般の御改革をすすめられましたが、お国表《おもて》における壕外《ほりそと》の問題だけが、こんにちなお放任されたままになっております」

「放任という言葉は承服できない」内島舎人《とねり》という重職が遮《さえぎ》った、「壕外の問題は極めて複雑であるし、古くから土地に付随した特殊の習慣が多く、中には藩の力の及びがたいものもある、そのために壕外という区域がきめられておるので、放任という意味とはまったく事情が違う」

この城下町の東端に船着きの港があり、一方が海、他の三方は掘割で囲まれ、港橋という橋一つで町とつながっていた。戦国の世には海からの攻撃を防ぐために使われたのであろう。潮入りのその掘割は幅七間、深さはいまでも二十尺近くあったし、港橋の袂《たもと》に設けられた番所には、三人の番士と十人の足軽が交代で詰めていた。——この区域が町から隔絶していることと、船の出入りの多い港であることから、「壕外」は以前から悪徳の巣のようになっていた。宿屋はそのまま遊廓《ゆうかく》のようなありさまだし、港外は抜け荷船の溜《たま》り同様だし、博奕《ばくち》、密売女《ばいた》、抜け荷の売買などが、殆んど公然とおこなわれていたし、それにともなって、遠近から遊興に来る者や、凶状持ち、浮浪者などの類いがうようよしていた。また、ここには大河岸の灘八《なだはち》、継町《つぎまち》の才兵衛、巴《ともえ》の太十という三人の「親方」なる者がおり、壕外一帯の取締りを預かって、喧嘩《けんか》盗賊のことから年貢運上の割符《わりふ》まで扱っていた。

「ただいま藩の力の及びがたいこともある、と仰《おっ》しゃられましたが」と云って、小平太は内島舎人を見た、「それは貴方《あなた》のお言葉ですか、それとも御重職としての御意見ですか」

「そういう質問に答える必要はない」と内島は拒絶した。

「本田さまに申上げます」と小平太は本田斎宮を見た、「どうぞこの席へ祐筆《ゆうひつ》をお呼び下さい」

「そんな例《ためし》はない」と本田が答えた、「然るべき議案についての評定ならかくべつ、かような場合に記録を取るなどという例はない」

「いや、ただいまのように責任を持たぬ御発言がある以上、記録は取らなければなりません」と小平太は云い返した、「壕外の問題がいまだに片づかないのは、明確にすべきものが明確にされず、けんさくすべき事がけんさくされず、責任の所在があいまいになっていたからです」

けんさくとはなんだ、と小平太は頭の中で考えた。けんさく、どんな意味だったろう。そう思っているあいだに、次席家老の森島和兵衛が、無礼である、と温和な声で怒りだした。

「そのほうは身分格式を心得ないのであるか」と森島は少しも怒ってないような声で怒った、「町奉行ごときが重職に向って、さような譴責《けんせき》がましきことを申すのは無礼である」

「森島どのの云われるとおりだ」と家老の落合主水正が云った、「こういう不愉快なことはこれまでかつてなかった、もはやこの評定は終ることに致しましょう」

小平太はかれらを眺めまわした。まるで払いの悪い店子《たなこ》たちを見る家主のような眼で、ゆっくりと眺めまわし、それから、脇に置いてある調書をめくり、中から奉書紙で包んだ書状を取りあげた。

「御《お》墨付《すみつき》です」と小平太は云った、「作法ですから私は進みますが、皆さまはどうぞお席にそのまま」

そして小平太は座の中央へいって坐り、その書状を披《ひら》いて「上意」と云った。安川雄之介がまず平伏し、納戸奉行ら陪席の役人たちと、堀郷之助が平伏した。ついで城代の今村掃部が低頭の姿勢をとり、他の重職たちもしぶしぶそれに倣《なら》った。

「このたび望月小平太に申付け候役目の儀は藩家にとってゆるがせならぬ大事なれば、同人の望むことはすなわち余の望むところと心得べく、たとえ順序規律に違《たが》うが如きことありとも、決して異議不服をとなえざるよう」と小平太はそこで声に力をこめ、「決して異議不服をとなえざるよう」と繰り返して、あとをむすんだ、「――屹と申し達するものなり」

年月日、和泉守信真。そう読み終ると、彼は墨付を裏返して持ち、列座の人々に示した。今村城代はじめ重職十人は、面《おもて》をあげて墨付を見、それから礼をした。小平太はすぐに墨付をたたみ、奉書紙で包むなり、元の席までさがった。

「では訊《たず》ねるが」と今村が初めて口をひらいた、「そのほうは町奉行というだけでなく、特に仰せつけられた役目があるのか」

「いや、そういうことはございません」

「御墨付にはゆゆしき大事のように、仰せられてあったではないか」

「いや」と小平太は答えた、「町奉行のほかに特別な役目はありません」

森島和兵衛が小平太を見た。

「それは腑におちぬ」と森島が云った、「町奉行のほかに特命がないなら、どうして御墨付などを下されたのか」

「一と口に申せば、壕外の処置がいかにむずかしいか、ということを御承知だからと思います」

「壕外の処置」とまた内島舎人が云った、「処置とはどういう意味だ」

「あの区域ぜんたいの掃除です」

内島舎人はなにか云おうとしたが、喉《のど》になにか詰りでもしたように口をつぐんだ。

五

「壕外は悪徒の巣窟《そうくつ》です」と小平太は続けた、「港には抜け荷船が自由に出入りをし、大河岸に並ぶ倉には抜け荷が積まれ、その売買が公然とおこなわれている、博奕場は大きいものだけでも三カ所あり、宿屋はみな遊廓にひとしく、隠し売女も野放しのままです、盗賊、喧嘩、殺傷など常のことで、しかも、その取締りは三名の親方なる者が預かっており、外からの関渉をまったく受けつけない、――こんな状態を続けていることは藩ぜんたいの恥辱です」

重職たちは黙っていた。お互いの眼が合うことを避けるように、なにを見るともなく前方を見まもりながら、――堀郷之助は唇に微笑をうかべ、安川雄之介は眼をつむっていた。ぐあいの悪い沈黙は、まもなく本田斎宮の言葉でやぶられた。

「そのほうの云うことは道理だ」と本田はなだめるように云った、「けれども、さきに内島どのが申されたように、壕外には複雑極まる事情があって、不馴れな役人などでは手に負えない問題が多い、これまでにも取締りをこころみた者がないではないが、いずれも途中で投げだしてしまった、去年だけでも町奉行が四人も辞職しているくらいだ」

「私も投げだすだろうと仰しゃるのですか」

「私から一言《いちごん》云おう」今村が云った、「――若殿、いや、殿の御意は尤《もっと》も至極であり、そのほうの意気ごみもよくわかるが、それは若いということのゆきすぎた潔癖と、世間を知らぬための暴勇ともいえる」

「殿はもう三十二歳になられます」と小平太が遮った、「もちろん五十歳になっても少年同様の者がおりましょうし、世間を知っているために、義不義の判断から眼をそらす者もあります」

「それは」と内島が云った、「それはわれわれをさす言葉か」

「私は殿がお若くもなく、世間知らずでもないということを申しただけです」

「若いと申上げたのは非難ではない」と今村掃部が穏やかに云った、「――いかにも、壕外に好ましからぬことが多いのは事実だ、しかしあそこからあがる年貢運上は、わが藩にとって軽からぬ財源であるし、また、人家に厠《かわや》が必要なように、人間が集まって生活する以上、そこには必ず不浄な場所が出来るものであるし、それを無くそうとすることはむしろ自然に反する、そういう点にまだ御理解がないという意味で」

「失礼ですが」と小平太がまた遮った、「人間の住むところに不浄な場所が必要だということは私も知っております、しかし私は、不浄な場所ほど掃除を怠ってはならない、と教えられてまいりました、侍の住居でもっとも清潔にしておかなければならないのは厠であると教えられましたが、これは自然に反することでしょうか」

今村掃部は豆腐を喰《た》べていて釘《くぎ》を嚙《か》み当てたような顔つきをした。

「私は壕外を無くそうとするのではございません、長年のあいだ溜まっていた塵芥《ちりあくた》を片づけ、毒草の根を断ち切るだけです、それだけが私の役目です」と云って小平太は今村掃部を見た、「――御城代の仰しゃったもう一つのお言葉は忘れましょう、私の申上げることはこれだけです」

そして彼は、脇に置いてある調書を取り、本田斎宮に渡して、「重職の方がたで回覧してもらいたい」と云った。

本田斎宮が評定の終ったことを告げ、城代から順に老職が退席するのを待って、小平太も立ちあがった。安川雄之介はこちらへは眼もくれずに去り、堀郷之助が小平太について来た。

「やったね」と堀は微笑しながら囁《ささや》いた、「少し度が過ぎたようだが」

「これからのことがあるからね」

「内島という人物には気をつけるほうがいい、癇《かん》が強いし、陰険なところがあるんだ」と歩きながら堀が云った、「それから佐藤帯刀、調書には書きもらしたが、継町の才兵衛ともっとも近しいのは、――」

堀郷之助は人が来たので黙った。それから町奉行詰所まで黙って歩き、二人は詰所へはいって坐った。役所とは違って、ここには若い下役が三人しかいないが、堀郷之助はその三人に座を外させた。小平太は出てゆく三人を見ながら、堀郷之助に囁いた。

「そんなことをしていいのか」

「私は大目付だ」と堀は云った、「私は誰にも疑われてはいないし、大目付が町奉行と打合せをすることは当然だからね」

「人払いはおかしいだろう」

「国許のことは私のほうが知っているさ」と堀は云った、「――佐藤帯刀のことだが、承知のとおり望月が来るまで町奉行の代理をしていた、彼は年寄役肝入で、つまり身分は重職だ、重職が町奉行代理を勤める、などということはまったく例がない、私はそこになにかあるとにらみ、ひそかに動静をさぐってみたところ、継町の才兵衛と連絡のあることがわかった」

「才兵衛というのは博徒の親分だな」

「盃をわけた子分が三百余人いるそうだ」

　小平太は唇を嚙み、それからふと堀郷之助の顔を見た。

「それから」と堀はまた云った、「徒士組の者に注意してくれ、柾木剛という暴れ者がいて、若い連中をしきりに煽動《せんどう》している、望月に頼まれたとおり悪評を放ったのが、少し薬が効きすぎたらしい」

「ふん」と小平太が云った、「柾木剛か」

「徒士目付は安川雄之介という者だ、評定の席に出ていたから、望月のようすは柾木らにすぐ伝わるだろうし、そうなればさらに反感が高まると思う」

「わかった、よく注意するとしよう」

「かれらは健士組という組を作って、いかにも壮士らしくふるまっているが、どうも壕外から金を貢がれているようだ、慥《たし》かだという証拠はまだないが、そうだとすれば望月に喧嘩をしかけるだろう、もしそんなことがあったら決して相手になるな」

「おれに喧嘩を逃げろというのは無理な注文だが、まあできるだけそうするよ」

「詰所へゆかなければならない」と云って堀は立ちあがった、「なにかあったらまた知らせるが、あまりあせらないほうがいいぞ」

「初めは処女の如くさ」と小平太が答えた、「手はもうきまっているんだ」

堀郷之助は出ていった。

小平太はそこにある役机を見、天床《てんじょう》を見あげた。三人の若い下役が戻って来、「もうはいってもいいか」と訊いた。

「いいよ」と云って彼は立ちあがった、「おれはさがるところだ」

六

それから約半月、小平太は夜になると役宅をぬけだして、壕外のようすを丹念に見てまわった。木綿縞の素袷《すあわせ》にひらぐけ、頰冠りという姿で、刀はもちろん差さず、ふところに九寸五分《くすんごぶ》をのんでいた。江戸でぬけ遊びには馴れているから、職人とかやくざのまねなら板に付いたもので、港橋の袂にある番所の者はもちろん、誰一人として侍とみやぶる者はなかった。

彼は五軒の宿屋で遊び、賭場《とば》をまわり、辻《つじ》に立つ密売女とめしを食い、荷揚げ人足と喧嘩をして仲直りをして、その幾人かと「きょうだい分」になった。

五軒の宿屋はまさに遊廓の仕組で、その内「喜文」と「島本」という二軒は、建物や調度から女たちまで、江戸新吉原《しんよしわら》の大籬《おおまがき》にもまさるくらいだし、その繁昌ぶりにも驚かされた。博奕場も同様であるが、客は他領から「金を棄てに来る」といったふうな者が多いようであった。藩の取締りがないし、港の出入りは自由だから、金のある者が遊びに来るにはうってつけである。そのうえ抜け荷の売買までおこなわれるとあってみれば、土地に落ちる金は相当以上のものだろうし、三人の「親方」が壕外を放さないために、どれほど周到に手を打って来たかも、およそ推察することができた。

こんなことを半月ばかり続けているうちに、小平太は金をすっかり遣いはたしたので、大目付へ堀郷之助を訪ねた。

「ここへは来ないほうがいいな」と堀は云った、「どこでどういう人間が見ているかもしれない、私が疑われるとこれからさきがやりにくくなる」

「町奉行が大目付と打合せに来たのさ」と小平太は云った、「もう江戸から金が来るじぶんなんだが、それまで少し都合して貰いたいんだ」

「町奉行の金があるだろう」

「役所の金は遣えないんだ」

小平太は金の使途を語った。

「危ないことをするね」堀は眉をしかめた、「みつかれば無事には済まないぞ」

「意見より金が欲しいんだ」

堀郷之助は小平太の顔を見まもり、ちょっと首を左右に振りながら、立っていった。

「少し余分にある」戻って来た堀は、金包を渡しながら云った、「返すのはいそがなくともいいが、壕外が危険だということは忘れないでくれ」

「城下町だって同じことさ」小平太は金包をふところへ入れながら云った、「あれが健士組というんだろう、おれが外へ出ると必ず二三人跟《つ》けて来るぜ」

「偶然でなくか」

「顔ぶれはきまってるようだ、いまのところ手出しをするようすはないがね、おい、そんなに心配そうな顔をするな」と云いながら、彼は座を立った、「こっちへ来るときから危険は覚悟のうえだ、いいからおれのことは放《ほ》っといてもらおう」

堀郷之助はがまん強くにが笑いをした、「相変らずの望月小平太か、とにかく警護の者を付けるとしよう」

「警護の者をどうするって」小平太は立ったまま振返った、「そんな者が付いていておれに仕事ができるか」

「もちろん知れないように付けるさ」

「それは役目か友情か」

「役目でもあり友情でもある」

「じゃあ金を返す」小平太は金包を出して云った。「金も返すがいまの話もなかったことにする、その代り警護など付けたら承知しないぞ」

堀郷之助はじっと小平太の眼をみつめ、それから太息《といき》をつき、首を振った。

「わかった」と堀は云った、「それほど云うのならやむを得ない、金は持っていってくれ」

小平太は大目付の役所を出た。

二月の下旬にはいったばかりであるが、いやになま温かい風が吹いていると思うと、海のほうから黒い雲が空にひろがって来、まもなく雨が強く降りはじめた。ちょうど法明寺《ほうみょうじ》の前にかかるところだったので、小平太は足を早めてゆき、寺の山門の中へ雨やどりにはいった。手拭を出して頭や顔を拭き、着物の肩や袖を撫《な》でていると、二人の若侍がとびこんで来、小平太を見てどきっとしたように、石段のところで立停った。石段は五段あり、そこは山門の外だから、そのままではもちろん濡れてしまう。小平太は手招きをした。

「なにをしているんだ」と彼は云った。「来いよ」

二人は山門へはいって来、気まずそうな、そしてあいまいな会釈をした。小平太は手拭で袴《はかま》のまえうしろを撫でながら、おれは望月小平太という者だ、と名のった。二人は顔を見合せたが、名のられたからには自分たちも名のらなければならない。一人が思いきったように、田口源二郎であると云い、他の一人が内島兵馬《ひょうま》と名のった。

「田口に内島か」と云って、小平太は後者の顔を見た、「内島舎人さんと関係があるのか」

「父です」と兵馬が答えた。

小平太は唇で笑った、「そいつは気の毒だ」

「気の毒とはなんです」

「喧嘩なら買うぜ」と小平太が云った。

「気の毒とはどういうことです」

「ああいうやかましいおやじを持つのは気の毒だということさ」と小平太が云った、「――喧嘩にするかい」

兵馬は伴《つ》れを見た。田口源二郎は降りしきる雨を眺めていた。

「その気はなしか」と小平太が云った、「おれはまた喧嘩にするつもりだと思ってたんだが、その気がないとすれば、なんのために跟けまわすんだ」

二人とも黙っていた。

七

「二人とも健士組の者だろう」と小平太が訊いた、「そうじゃないのか」

こんども二人は答えなかった。

「降りこめられてい続けの、ちちちん、とちちん、つん、しゃん、——」小平太は鼻唄をうたい、それから急に振向いて云った、「柾木剛という男にそう云ってくれ、今夜おれは壕外の島本へいっている、話したいことがあるからぜひ来てくれって、いいか」

「それはだめです」と田口が云った、「家中の者は壕外へははいれないんです」

「どうして」

「禁令です」と田口が云った、「港橋の袂の高札にも書いてあります」

だっておれは、と云いかけて小平太は肩をすくめた。そうか、おれは町人姿に化けていたんだな、そういえばついぞ侍は見かけなかった、と彼は思った。

「しようがない」と小平太は云った、「それじゃそっちで場所をきめて、おれのところへ知らせてくれ、柾木もおれに文句があるんだろう、おれもぜひ話したいことがある、早いほうがいいって、わかったか」

「柾木さんがどう云われるかわかりませんが」とまた田口が答えた、「伝言だけはします」

内島兵馬はそっぽを向いたままであった。

「窓をあければ梅が枝《え》や、濡れ羽《ば》つくろう鶯《うぐいす》の、ちん、ちん、ちりっととん、とん、――」小平太は鼻唄をうたい、それから声に出して独り言を云った、「壕外へ立入れないとすると可哀そうだな、若い連中はどうするんだ」そして二人のほうを見た、「おい田口、――家中の若い連中はどうするんだ、ほかに遊ぶところでもあるのか」

田口は赤くなって顔をそむけた、「そういうことは知りません」

小平太は興ざめ顔に空を見あげた。

雨がちょっと小降りになると、二人は山門から出てゆき、まもなく、小平太もそこを出て役宅へ帰った。役所の門をはいってすぐ右へゆき、建物について左へ曲ると、別棟になって役宅がある。小助という中年の小者が、玄関先に溜まった雨水を掃いていて、小平太に挨拶をしながら、低い声ですばやく囁いた。

「今夜、荒浜へいらしって下さい」

小平太は跼《かが》んで草履の鼻緒を撫でた。

「あちらは明朝伺うそうです」と小助は云った。

「ひどい降りだったな」と云いながら小平太は身を起こした、「草履を一足だめにしてしまった」

そして玄関へはいっていった。

柾木剛から面会の場所を知らせて来るかもしれない、荒浜へいって待てというのは、むろん安川雄之介だろうし、なにか役目に関する知らせがあるに相違ない。柾木はあとまわしだ、と小平太は思った。——印判を捺《お》す書類が溜まっていると、役所のほうから下役の者が云いに来た。それは助役《すけやく》二人に任せてある、と答えたが、いちおう眼をとおしてもらいたいというので、書類を持って来させ、一刻《とき》半ばかり時間つぶしをした。すると午後三時すぎになって、田口源二郎が柾木の口上を伝えに来た。

「松ヶ岡の泰月院でおめにかかりたい、とのことです」と田口は云った、「よろしかったら私が案内をします」

「これからか」

「遠くはありません、ここからほんの十二三町です」

「ゆこう」と小平太は云った、「しかし寺とは少し渋すぎるな」

「泰月院は寺ですが、その境内にある講中の茶屋です」

「じゃあ酒ぐらい出すんだな」

田口源二郎は答えなかった。

松ヶ岡というのは城下の南側にあり、藩主の菩提所《ぼだいしょ》をはじめ寺が多く、泰月院は効験《こうげん》あらたかな赤不動で知られていた。山門をはいって右へゆくと、松林を背にして一棟の家があり、入口の柱にいろいろな講中の看板が掛っていた。赤不動を信仰する人たちのものだろう、茶屋にはべつに家号はないようであった。座敷は表と裏にあるが、いずれも十帖以上の広いもので、柾木たちは裏座敷にいた。

そこは廊下の付いた十帖で、向うに松林があり、林のかなたにかなり近く、城の天守と三の丸が見えていた。――大きな土瓶《どびん》が盆の上にあり、三人の若侍が湯呑《ゆのみ》を前に置き、むずかしい顔つきで坐っていた。端にいる一人がいちばん逞《たくま》しく、相貌《そうぼう》もいかめしいので、これが柾木だろうと見当をつけたが、柾木は中央にいる男であった。――安川雄之介の話から受けた印象とは反対に、軀《からだ》も小柄なほうだし、色白のやさ男という感じだった。

「私は沢本正五」と逞しい男が名のった、「正五は正《まさ》しい五と書きます」

他の一人は沖野大六といった。五の次が六とは順にいってるじゃないか、と小平太は思ったが、あとで聞くところによると二人は兄弟で、大六は沖野家へ養子にいったのだ、ということであった。

「二人だけで話したい」名のりあってからすぐ、小平太が柾木に云った、「人払いをしてくれないか」

「ここにいる者は一心同躰《どうたい》です」と柾木が他の三人を見て云った、「それに、われわれは話を聞くために来たのではなく、貴方に忠告するのが目的ですからね」

「話を聞けば忠告する必要はなくなるよ、いいから人払いをしてくれ」

柾木は小平太の眼をみつめた、「まじめでしょうね」

「まじめだ」と彼は頷いた。

柾木は三人を見、三人は立って出ていった。小平太は酒の支度をさせてくれと云い、柾木は首を振った。小平太は構わずに手を叩き、柾木剛は黙っていた。いくら手を鳴らしても人の来るようすはなく、返辞も聞えなかった。

「そんなことをしてもむだです」と柾木が云った、「酒がなければ話せないんですか」

「あるほうがいいね」と小平太が答えた、「しらふだとおれはすぐ癇癪《かんしゃく》が起こるし、少し酔うほうが柾木も話が聞きやすいと思うんだ」

「酔わないと聞きにくいですか」

「話すほうも話しにくいんだ」

柾木は立っていった。小平太は柾木が戻って来ると、失礼するよと云って袴をぬぎ、あぐらをかいた。そっちも楽にしないかとすすめたが、柾木剛は黙って首を振った。

「じつは喧嘩のほうがよかったんだ」と小平太が云った、「健士組のことを聞き、柾木剛という人物のことを聞いたとき、これは喧嘩で片づけようと思った、しかしここへ来て柾木を一と眼見たら、喧嘩ぐらいでは片づかないということがわかった」

「喧嘩でなにが片づくんですか」

「健士組の邪魔だ」と小平太は云った、「おれは或る必要があって、着任するまえにおれの悪評を城下へ広めた」

「貴方が、ですって」

「必要があったからだ、ところがそれを聞いて健士組が怒り、おれをからきめにあわせて江戸へ逐《お》い返そうとしているという、おそらく腕自慢の豪傑組だろう、それなら一と喧嘩して自慢の鼻を折ってやれば、おれの邪魔はしなくなるだろうと思った」

小女《こおんな》が酒の支度をして来たので、小平太は話を中止した。

八

だが柾木に会ってみると、単純な豪傑組ではないようである。喧嘩をして鼻柱を折ったくらいではあとへ引きそうもない。そこで事情を話すことにしたのだ、と小平太は云った。

「酒は勝手にやることにしよう」小平太は自分の盃と徳利を取りあげた、「――話は故智光院さまの時代から始まるんだ」

柾木は手酌で、殆んど舐《な》めるように、ごく少しずつ飲んでいたが、小平太の話が進むにつれて、しだいに飲みかたが早くなり、色白のやさしそうな顔も紅潮し、怒りのために硬《こわ》ばって来た。

「壕外のような汚辱と悪徳のごみ溜《ため》からあがる物が、藩の大きな財源の一つになっているという、柾木は侍としてこれを不面目とは思わないか」

柾木剛は黙って口をひき結んだ。

「殿は御相続と同時に、壕外の掃除をなさろうと思い立たれた、こんどおれが来たのもそのためだ」と小平太は続けた、「ところが国許の重職がたは反対なんだ、今村城代は殿をお若いと云われた、殿がお若く、世間を知らぬためにそんなことを思い立たれた、壕外には好ましくない事も少なくないが、人家に厠が必要なように、人間が集まって生活するところには必ず不浄な場所が出来る、それを無くそうとするのは自然に反する、と云われたのだ」

「ちょっと」と会釈して柾木が立った。

柾木剛は廊下へ出てゆき、やや暫《しばら》く経ってから、燗徳利《かんどくり》を四本、盆にのせて持って戻った。酒を取りにいったのではなく、じつは感情をしずめるのが目的だったらしい。

——こいつ骨があるぞ。

見かけ以上にたのもしい男のようだ、と小平太は思った。柾木は持って来た酒の、二本を小平太の膳の上へ置き、あとの二本を自分で取った。

「なるほど」と柾木は小平太に微笑した、「しらふでは聞きにくいですね」

「それはむしろこれからだ」と小平太が云った、「もっとも事は簡単なんだが、——柾木はむろん、町奉行がしばしば交代したことを知っているだろう、去年はおれで五人めの筈だ」

「知っていますが、みな自分から故障を申立てて辞任したのでしょう」

「させられたというほうが正しいだろう」

柾木は口まで持っていった盃を、静かにおろしながら、小平太を見た。

「かれらは殿の密命で壕外へ手を付けようとした」と小平太が云った、「殿はあとに面倒の残らないように、できれば国許の者に処置をさせるお考えだった、それがみんな潰《つぶ》されてしまったので、やむなくおれに仰せつけられたのだ」

「それは」柾木はゆっくり訊き返した、「壕外のちからが城中にまで伸びている、ということですか」

小平太は頷いて云った、「珍しいことじゃない、どこの藩にだってあるだろう、けれどもここでは年月が長いので、毒は広範囲に、しかも深く骨まで浸《し》みとおっているし、いまでは毒されている当人たちも、自分が毒されていることに気づかないところまで来ているんだ」

柾木は黙って飲み、自分の膝へ眼をおとした。それから眼をあげて、具体的には金ですか、と訊いた。そうだ、と小平太は答えた。人の名はあげないが、おれは重職ぜんたいと考えている。柾木はゆっくりと首を振り、悲しげな眼で小平太を見た。

「人払いの意味がよくわかりました」と柾木は云った、「しかし、望月さん一人でやるわけではないでしょうな」

「一人でやるさ」

「全重職を向うにまわしてですか」

「根は壕外にある」と小平太が云った、「毒の根を断てば枝葉はしぜんに枯れるだろう、まだ一つだけ見当のつかない点があるが、それもさしたることじゃあない、手はもう考えてあるんだ」

「よかったら助力させて下さい」

小平太は首を振った、「頼むのはいまの話を忘れてくれることと、もう一つ、おれの邪魔をしないでくれることだ」

「お力になることはありませんか」

「いまの二つが助力だ」

柾木剛は飲んでから云った、「わからないことがあるんですが、――どうして御自分から悪評を広めたりなすったんです」

「悪評、ああ」と小平太は猜《ず》るそうに笑った、「実際にもおれは悪評嘖々《さくさく》たる人間なんだ、殿がこの役を仰せつけられたのも、おれが悪評嘖々たる人間だからなんで、この場合にはそれが役に立つと思うんだ」

「わからない話ですね」と柾木が云った、「わからないが、仰しゃるとおりに受取っておきます」

「それでここへ来たかいがあった、もう少し飲もう」

今日のことは内密だ、世間へはこれまでどおり、健士組は町奉行を憎んでいる、という態度を変えないでくれ、と小平太は柾木に念を押して云った。

柾木剛に別れて出ると、外は黄昏《たそが》れていて参詣《さんけい》の人もなく、ひっそりとした境内に、本堂でおこなわれる勤行《ごんぎょう》の声が、陰気な気分をただよわせていた。

いちど役宅へ戻り、すっかり昏《く》れるのを待って、小平太は荒浜へでかけた。いつもの町人の身なりに、用心のため九寸五分も持った。いかにも春らしい暖かい夜だったし、道は簡単らしいので、彼は歩いてゆくことにした。——距離は約一里、道は町を出外れるとすぐ田園にはいり、右手に遠く、低い丘が続いてい、その丘のふところに点々と、農家の灯らしいあかりが見えた。酔った頬にこころよいほどの微風には、花の匂いがあまくこもってい、耕地を渡って唄の声も聞えて来た。

「なんだかうら淋しくなってきやあがったぜ」と彼は歩きながら呟いた、「こういう晩は吉原《なか》か柳橋へでもくりこむんだがな」

田園の風趣などには興がないのだろう、彼は足を早めて歩きだした。ゆき交う人はみな提灯《ちょうちん》を持ってい、彼が近づくと男も女も「いい晩です」という意味の挨拶をした。途中で小さな橋を渡ったが、そのとき、小平太はふと足を止めて、うしろのけはいに耳をすました。誰かあとから跟けて来るように感じたのである、——彼のそういう直感は慥かなもので、これまで殆んど誤ったことがない。いま跟けられているという感じも、彼には紛れのないものに思え、そろそろとうしろへ振返って見た。五六町かなたに提灯の光りが見え、それがこっちへ近よって来る。田に挟《はさ》まれた道はまっすぐで、ほかには人影はないようであった。小平太は静かに歩きだし、まもなくうしろから、馬を曳《ひ》いた農夫が来て、彼を追い越そうとした。

「おい、おやじさん」と小平太は呼びかけた、「荒浜はこの道でいいのかい」

「この道をまっすぐでさ」と農夫が答えた、「わしも荒浜までゆくところだが、よかったらいっしょにおいでなさいまし」

小平太は農夫と並んで歩きだした。

九

安川雄之介がその座敷の障子をあけたとき、向うの襖《ふすま》から出てゆく女の姿を認めた。時刻は朝の五時、雨戸が閉っているし、行燈《あんどん》には蔽《おお》いが掛けてあるため、座敷の中はうす暗く、はっきりとは見えなかったが、向うの襖からすばやくぬけ出していったのが若い女で、しかも派手な色の寝衣《ねまき》姿だったことは間違いがなかった。

望月小平太は夜具の中で、鼾《いびき》をかいて寝ていた。

「子供だましはよせ」と安川は坐りながら云った、「しらじらしい男だ、起きてくれ」

鼾が止り、ねぼけたような声で「誰だ」と小平太が唸《うな》った。

「いいから起きろ、おれはいそぐんだ」

小平太は夜具の中で伸びをし、欠伸《あくび》をし、それからようやく起き直って、眩《まぶ》しそうに眼をすぼめながら安川雄之介を見た。

「ああおまえか」と小平太はまたなま欠伸をした、「おれはまた誰かと思った」

「いま出ていった女はなに者だ」

「女だって、——」小平太は頸筋《くびすじ》を掻《か》いた、「知らないぞおれは、おまえねぼけてるんじゃないのか」

「ごまかしてもだめだ、その襖から出てゆくのをちゃんと見たんだから」

「そんな小言《こごと》を云うためにおれをここまで呼びつけたのか、安川」と小平太が云った、「それならおれはもういちど寝るぞ」

安川は嚙みつきそうな眼をした、「どうぞ洗面をして来て下さい、望月さん、私は向うで待っていますから」

そして安川は立ちあがった。

安川の待っていた座敷は八帖で、松林のある庭の向うに白っぽい岩の磯と、広い海面が眺められた。安川が茶を飲んでいると、若い女中が二人で酒肴《しゅこう》の膳をはこんで来た。

「座敷が違うんじゃないか」と安川が云った、「酒なんか注文しないぞ」

「でもあの」と女中の一人が赤くなりながら云った、「あちらの平《へい》さまが、そう仰しゃったものですから」

「平さま」と云って安川はその女中を見た。

年は十九歳くらいだろう、潮風に当っているにしては色が白く、小柄なひき緊った軀つきだし、くりっとした眼や、身ごなし表情などに、満ち溢《あふ》れるようないろけと嬌《なま》めかしさが感じられた。

――この女だな。

安川はそう直感した。はっきりした根拠はないが、彼女が顔を赤らめたところや、「平さま」と云った口ぶりから、この女に相違ないと感じたのであった。

「では置いてゆけ」と安川は云った、「おまえの名はなんというんだ、いやおまえだ」

「おたまといいます」

「平、平という男の係りか」

おたまはさらに赤くなり、「はい」と答えて、逃げるように出ていった。もう一人の女中はそのあとから、肥えた軀がさも重いといった足どりで出てゆき、入れちがいに小平太が、手拭で耳の穴を拭きながらはいって来た。

「こっちは海が見えるのか」と小平太はそっちを見ながら云った、「どうりでいやに潮っ臭いと思った」

「平さま、か」と安川が云った、「いい気なものだ」

「鳴く音ひそめし床の中、ちんちん、ちん」と小平太は鼻唄をうたいながら、手拭を縁側の手摺《てすり》に掛け、こっちへ来て膳の前に坐った、「――酌はしないぜ、話は飲みながらとしよう」

「おれはすぐ帰らなければならないんだ」

「つきあいの悪い男だ」

「おれまで平さまになっていられるか」

「おまけに怒りっぽいときている」小平太は手酌で一つ飲んだ、「それで、――用というのはなんだ」

「望月の動静が詳しく重職に知られて、問題になっていることが一つ、もう一つは健士組が望月に仕掛けるということだ」

小平太は黙って二杯めを飲んだ。

「おれの動静が知られているって」

「壕外へぬけだして、博奕場へはいり、料理茶屋へならず者を伴れこんで飲み、喜文や島本で妓《おんな》と遊ぶなどということだ」

「そいつは」と云いかけて、小平太はちょっと口をつぐみ、眼をあげて唸った、「――ぬかったな、田舎者だとたかをくくったが、いったいどこで見やぶられたろう」

「事実やったのか」

「必要があったからだ」

「それにしても」と安川が云った、「そうまでするというのは度が過ぎる、ことによると喚問されるかもしれないが、そのときは否定しとおすんだな」

「いや、喚問なんかどっちでもいい」

「望月は知らないからだ、重職がたは本気なんだぞ」

「そんなことは問題じゃない、もし呼び出すようなことをしたら、殿の墨付を思いださせてやるだけだ」

「美女とたわむれ賭博をし、ならず者とつきあうなどということまで、御墨付が許してあったか」

「同人の望むことはすなわち余の望むことと心得、――覚えているか」と小平太が云った、「たとえば順序規則に違《たが》うが如きことありとも、と仰せられてある、だから重職などはどうでもいいが、壕外でおれの正体がばれているとなると、――いや待て」

　小平太は屹と安川を見た。

十

「おい」と小平太が云った、「いまの話がどこから重職に伝わったか、その経路にこころ当りはないか」

「わからないが、急な話だということは慥《たし》かだ」と安川が答えた、「私が役宅へ知らせにやったすぐあと、その問題で重職が急に合議のため集まったんだ」

「じゃあ――小助に伝言したときはまだわかっていなかったのか」

「そうだ、そのときはただ健士組のことを知らせるつもりだったのだ」安川は心もとなげに云った、「いかにも、望月の云うとおり、重職のほうは御墨付で抑えられそうだ、そんな事実はないと、否定しとおすほうが穏便だと思うが、御墨付のほうが簡単かもしれない、だが、そうすると健士組がもっとむずかしくなるぞ」

「ちょっと飲ませてくれ」小平太は切り口上で遮《さえぎ》った。

彼は手酌で飲みながら、畳の一点をみつめたまま、長いこと黙って考えていた。表情はまったく動かず、飲む動作以外には身ゆるぎもしなかった。しかしお世辞にも「厳粛」などという感じはない、望月小平太はやはり望月小平太で、安川雄之介の眼には、蟻《あり》の喧嘩《けんか》にでも見とれてわれを忘れている腕白小僧、といったふうにしか見えないようであった。

——これは褌《ふんどし》を緊めなければならないぞ。

小平太はそう思った。国許《くにもと》のやつらは信用ができない、要約すればこの安川だって、どこまで信じていいかどうか疑問だ。

——皮肉なことになった。

彼にとってもっとも手強《てごわ》い相手、もっとも手を焼くだろうと思った柾木剛が、じつは誰よりも信ずるに足り、誰よりも頼みになる男だったということだ。とにかく、柾木と話しあったことは、安川にも云わないことにしよう、と小平太は思った。

「よし、わかった」とやがて彼は云った、「そのほかになにかないか」

「健士組のほうはどうする」

「その場になればなんとかするさ」

「柾木は手強いぞ」

「おまえおれの腕を知ってるじゃないか」

「相手が二十人でもか」

「いくら田舎者でも、侍なら侍の作法くらい知っているだろう」小平太は酒を呷《あお》って云った、「二十人いたって勝負は一人と一人、たいしたことはないさ、——わかったよ、そんな顔をしなくともできる限り喧嘩は避けるから安心してくれ」

安川雄之介は溜息《ためいき》をつき、刀を取りながら小平太を見た。

「さっきの女はおたまだな」

「さっきの女って」

「望月の寝ていた部屋から、寝衣でぬけ出ていった女だ」

「またそれか、おまえにはうんざりするぜ」

「うんざりするのはこっちだ」と安川は云い返した、「望月ぐらい女好きな人間も珍しいが、こんどは大切な役目を持っている、もしも女のことなどで失敗すると申し訳が立たぬぞ」

「昔おれのひいじいさまに笑六という人がいた、笑六というのは隠居してから付けた雅号で、世の中の六つのことを笑うという意味だそうだ、六つがなんだったか忘れたがね」

「いったいなんの話だ」

「まあ聞けよ」小平太は徳利を振ってみて、手を叩いた、「そのじいさまはおれが七つの年の正月に、餅を喉《のど》へひっかけて九十一で死んじまったが、これがまたたいへんな女好きなんだ、死ぬまで十五六の側女《そばめ》を取っ換え引っ換え抱いて寝ていたが、——英雄好色というくらいだから達人たる者はすべからく女を愛すべしって、いつもおれに説教してくれたぜ」

「だから女好きになったというのか」

「笑六じいさまの話さ」

女中のおたまが来、小平太は酒を命じた。おたまは俯向《うつむ》いたまま用を聞き、立ってゆくまでいちども眼をあげなかったし、その頰が赤く上気していたのを、安川は認めた。

「おれは二十六になるがまだ独身だ」と小平太が続けた、「安川はおれより一つ若いくせに、もう女房持ちで子供まである、そうだろう、おれはまだ女房を貰いたくなるほど色気づいちゃあいないよ、帰るのかい」

「帰ります」安川はきちんと辞儀をした、「念には及ばぬでしょうが、どうぞゆだんなさらぬように願います」

「おまえはいつも話が面白くなりだすと帰るんだな、——いいよ、わかった」小平太はあぐらの膝《ひざ》を手で叩いた、「おれは考えることがあるからもう一日泊ってゆくぞ」

立ちあがった安川が彼の顔を見た。

「そう睨《にら》むな」と小平太が云った、「本当に考えることがあるんだ、断わっておくが、おれは安川が想像するほど女好きじゃあないんだぜ」

安川雄之介は会釈をして去った。

明くる日の午後、小平太は町奉行の役宅へ帰り、夜になるまで寝た。役所から幾たびも下役の者がようすを見に来たが、小平太は鼾をかいて熟睡してい、小助が呼び起こしても起きるようすはなかった。——役所が退《ひ》けてからいちど眼をさまし、風呂と夕餉《ゆうげ》の肴《さかな》を注文してまた寝た。よほど疲れたのだろう、小助が風呂を知らせにいったときも、いい気持そうに鼾をかいていた。しかし風呂を使ったあと、小助に月代《さかやき》を剃《そ》らせ、髪を結い直させてから、自分で髭《ひげ》を剃るじぶんにはすっかり元気を恢復《かいふく》し、しきりに冗談を云っては小助を笑わせていた。

刺身に照焼《てりやき》に、やわらかく煎《い》った卵の三つ分と、菜の浸し物をきれいにたいらげたあと、生卵をかけた飯を一椀たべ、酒を一本飲んで立ちあがった。軀《からだ》じゅうに精気が満ち満ちたという感じで、例の町人ふうの着物を着ながらも、鼻唄などをうたっていた。時刻は夜の八時、水を一杯呷り、頰冠りをして、いつものように役宅の裏の通用口から外へ出た。

その夜、彼は三人の男といっしょに、壕外《ほりそと》の飲み屋を五軒まわり、「島本」で芸妓をあげて騒いだ。安川雄之介のいわゆるならず者どもであるが、その夜の三人は灘八の人間で、伝八という年配の男は番頭格であり、荷倉のことに詳しかった。——いっしょに飲んでまわりながら、それとなくさぐりを入れてみたが、かれらが小平太の正体を見やぶっているようすはなかった。三人は彼が腕っこきの賭博師であり、ぬけめはないが人の好い渡り者だとみているらしい。もう幾たびもごうせいに奢《おご》られたし、その晩の奢りかたもごうせいで、「島本」へあがるころには、三人とも底ぬけに酔っていた。

「この土地でなにか困ることができたらそう云ってくんな」と伝八は繰り返し云った、「いつもごちになるからこんなことを云うんじゃあねえ、おめえが好きだから云うんだ、ほんとだぜ、おらあおめえが他人たあ思えねえんだ」

「おれもあにいたちを他人たあ思わねえ」と小平太が云った、「まあ飲んでくれ、おれのことなんざあ心配御無だ」

こんなふうなやりとりをしながら、小平太は聞き出すだけの事を聞きだし、三人が酔い潰《つぶ》れると、芸妓たちを相手にいい機嫌で端唄《はうた》などをうたっていた。

十一

同二月二十二日

町奉行望月小平太どのはいまだに出仕されず、奉行事務はもっぱら木原内記、岡倉幸右衛の両助役《すけやく》が担当している。(以下二項目を略す、筆者)当番書役《かきやく》、市川六左衛門。

同二月二十三日

望月小平太どのはまだ出仕されない。

本日城中において重職評定あり、当役所よりも木内、岡倉の両助役が出頭した。両助役が戻ったのは午後四時に近かった。(以下二項目を略す、筆者)当番書役、中井勝之助。

——書役私記「重職評定は新任町奉行の詮議《せんぎ》だったという。望月小平太どのは正月三十日に着任されて以来、役所へは一度も出仕をせず、夜になると役宅をぬけだして、飲酒、遊蕩《ゆうとう》に耽《ふけ》っておられた。それがわかって重職がたの詮議となったものだと、評定に出頭した両助役が語っていた。江戸にいるときから悪評の高い人だったというが、これではとうてい長続きはしない。近いうちにまた奉行職の交代ということになるだろうと思う」中井勝之助。

同三月四日
望月どのはまだ出仕されない。(以下五項目を略す、筆者) 当番書役、市川六左衛門。

同三月七日
望月どのはまだ出仕されない。(以下三項目を略す、筆者) 当番書役、市川六左衛門。
——書役私記「重職評定からすでに十余日経った。このあいだに望月どのは城中へ出頭を命ぜられ、おそらく詮議を受けたものと思われるが、その後なんの沙汰もなく、奉行職交代のようすもない。下役の者たちは、望月どのは怠慢無能だからいいのだ、あれが町奉行として切れる人だったらとっくに交代させられたことだろう、などと云っているが、まことに嘆かわしいことである」中井勝之助。

十二

七寸四方くらいの目の荒い格子が、左右に広くあけてあり、三和土《たたき》の二坪ほどもある土間に、武家ふうの式台が飴色《あめいろ》に光っている。格子口には打ち水をして、めし茶碗一杯ほどの盛り塩が鮮やかに白い。荒目の格子と盛り塩はいいが、武家ふうの式台はおかし過ぎる。——小平太は格子の外でこれらを眺めながら、唇をすぼめて「ひゅう」という音を出した。彼は素袷《すあわせ》の着ながしで、刀をずっこけそうに差し、右手をふところに入れている。江戸なら御家人くずれといった風態《ふうてい》である。

「おい、——」土間へはいって、彼はどなった、「おい、誰かいないか」

すぐに若い男が出て来た。三月十日で、もう寒いとはいえないが、男は派手な柄の浴衣にひらぐけという、いなせな身なりをしていた。

「なにか御用ですか」と男は云った。

「ここは大橋の太十の家だな」

男はむっとした顔で黙っていた。

「どうした奴《やっこ》、舌でもつったか」と小平太が云った、「ここは太十の家かと訊《き》いてるんだ、太十の家じゃあないのか」

「おまえさんは誰だ」

「むだ口をたたくな、太十の家なら太十がいるだろう、ちょっと会いたいからってそう云って来い」

「野郎」と男は腕捲《うでまく》りをした、すると二の腕の刺青《いれずみ》が見えた、「親分を呼びすてにしやあがったな、ここじゃあ二本差しなんぞ看板にゃあならねえんだぞ」

「じゃあなにが看板だ、女郎の＊＊でも看板にするか」

野郎と喚いて男がとびかかった。二人の問答を聞きつけたのだろう、若い男がまた二人とびだして来、その場のありさまを見て「あ」といった。小平太にとびかかった男は、とびかかった躰《たい》勢《せい》のまま宙でもんどりを打ち、三和土の土間へ背中を叩きつけると、うん、と云ってのびてしまった。小平太は見向きもせず、両手をゆるやかに垂れていた。

「どうした、腰でも抜けたか」と小平太はあとから来た二人に云った、「そこに友達がへたばっている、起こしてやったらどうだ」

すると一人がとびつき、一人が脇へまわった。しかしどうしたわけか、脇へまわった男へ、とびついた男が激しく躰当りをくれ、二人は重なりあって壁へぶっつかり、はね返るところを小平太に捉《つか》まって、二人とも第一の若者と同様、背負い投げをくってのびてしまった。いずれも同じ手で、宙でもんどりを打ち、背中を土間へ叩きつけられたのである。

「おい、誰かいないか」小平太は奥に向って叫んだ、「若いのが三人へたばってるぜ、太十はいないのか」

女中らしい女が障子のところから覗《のぞ》き、ばたばたと、廊下を奥のほうへ走り去った。すぐに足音が近づいて来、四十五六になる肥えた男があらわれた、これも浴衣にぞろっとした半纏《はんてん》を重ね、右手に長《なが》ぎせるを持っていた。

「太十は私だが」と男は土間にのびている三人を見、それから小平太に云った、「なにか私に御用ですか」

「おれは町奉行の望月小平太だ」

「えっ、望月さま」

「通りかかったからちょっと寄ったんだが」と小平太が云った、「おめえの家じゃあ客あしらいが悪いな」

「どうも、これはどうも」太十は腰を跼《かが》めて云った、「こいつらがなにか粗相を致しましたら御勘弁を願います、よろしかったらどうかおあがり下さいまし」

「そうしよう」と小平太は刀を腰から抜きながら云った、「その連中は息が止っているだけだ、水でもぶっかけてやれば眼をさますぜ」

「痛みいります」太十は苦笑した、「さ、どうぞおとおり下さい」

廊下の板も柱も頑丈造りで、よく磨きこんであり、黒光りに光っていた。とおされたのは客間とみえる十帖だが、書院造りの立派な座敷であり、違い棚の付いた本床《ほんどこ》には、極彩色の山水の大《たい》幅《ふく》が掛っていた。――十六七になる小間使らしい、きれいな娘が敷物を持って来、小平太が床ノ間を背にして坐ると、まもなく二十二三歳の、これもめだって縹緻《きりょう》のいい女が、茶と菓子をはこんで来た。

「いい庭だな」小平太は家の造りや庭を見ていた、「おれは不風流で、絵だの庭のことなんかわからねえが、百貫もありそうなあの石だけでもたいそうな値打だろう」

「あれは摂津から運ばせた石で」と太十が自慢そうに答えた、「左のほうが百二十貫、右のほうは二百貫とちょっとございます」

十三

「へえ、石は重いものらしいな」と小平太が感心したように云った、「家の構えといいこれだけの庭といい、おめえよっぽどいい稼《かせ》ぎがあるんだな、太十」

「痛みいります、これもみな御領主さまのおかげでございまして」

「結構だ、うん、結構だ」小平太は遮《さえぎ》って、前に置かれた茶と菓子に気づき、「あんまり結構でもねえぞ」と云って太十を見た、「こりゃあ茶と菓子じゃあねえか」

「ほんのお口よごしでございます」

「冗談じゃあねえ、おめえ大橋の太十だろう」と小平太は云った、「望月小平太がどんな人間か、評判ぐれえは聞いている筈だ、おれは茶なんか欲しくって寄ったんじゃあねえ、ふざけるな」

「どうも、これは恐れいりました」太十はいそいで辞儀をしながら手を叩いた、「お噂《うわさ》はうかがっておりましたが、よけいなことをしてお叱りを受けてはと、控えていたしだいでございます」

年嵩《としかさ》のほうの女が来、太十は酒肴《しゅこう》の用意を命じた。太十は小平太の腕を褒め、三人の若い者はこの土地でも腕力ではひけをとらない人間なのだが、やはりお武家はお武家ですな、などと云った。そうおだてるな、と小平太は赤くなっててれた。おれは侍の風上に置けないやつだと云われている、町奉行にされたのも厄介ばらいらしいが、この国許でもおれは眼のかたきで、いまに闇討ちでもくらいそうなあんばいだ、と小平太は云った。酒肴の支度ができると、例の二十二三の女が酌に坐った。どうやら太十の妾《めかけ》らしい、おみつという者だと太十がひきあわせた。

「いい女だな」と小平太が云った、「おめえのおもい者だろう」

「お見とおしでございますかな」

「人のおもい者はいけねえ」小平太は盃《さかずき》を取りながら云った、「おれは賑《にぎ》やかなほうが好きなんだ、きれいで温和《おとな》しくって弾けるのを四五人呼んでくれ」

「どうも後手《ごて》、後手になって済みません」と太十は低頭した、「お江戸と違って田舎ですから、お気に召すような者もおりませんが」

「お気に召すさ」と小平太は遮って云った、「もうあらましは見ているんだ、年増《としま》をよけて若いところにしてもらおう」

太十はおみつに振向き、おみつは心得て立ちあがった。

小平太の桁外《けたはず》れな態度を、そのままには太十は受取らなかったようだ。町奉行として着任するまえから、彼についての悪い評判は聞いていたし、着任してからの放埓《ほうらつ》な行動も、いろいろな方面から知らされていた。しかし、藩主の代替りがあって以来、「壕外」へ手を付けるということは、確実な筋から告げられていたうえに、これまで幾人かの町奉行が手を打ってきた。それはうまく潰したが、こんどは藩主じきじきの任命で江戸から来た。放埓無頼に近い人間だという噂には裏があるに相違ない。継町の才兵衛も、大河岸の灘波屋八郎兵衛も同じ意見であった。

――へたに動かないほうがいい、やりたいようにやらせて、いざとなったら消してしまおう。

三人はそう打合せてあった。したがって、突然ここへ押しかけて来、若い者を取って投げ、酒や女を強要するのを見ても、太十は決して心をゆるさなかった。なにかたくんでいるのだろうと思ったが、小平太は景気よく飲み、景気よくうたい、女たちとふざけ、あけっ放しに騒いだ。

「いいこころもちだ、太十」酔いのためにもつれる舌で、彼は云った、「おめえはいい人間だ、気にいった、他人たあ思えねえ、どうだきょうだい分になろうか」

「痛みいります、充分なおもてなしもできませんが、お気にめしましたらどうぞごゆっくり」

小平太は手を振って遮った、「まだそんな堅苦しい口をきいてるのか、こっちはきょうだい分になろうと云ってるんだぜ、さあ、大きいので一杯いこう」

吸物の椀をあけて、彼は太十に渡した。こんな大きい物では、と太十は当惑し、「花助、酌だ」と小平太はどなった。芸妓は五人来ていたが、小平太の陽気で巧みな遊びぶりにさそいこまれて、みんなすっかりはしゃぎだしてしまい、中でも花助と〆香《しめか》の二人は、「島本」や「喜文」で、幾たびか小平太の座敷へ出ているため、両方から彼に絡みつき、押したりたたいたり、無遠慮に嬌声《きょうせい》をあげていた。

「よう、みごとみごと」小平太は太十が汁椀の酒を呷ったのに手を叩いた、「――そいつをこっちへ貰おう」

彼は汁椀を受取って酒を注がせた。

「太十、――」と小平太は云った、「これはおめえとおれの、きょうだい分のかための盃だ、いいだろうな」

「御冗談にも、そんなことを仰《おっ》しゃっては御身分に障りましょう」

「本気だ、仮にも侍のはしくれが、冗談にこんなことを云うか」と小平太は云った、「おい太十、いいだろうな」

「へえ」と太十は苦笑した。

小平太は二た息に飲みほして云った、「さあこれでかための盃が済んだ、おめえとおれはいまからきょうだい分だぜ」

「どうもこれは」と太十はあいまいに口ごもった、「私のような者には、少々はれがましゅうございますな」

「そこで、きょうでえ」と小平太は上躰をゆらゆらさせた。「おれはちょっと休みてえんだが、ひと眠りやっていいか」

「どうぞ御遠慮なく」と太十が云った、「いますぐに支度をさせますから」

「おい、その妓《こ》、うんおめえだ」小平太は芸妓の一人を指さした、「おめえなんていう名だっけな」

「小蝶です」とその芸妓が答えた。

「済まねえがおれにつきあってくれ」と小平太は手招きをした、「ちょっと寝るからな、おめえいっしょに来て頭を揉《も》んでいてくれ」

「平さま」と花助が睨んだ、「あたしという者がここにいるんですよ」

「ああ、おめえはそこにいろよ」

「こら、平の字」と〆香が叫んだ。「そんな踏みつけたまねをすると承知しないぞ」

「なにさ」と花助が〆香に向き直った、「あんたえらそうな口をきくじゃないの、いったいあんたは平さまのなんだっていうのさ」

十四

花助と〆香が喧嘩を始め、小平太は小蝶という若い芸妓といっしょに、べつの座敷へ消えてしまった。他の二人の芸妓がいろいろなだめたが、花助も〆香もあとへはひかず、小平太は自分の

「いいひと」であるということを、熱くなって主張しあった。たわいもない口争いだが、変っているのは、「小平太は決して浮気者ではない」と、お互いがやっきになって証明していることである。

「あの人は云ってるわ」と花助が云う、「おれにはたった一人しか女はいないって」

「そのとおりよ」と〆香が云う。

「遊びだから女と寝ることもあるが」と花助が続ける、「それはただ寝るだけで、いやらしいことなんか金輪際しないし、そういうことのできる性分じゃあないって」

「そうよ」と〆香が云う、「そのとおりよ、なにがふしぎなのさ」

「それがわかってるなら、どうしてあんなえらそうな口をきくの」と花助がきめつけた、「なんにも知らないからきいたふうなことを云ったんでしょ」

「じゃああんたはどうなの、あんた一人だけはなにもかも知ってるってえの」

「あたしそんなこと云やあしないわ」花助はつんとすました、「あたしはね、他人の前でいい人のあら捜しなんかするような女じゃあございません」

「云ったな、この＊＊＊あまめ」

終りの三字は彼女たちなかまの術語であろう、きいーっと悲鳴のような叫び声をあげると、〆香は花助につかみかかった。

小平太が役宅へ帰ったのは、明くる朝のまだ暗いじぶんであった。彼は寝間へもぐりこむと、「ああ、女と酒のない国へゆきたい」などと呟《つぶや》いたまま熟睡し、小助に起こされるまで、寝返りいちど打たなかった。堀さまが来て待っている、と小助に云われたが、三度も訊き返したうえ、それが堀郷之助だとわかると、夜具の中で力いっぱい伸びをし、いさましく欠伸《あくび》をした。

「ああ、腹がへったぞ」と彼はどなった、「なにかこってりとした美味《うま》い物を食わせてくれ、精の付くこってりした物をな、いいか小助」

「へえ」と小助が云った、「風呂ができております」

堀に断わりを云って、風呂にはいり、月代や髭を剃り、自分で髪を直した。それからこってりとした食事のあとで、ようやく小平太は客間へ出ていった。

「待たせて済まない」彼は坐りながら云った、「ゆうべおそかったんだ、なにか用か」

「ちょっと耳にいれておきたいことがあったんでね」と堀が云った、「ゆうべおそかったとは、――どうかしたのか」

「なに、たいした事じゃない」

小助が茶を替えに来た。

「まだ召使はあれ一人か」堀は去ってゆく小助を見ながら云った、「身のまわりの世話をする者でも入れたらいいじゃないか」

「小助で充分まにあってるよ」彼は茶を啜《すす》った、「話を聞こうか」

「そのまえに一と言」と云って、堀はまともに小平太を見た、「――壕外にはいつから手を付ける」

「暇がかかるね、がっちりしたもんだ」と彼は答えた、「おれはあまく考えすぎていたらしい、これは相当なもんだよ」

堀郷之助はまた小平太をみつめた。心もとなげな、いかにも心配そうな眼つきで。そして、いちど縁側のほうへ視線をそらしてから、小平太のほうへ静かに振向いた。

「このまえ健士組のことを話したが、覚えているだろうな」

小平太は頷《うなず》いた。堀郷之助は持っていた茶碗を置いた。

「いまでもあとを跟《つ》けるか」

「知らないね」と小平太は首を振った、「もう気にしないことにしているんだ」

「護衛のためだろう」

小平太は訝《いぶか》しそうに堀を見た、「——護衛だって」

「かれらのようすは不穏になるばかりだ」と堀が云った、「いまにもなにかやりそうな話が耳にはいるので、望月には黙っていたが付けることにしたんだ」

小平太は黙った。

——やっぱりそうか。

二月の荒浜の「ながめ」へゆく途中、田舎道でうしろから誰か跟けて来るような気がした。それからのちも、壕外へかよう往き帰りに、幾たびかそんな直感があった。

——誰かあとを跟けて来る。

いちども人の姿は見なかったが、その感じは慥かなものであった。もちろん健士組ではない、柾木剛とは了解がついている。おれを敵視するという態度は、そのまま続けるように約束したが、尾行する必要などはなくなっていた。

「やっぱりそうか」と小平太は云った、「どうもおかしいと思ったが、——それは断わった筈だぞ」

「しかし大目付としての責任もある、望月が闇討ちにあうのを、黙って見ているわけにはいかないよ」

そんな心配は無用だ、と云おうとしたが、小平太は話をそらした。

「おれには御上意の仕事がある」と彼は云った、「危険なことは覚悟のうえでやってるんだ、命が無事でも役目がはたせなければなんにもならない、頼むから警護などはよしてくれ」

「護衛がそれほど邪魔になるのか」

「なるから断わったんだ」と彼は云った、「もういちど云うが、そんなことは絶対にやめてもらうぞ」

堀郷之助は溜息《ためいき》をついた、「やむを得ない、では心外だが、そうしよう」

「話はそれだけか」

「もう一つある」堀はそう云って、ちょっとためらった、「——これは、健士組にも関係のあることなんだが、安川、……徒士目付《かちめつけ》の安川雄之介を知っているな」

小平太は用心ぶかく頷いた。

「いつかの評定のあとでも云ったと思うが」と堀は静かな口ぶりで云った、「彼は健士組をにぎっている、柾木剛らは彼の意のままに動くといってもいいだろう、安川雄之介に気をゆるしてはならない、これは念を押しておくぞ」

「うん」と頷いて彼は堀を見た、「ちょっと訊くが、佐藤帯刀どのは継町の才兵衛と関係がある、ということだったな」

「突っ込んで云えば、重職のうち多かれ少なかれ、壕外と無関係な者はないと云ったほうがいい、——調べてみたのか」

「堀の調書以外に調べることはない、あれは役に立ったよ」と小平太は云った、「あとは時期を待つだけだ」

堀郷之助はまもなく帰っていった。

十五

堀郷之助の忠告は誇張ではなかった。それから五六日経った或る夜、小平太が壕外へゆこうとして歩いていると、桶屋《おけや》町あたりから跟けて来る者があるのに気づいた。

——いつもとは感じが違うぞ。

これまでとは感じが違う、と彼は思った。堀に忠告されたことが頭にあるためか、なにやら殺気のようなものが感じられた。

——なに者だろう。

健士組ではない、柾木剛とは話がついているし、柾木は健士組を抑えている。また、堀は護衛を付けないと約束したが、仮に護衛だとしたらこんな殺気を感ずる筈はない。いったいなに者だ

ろう、こう思いながら歩いていった。時刻は夜の十時、町はずれで灯は見えない。空は曇ってい
て、空気はなま暖かく、闇の中に乾いた道だけが、ぼんやりと灰色に浮きあがって見えた。
やがて道が左右に別れるところへ来た。左は壕外へ通じ、右は神崎の八幡宮へゆく。小平太は
左へ曲ると、閉めてある茶店の蔭《かげ》へとびこんだ。するとあとから、足を早めて三人の男が追って
来、茶店の前をとおり過ぎた。三人だけだということを慥かめると、小平太はふところの九寸五
分を抜き、すばやく、足音を忍ばせて三人のあとを追った。
――太十の家の若いやつらかな。
投げとばしてやったあの三人が、仕返しに来たのかと思ったが、注意して見ると町人ではない。
三人とも侍姿であり、黒い頭巾で顔を隠していた。これだけのことを、ごく短い時間に判別して
から、彼は三人のうしろ五尺のところまでまを詰めた。
「おい、うしろを向くな、そのまま停れ」と小平太は低い声で云った、「そのまま停るんだ、背
中には切尖《きっさき》が当っている、動くとずぶりいくぞ」
三人は立停った。前方を向いたままで、ほぼ横に一列のかたちだった。
「へたなことをしない限り、おれはなにもしない」と小平太は云った、「三人とも右手を袂《たもと》の中
へ入れろ、袂の中だ、早くしろ」
三人は云われるとおりにした。
「よし、そこで名を聞こう」
三人は答えなかった。

「じゃあこっちから訊こう」と小平太が云った、「おれのあとを跟けてどうするつもりだった」

まん中にいた一人が、なにか呟《つぶや》いて、そして慌てて咳《せき》をした。

「聞えないぞ、もっとはっきり云え」

「健士組の者だ」とその侍が云った、「自分の意志ではなく、藩家のため組ぜんたいの意見で、——」

「ぜんたいの意見で、どうした」と小平太が訊き返した、「おれを暗殺しようとしたのか」

その侍は答えなかった。

「いま健士組ぜんたいと云ったな」小平太はまた訊いた、「その中には柾木もはいっているのか」

「むろんのことだ」と同じ侍が答えた。

「むろんのことか、へええ」小平太は面白そうな声をあげた、「健士組と柾木剛の名が出た以上、もうきさまたちも名のるのが当然だ、さあ、一人ずつ名を聞こう」

うしろのほうで人の声がした。壕外へ遊びにゆくのだろう、高い声で話したり笑ったりしながら、しだいにこちらへ近づいて来た。

「おい、人の来ないうちに名のってしまえ、その恰好を町人どもに見られてもいいのか」

「私は」と左にいる侍が云った、「私は沢本正五」

「田口源二郎」とまん中の一人が云った。

「内島兵馬」と右の一人が云った。

「沢本、田口、内島」と繰り返して、小平太はまた「へええ」と云った、「——まさか偽名ではないだろうな」

三人は答えなかった。

「そうなると事のついでに顔も拝見しておこう」と小平太は云った、「頭巾をぬげ、いま向うから提灯《ちょうちん》が来る、友達のようなふりをすれば町人も怪しみはしないだろう、おい、云うとおりにしろよ」

人声はずっと近くなり、三人は袂から手を出した。頭巾をぬごうとして、田口源二郎と名のった侍が、さっと刀を抜いた。左右の二人が近かったので、抜くのも振向くのも自由がきかなかった。小平太は予期していた。頭巾をぬげというのは、やるつもりならやれという意味だったのである。一人が抜くのを見て、他の二人も抜いたが、小平太の姿を見ないうちに、三人とも投げとばされ、沢本正五と名のった侍は気絶してしまった。

「おれはかっとなる癖があるんだ、済まなかったな、どこか痛くしたか」

小平太がそう云っているとき、五六人伴《づ》れの男たちが近づいて来、幾つかの提灯がその場のありさまを照らしだしたので、吃驚《びっくり》したようにみんな立停った。

「とおれとおれ」と小平太が手を振った、「なんでもねえ、お侍が酔い潰れているだけだ、うろうろしているとかかりあいになるぜ」

「平さんじゃあねえか」と男の中から一人が呼びかけた、「どうしたんだ」

「おめえ誰だ」

「五十吉《いそきち》よ、忘れたのか」

継町の博奕場《ばくちば》の男で、これまでいっしょに四五たび飲んだことがある。その夜、小平太は才兵衛を訪ねるつもりだったが、倒れている三人には気づかれたくなかった。

「五十あにいか」と小平太はそっちへいった、「暫《しばら》く会わなかったな、一杯やるか」

「客人を案内するところなんだ」と五十吉はすばやく囁《ささや》き、それから顎《あご》を突き出して云った、「あのお侍たち、平さんの知り合いか」

「そうじゃあねえ、酔い潰れてるからようすを見ていたんだが、かかりあいになってもつまらねえ、いっしょにいくとしよう」

「うっちゃっといてもいいのかな」

「酔いがさめれば起きて帰るさ」小平太は三人に聞えるように云った、「――これで深酒に懲りればいいが」

小平太は五十吉たちと歩きだした。

いまの三人は健士組の者ではない、彼は田口も内島も沢本も知っている。田口源二郎とは面と向って話したこともあり、軀《からだ》つきや声も覚えている。かれらは健士組の者ではなく、小平太を仕止めたとき、健士組に責任をかぶせるつもりだった。

――そろそろ駕籠《かご》を早めるじぶんだな。

騒ぎを大きくしてはまずい。二の手のかからないうちに事を進めよう、今夜は才兵衛、灘八もすぐにやっつけるとしよう、と小平太は心の中で呟いた。

十六

三月二十一日の午後、——松ヶ岡の泰月院の茶屋で、「壕外」の三親方が飲んでいた。灘波屋八郎兵衛は七十あまり、才兵衛と太十はほぼ同年で、才兵衛のほうは痩《や》せていた。

「安公がやられたって」と八郎兵衛が云った、「あの和唐内《わとうない》の安がか」

「どうされたか自分でわからなかったそうだ」と太十が云った、「刺青を見せたまではいいが、とびかかったとたんに軀が宙に浮き、くるっともんどり打って叩きつけられた、まるで軽業をやったような心持だと云やあがった」

「銀も吉もその伝か」と才兵衛が訊いた。

「まったく御同様らしい、おまけに相手は息も変えずに、すまして立ってるんだから呆《あき》れたものさ」

「評判に偽りありりか」

「そこがわからねえ」と太十は続けた、「この三人で話しあったとおり、あの評判には裏がありそうだ、へたに手出しをしないで、やりたいようにやらせてみよう、そういう相談だったからようすを見ることにした」

ところが、茶を出すと酒だと云い、芸妓を呼ばせて騒ぎだし、酔ったあげくが休むと云って、若い芸妓と大っぴらにしけこんだ。

「妓《おんな》は五人いて、花助と〆香の二人はまえにわけがあったらしい」と太十は続けた、「その二人の見ている前で、あっさり小蝶としけこんだ、ちっともめげたところがないし、いやみもない、評判どおり桁外れだが、あれは誰にもできるという芸じゃあない、おらあすっかり惚《ほ》れこんじまったよ」

「こっちも御同様さまだ」八郎兵衛が笑いながら云った、「乱暴こそしなかったが、酒が欲しい美味い物はないか、酌はたぼ、若くてきれいで芸のできるのを五人ばかり呼んでくれ」

「そこで云やあしなかったか」と才兵衛が口をいれた、「——灘波屋八郎兵衛、気にいったぞ、とても他人とは思えないって」

「継町もやられたか」

「御同様の三つ重ねだな」と才兵衛は苦笑いをした、「おれのところでは菊丸と寝たが、そのあとでみどりと梅千代がつかみあいの喧嘩よ」

「みんながてめえのいろのつもりでな」と太十が云った、「おれのところでも花助と〆香がやったっけ」

「おれのうちでは吉弥《きちや》とおそめだった」と灘八が云った、「お互いに髪の毛をむしりあってたが、聞いていておかしかったのは、てんでんがあの男を自分だけの男だと思いこんでることだ、可愛がられたのは自分だけで、よそでは夢にも浮気はしない、——一人ひとりがしんそこそう思って、爪の先ほども疑っていないことだ」

三人は笑った。まるでそれぞれが自分の伜《せがれ》のことでも自慢するような、人の好い、くすぐったそうな笑いかたであった。

「――平さま、か」と太十が自分の盃に酒を注ぎながら、ゆっくり首を振った、「あの人にゃあかなわない、あの、他人たあ思えないと云うときの調子のよさ」

「恥ずかしいこったが」と才兵衛が云った、「おらあきょうだい分の盃をしちまったぜ」

灘八と太十が同時に才兵衛を見、同時に「えっ」といった。どっちの眼にも「おまえもか」という表情がはっきりあらわれていたので、才兵衛はどきっとしたようであった。

「灘波屋のとっつぁんも、――大橋もかい」と才兵衛が唸《うな》った、「へえっ、そいつはおどろきだ、たいしたさむらいがあったもんだな」

「どうやらおれたちは三人とも、うまくまるめられちまったようだな」と八郎兵衛が云った、「考えてみると年甲斐《としがい》もない話だが、いったい敵はどうする気だろう」

「見当がつかない、話がまるっきり逆だからな」と太十が云った、「あの桁外れなやりかたを見ていると、こっちで意見をしたくなるくらいだ」

灘波屋八郎兵衛は酒を啜《すす》りながら、上眼づかいに天床《てんじょう》を見、庭の向うの松林を見た。

「ふところへとびこまれたな」と灘八は独り言のように云った、「江戸じゃあ生き馬の眼も抜くというが、このままだとおれたちは骨まで抜かれちまうぜ」

「まさかね」と才兵衛が笑った、「まだ相撲は仕切りにかかったばかりだ、勝負は立ちあがってからのことさ」

「来たようだぜ」と太十が云った。

廊下の向うで「わかってる」という声がし、すぐに望月小平太があらわれた。黒の紋服に麻裃《あさがみしも》で、すっかりようすが変っているし、相貌《そうぼう》も人が違ったように屹《きっ》としていた。

三人はわれ知らず座を辷《すべ》った。

小平太は袴《はかま》をさばいて上座《かみざ》に坐り、刀を右に置いて三人を見た。おも長のひき緊った顔に、濃い眉と一文字なりの唇とが、きびしい威厳を示しているようにみえた。

「町奉行、望月小平太である」と彼は切り口上で云った。

三人は両手を突いた。

「灘波屋八郎兵衛、継町の才兵衛、大橋の太十、こんにちはいずれも大儀であった」

三人は平伏した。

「これで挨拶は済んだ」と小平太が云った、「三人とも楽にしてくれ」

小平太は立って座敷の隅へゆき、手早く裃と紋服をぬいだ。そして白の下着に帯をぐるぐると巻きつけ、ぬいだ裃と紋服を上座の敷物の上に置くと、三人の前へ来てあぐらをかいた。三人はあっけにとられたようすで、黙ったまま彼の動作を見まもっていた。

「さあ」と小平太が云った、「灘波屋のとっつぁんから順に盃を貰おう」

灘八が静かに云った、「そのまえに、どんなからくりになっているのか、聞かして頂きましょう」

「からくりなんてけちなまねはしねえ、おれは初めから正体をぶちまけた、おれがどんな人間かということは、三人ともよくわかってる筈だ」と小平太は云った、「――江戸からのこのこやって来て、縁もゆかりもねえおめえたち、いや、かたき同志にもなろうというおめえたちに、おれがいくらやくざな人間でも、侍としてあんなばかなざまは見せたかあねえ、だがそうしなきゃあならなかった、おれがどんな人間かということをわかってもらうためにゃあ、おれの正体、すっぱだかなおれをぶちまけるよりしようがなかったんだ」

「それはまた、どういうわけです」

「侍と町人、町奉行と壕外の親分、——こういう裃をぬいで、男と男になりたかった」と小平太は云った、「人間と人間、男と男になって頼みたいことがあったからだ」

小平太はきちんと坐り直した。

「頼みとは」と灘八が云った、「どういうことです」

小平太はふところから書状を出した。それは奉書紙で包んであり、彼はその一通ずつを三人の前へさし出して、「これを読んで爪印《つめいん》を捺《お》してくれ」と云った。三人は包み紙をひらいて書状を取り出し、ざっと眼をとおすと灘波屋八郎兵衛の顔を見た。

「——うんぬん、と」と灘八は読んだ、「右により四月限り当地を立退《たちの》くこと実正《じつしょう》なり、万一仰せにそむき候ばあいは、いかようなる罪科に問われるとも、……」

「よつきを限り、だ」と小平太が訂正した、「つまり四カ月のあいだ土地から立退いてくれという意味だ、それを読んだうえで、おれの頼みを聞いてもらおう」

十七

神崎の八幡宮は丘の上にある。男坂の石段は二百八十段、女坂のほうはゆるやかな稲妻形に、丘の中腹を登って見晴らし台へ出る。――汗ばむほど暖かい陽をあびて、いま小平太と堀郷之助が、話しながら女坂を登っていた。

「それから、――」と堀が訊いた。

「おれは躰当りでいった」と小平太が続けた、「それよりほかに手段はないと思った」

「うまくいったのか」

「おれはうまくやるなんというつもりはなかった、男と男でぶっつかったんだ」と云って小平太は額の汗を拭いた、「おれはなにもかも隠さずに話した、殿さまが江戸城の詰間《つめのま》で、隣り藩の領主から皮肉を云われた、――御領分にはいい金蔵《かねぐら》があるそうだ、しかしそのおかげで、自分の国許では家臣どもがぬけ遊びにでかけ、風儀が乱れて当惑する、……たぶん重役《おもやく》から教えられたものだろうが、そういうことを再三ならず云われたという」

堀郷之助は黙って歩いていた。

「やくざにも義理や仁義があるだろう、侍にも、大名にも義理や面目がある」小平太は続けた、「そこを考えてくれ、とおれは云った、おまえたち三人とも、長いあいだ好きなように稼《かせ》いで来た、一藩の政道を尻眼に、大手を振って稼いで来たんだ、おれはこのとおりの人間だから、やくざの義理人情はよく知っている、このとおり、町奉行の望月小平太ではなく、このとおり男として頼む、三人も男だという証拠をみせてくれ」

坂を登り詰めると、若草の茂っている原へ出た。左のほうに八幡宮の森があるだけで、ほかには木らしい木がなく、振返って見ると、城下町の大部分が眼の下にひらけていた。

「恥ずかしいが、おれは涙をこぼした」と小平太が云った、「もちろん悲しいからじゃあない、三人が承知するとわかったからだ」

　堀郷之助が驚いたような眼をした。

「まさか」と堀は訊いた、「――承知したわけではないだろう」

「承知した、三人とも承知したんだ」

「信じかねるな」

「いいことを云った」と小平太は微笑した、「堀には信じかねると思ったよ」

「どういう意味だ」

「あとを話そう」と小平太が云った、「初めに灘八が承知した、これは涙をこぼさなかった、皺《しわ》だらけの顔ではにかむように笑ったが、涙をこぼされるより胸を打つ笑いかただった、――よくわかりました、と灘八は云った、お上の御威光で来るなら、私どもも死身になって張り合ってみせる、だが、こういうふうに出られてはかないません、なんにも云わず、仰しゃるとおりに立退きます」

　太十も才兵衛もすぐ灘八に同意し、あと始末があるけれども「二十日以内には立退く」とはっきり云った。

「そのあとが悪いんだ」小平太は首をすくめた、「灘八のじいさんそう承知をしてから、証文を四カ月のあいだ、と読むのはごまかしですな、と突っ込んで来た、弱ったね、お面へぴしりだ、もし四カ月で戻って来たら、四月限りという文言を盾に取るつもりだったんだから、――へ、おれは正直に手を突いて、じつはごまかしだ、勘弁してくれと頭をさげた」

「勘弁で済んだのか」

「笑ったね、これだからかなわないと云って、三人で笑った、てんでざまあなしさ」

小平太は見晴らし台の端のほうへゆき、堀郷之助に背を向けたまま、やや暫く城下町を眺めていた。

「人間が身分や階級をはなれ、男と男でぶっつかるということはいいものだ」と小平太は云った、「灘八はそのあとで、おれにこういう忠告をしてくれた、――私たちは約束どおり立退くが、このままだと、壕外はすぐ同じようなことになる、自分の弁護をするわけではないけれども、御家中の重役がたと私たちのあいだに、一人の人がいて、私たち以上にふところを肥やしている、人間がいちどふところを肥やす味を覚えると、それを忘れるということはできないものだ、おまけにその男は頭も切れるし、ぼろを出さないから人望もある、……その男の始末をしない限り、壕外は決してきれいにはならないだろう」

小平太はそこで言葉を切り、十拍子ほど黙っていて、深く長い呼吸をした。

「毎晩おれが壕外へかようことで、重職から喚問された」と彼はゆっくり云った、「おれが壕外へかようことをうちあけた男は、ただ一人しかいない」

彼は巧みなまをおいて続けた、「おれは身辺が危ないといって、護衛を付けられた、ところが、その護衛の三人がおれに闇討ちを仕掛けた、かれらは健士組の者だと云ったが、気の毒なことに、おれが健士組の者を知っていること、柾木剛とはよく話しあって了解がついている、ということを知らなかった」

　そこで小平太は声をひそめた、「――どうした堀郷之助、抜かないのか」

　うしろはひっそりとしていた。

「いまならやれるぞ」と小平太が云った、「おれを斬ってみろ」

　答えはなかった。

「きさまのよこした調書は紛れのないものだった、安川の調べより詳しく、正確だった」小平太は堀に背中を向けたままで云った、「それが隠れ蓑《みの》の役に立ったが、着た物は必ずいつかはぬがなければならない。――さあやれ、おれを斬るならいまだ」

　うしろで動くけはいがし、小平太は両手をゆるやかに構えた。だが仕掛けるようすはなく、若草を踏む足音が遠のいていった。――小平太は静かに向き直った。堀郷之助は背をまっすぐにし、おちついた足どりで、八幡宮の森のほうへと去っていった。小平太は顔をしかめ、ぺっと唾を吐き、そして、仰向いて空を見た。

「どうするんだ、堀」空を見あげたまま、彼は口の中で呼びかけた、「いまなら切りがついたのに、どうするつもりだ」

　役宅へ帰った小平太は、すぐに着替えをして、「荒浜へゆく」と小助に云った。

「安川が来たら、辞任の手続きはそっちに頼む、おれはながめで保養する、とそう云っておいてくれ」

十八

安川雄之介が、荒浜の「ながめ」へゆくと、肥えた女中のおつゆが慌てたようすで、こちらへどうぞと手を振った。

「望月に用があって来たのだ」と安川は云った、「望月はいるんだろう」

「はい、おいでですけれど」

「あの端の座敷ではないのか」

「そうなんですけど」と云っておつゆは赤くなった、「お座敷はあのお座敷なんですけれど、いまちょっと」

「冗談じゃない、まっ昼間だぞ」と云って安川は自分の言葉に自分で狼狽《ろうばい》した、「えへん」と彼は咳をした、「わかった、そんなことはよく承知している、構うな」

「でもあの」とおつゆが手を振った、「お気の毒ですから」

安川雄之介は女中を押しのけるようにして、廊下を歩いてゆき、このまえ小平太の泊った座敷の前へいった。

――おたまだな、たいしたやつだ。

彼はそう思って襖《ふすま》へ手を掛けた。すると中から女の甲高い声が聞えて来たので、われ知らずちょっとためらった。座敷が違うのではないか、という気がしたのだが、女の声にまじって、なにやら詫《わ》びているのが小平太だとわかり、どうしたことかと安川は襖をあけた。

障子を閉めた座敷の、縁側よりに酒肴の膳が二つあり、その前に小平太が坐っていた。浴衣に宿のひらぐけで、きちんとかしこまった膝《ひざ》に両手を突っ張り、いかにも神妙に頭を垂れていた。女は二十三四で、浴衣に水色の扱帯《しごき》、宿の半纏をひっかけているが、白粉《おしろい》やけのした細おもての眼鼻だちや、すごいほど歯切れのいい言葉つきなどで、この土地の者でないことも、素人でないこともすぐに見当がついた。

「おう来てくれたか」小平太は安川を見てうれしそうに云った、「ちょうどよかった、さあこっちへ寄ってくれ」

「お客のようですね」と安川が云った。

「いや客じゃあない」

「お黙んなさい」と女は叫んだ、「話はこれからなんですからね、人が来たから難をのがれるなんて思ったら大間違いよ」

「しかしおちよ、これはおれの友達で」

女は振返って安川を睨み、「どうか坐って下さい」と云った。安川は坐った。

「あなたがこいつの」女はこいつと力をこめて云った、「お友達ならちょうど幸いです、あたしがこれから云うこと聞いていて、どっちが尤《もっと》もだか判断して下さい」

「だって安川はなにも」

「口出しをしないでよ、うるさい」と女はきめつけ、それから安川に向って云った、「あたしは江戸の柳橋で、芸妓をしているこせいという者です、この人とは七年来の馴染《なじみ》で、ずいぶんこの人のためには苦労しました、苦労のたねはこの人の遊び好きですが、よその妓《おんな》と遊んでも決して浮気はしない、あたしのほかに肌はゆるさないと云うし、妓たちもそのとおりだと云うから辛抱していたんです」

「ところが」と云って彼女は腰をもじもじさせた、「ところが去年の暮ですか、この人は殿さまの仰せで国許へゆき、御重役のお嬢さまを貰って身を固めるって、まじめな顔で云いました、それなら結構、あなたがちゃんとした方を貰っておちつくんなら、あたしよろこんで身をひきます、あたしはそう云って、僅かだけれど御祝儀まであげました」

「それがどうでしょう」と女は続けた、「この人が国許へ立ったことがわかると、この人と遊んだ妓たちがみんな、みんなですよ」と云って彼女はまた腰をもじもじさせた、「こんなすべたがと思うような妓までが、みんなこの人とわけがあったって云いだし、それが嘘じゃないってことがわかったんです」

「女なんてものは」と小平太がぶつぶつ呟いた、「じつになさけないお饒舌《しゃべ》りだ」

「よくもそんな口がきけるわね、この銀ながしのおっちょこちょい」彼女は腰を捻《ひね》りながら叫んだ、「それであたしは気がついた、国許で身を固めるなんていうのも知れたもんじゃない、慥かめてやろうと思ってこっちへ来ました」彼女は安川にそう云った、「――来てみると案の定です、宿屋へ泊れば宿屋の女中、芸妓と遊べば芸妓、まるで鳥黐《とりもち》へ蠅《はえ》でもたかるように、べたべたべたべた片っ端からくっついて寝るじゃありませんか、くやしい」

「おい、おちついてくれ」と小平太がおずおず云った、「おまえこんな田舎の女の云うことを、本気になって聞くのか」

「やかましいわよ、このすっとこどっこいのおたんちんの女蕩《おんなたら》し、あたしはね、あんたのあとを跟けていって、一人一人残らず膝詰め談判をしたんだから」

「あとを跟けたって、――」小平太はなにかを思いだしたように唸った、「なるほど、あのときのあれはおまえだったのか」

「なるほどもくそもあるかい」と云って彼女は耐えがたそうに腰を捻った、「こうなったら勘弁しないからね、あたしゃおまえを江戸へ伴れて帰るんだから」

「済まねえ」と小平太はおじぎをした、「このとおりあやまる」

「いっしょに江戸へ帰るんだよ、わかったかい、この、――この」うまい悪口が出ないらしい、ますます腰を捻りながら、「ああくやしい、ひっぱたいてやりたいよ」

「そのまえにちょっといって来い」と小平太が彼女の腰のあたりを指さした、「さもないと畳を濡らしちまうぜ」

彼女は反射的に、両手で前を押えながら立ちあがった。まっすぐには立てない、「失礼いたします」と安川に云って、前踞《まえかが》みのまま、すり足で廊下へ出、そこで振返って叫んだ。

「逃げたってだめよ、いいわね」

「わかったよ」と小平太が答えた。

彼女が去ると、安川雄之介が笑いだした。彼女に聞えては悪いので、声をころして笑わなければならない、そのために顔を赤くしながら、「いいきみだ、これで溜飲《りゅういん》がおりた」と云った。

「百日の溜飲がおりたような気持だ」
「なんとでもぬかせ」と小平太が云った、「どうせ安川なんかには、こういう女出入りの味はわかりゃあしねえんだ」
「さぞいい味でございましょう」と安川は丁寧に辞儀をして云った、「――辞任の手続きは済みました、めでたく役目をはたされて御満足のことと思います、では私はこれで、……」
「いろいろ骨を折らせて済まなかった」と小平太は会釈を返した、「江戸へ立つまえにもういちど会おう」

十九

同四月十日
今日も望月どのは出仕されない。
昨日、大目付の堀郷之助が切腹した。仔細《しさい》はまだ不明であるが、五歳になる長男の福松に跡目《あとめ》のゆるしがさがった。（以下五項目を略す、筆者）当番書役、市川六左衛門。

同四月十二日
本日、港橋番所より注進があって、壕外に住む「親方」三人、灘波屋八郎兵衛、大橋の太十、継町の才兵衛らは、家財を処理していずれかへ立退いたという。いかなる理由によるかわからないが、長年にわたって御政道のさまたげとなっていた事が、これでようやく落着したわけで、落家のため慶賀すべきことと思う。

本日も望月どのは出仕されなかった。（以下一項目を略す、筆者）当番書役、中井勝之助。

同四月十七日

昨日、町奉行望月小平太どのは江戸へ帰られた。聞くところによれば、すでに三月下旬その役目を解かれたのだという。後任奉行は今明日ちゅうに、決定する筈である。当番書役、中井勝之助。

——書役私記「望月どのは着任まえから悪評の高い人だったが、こんどの解任も、着任以来の不行跡を咎《とが》められたものらしい。それにしても、着任から解任まで、町奉行として一度も出仕されなかったということは、奉行所日記として唯一の記録であろうと思う」中井勝之助。

（「小説新潮」昭和三十四年六月号）

霜柱

一

「繁野《しげの》という老職を知っているか」

「繁野、――」石沢金之助は筆を止めて、次永《つぐなが》喜兵衛を見あげた、「老職には二人いるが、どうかしたのか」

「としよりの家老のほうだ」

「御家老なら兵庫どのだろう、むろん知っているが、それがどうした」

「おれはつくづく」と云いかけて、喜兵衛は石沢の机へ手を振った、「もう片づくんじゃないのか」

「そう思っていたところだ」

「じゃあ下城してから話そう」と喜兵衛は云った、「中ノ口のところで待ってる」

そして足早にそこを去った。

老いぼれの、田舎者の、わからずやのへちゃむくれめ、次永喜兵衛は心の中でそう罵《ののし》っていた。中ノ口を出て、木戸のところまでいっても罵り続け、石沢が来るまで、通りかかる下役の者たちが挨拶をしてゆくのに、ろくさま会釈も返さず悪口を並べていた。

「家でいっしょに夕食をしてゆかないか」石沢は来るとすぐに云った、「このごろあらわれないので家の者たちが心配しているぞ」

「一杯やりたいんだ」歩きだしながら喜兵衛は云った、「むしゃくしゃしてやりきれない、どうしても今日は一杯やりたいんだ」

「そんな気持で飲んだってうまくないだろう、「とにかく家へゆくことにしたらどうだ」

迷惑ならここで別れるよ」

「そろそろ癖が出るな」石沢は頭を振った、「そういう約束ではなかった筈だ」

「あんなくそじじいがいるとも云わなかったぜ」

「どこへゆくんだ」

「雪ノ井のほかにいい場所があったら教えてくれ」と喜兵衛が云った、「おちついて飲めるうちといえば雪ノ井がただ一軒、芸妓《げいしゃ》もいねえというんだからひでえ土地だ」そして吐きだすように付け加えた、「おれはまるでペテンにかかったような心持だぜ」

石沢金之助は黙って歩いていた。

大手門を出て堀端《ほりばた》を右へゆき、蔵《くら》町から横井小路《こうじ》へぬけると馬場、その柵《さく》に沿った片側並木の道を左にまわり、明神の森につき当って、門前を右に二丁ほどゆくと大きな池のふちへ出る。雪ノ井という料理茶屋はその池畔にあるのだが、そこへゆくまでずっと、喜兵衛は休みなしに悪口を云い、女中に案内されて座敷へとおってからも、まだ舌の疲れはみせなかった。

その茶屋は池に東面し、左右とうしろに松林がある。二人のとおされたのは西の端にある座敷で、二方に縁側があり、庭へおりる段が付いている。そこから池まで約二十尺、向うに小さな桟橋が出ていて、小舟は二はい繋《つな》いであった。——池の対岸は黒ぐろと樹の繁った丘で、それは城のある鶴ヶ岡と続いているのだが、その一部に鶴来八幡《つるきはちまん》の社殿があり、そこは昔の砦趾《とりであと》だといわれていた。

「江戸屋敷に熊平《くまへい》という庭番のいたことを覚えているか」と喜兵衛が急に話を変えて訊《き》いた、「右のこめかみのところに大きな瘤《こぶ》があったので、瘤平ともいわれたとしよりだ」

「上屋敷《かみ》にか」

「梅林を受持っていた」

「覚えているようでもあるな」

「酒を早く」と喜兵衛は女中に云った、「肴《さかな》はいつものとおり、魚田《ぎょでん》と塩焼と味噌椀、漬物をたっぷり頼む、へ、――」彼は右の肩をしゃくって唇を曲げた、「四万二千石の城下で、美味《うま》いのは漬物だけときている、いったいこの土地の人間には舌というものがあるのかい」

おかやという女中は笑いながら、喜兵衛に向って舌を出してみせた。

「ごめんなさい」とおかやは云った、「この土地ではこれを舌と云いますけれど、お江戸ではなんといいますかしら」

「じたというんだ」喜兵衛は膝《ひざ》を打った、「そんな物はしまって早く酒を持って来い」

おかやは殴るまねをして立っていった。

「悪い癖だ」と石沢が穏やかに云った、「こういうところへ来るとまるで魚が水へ帰ったようになる、まず酔わないうちに文句を聞こうじゃないか」

「熊平という庭番は疑い深いとしよりだった」と喜兵衛は云った、「この世にある物、この世で起ることをなに一つ信じない、たとえばいま雨が降っているとすると、その雨を信じない、現に自分の着物が濡れていても、それが雨の降っている証拠だとは云えない、と云うんだ」
「話したいのはそのことか」
「まあ聞けよ」と喜兵衛は云った、「彼は自分の住んでいる小屋を信じない、湯呑《ゆのみ》を信じない、池を信じないし池の中で泳いでいる鯉《こい》を信じない、もちろん自分を信じないし、地面も天も、太陽も月も信じない、すべてはただそうあるようにみえるだけだと云うんだ」
「つまらない話じゃないか」と石沢が云った、「としをとると変屈になる人間はどこにでもいるものだ」
「しかし熊平のはただの変屈じゃない、なにも信じないということは彼にとってりっぱな信念だったんだ、或るとき梅林の脇にひきがえるがいた、おれは熊平を呼んでそのひきがえるを見せたのさ、すると熊平はそれをひきがえるだと信じない、おれはそこで棒切れでもってひきがえるの尻を突っついてやった、ひきがえるはもちろんのそのそ歩きだし、おれは熊平にどうだと訊いた」
「おまえの口まねをするわけではないが」と石沢金之助が遮《さえぎ》った、「そのひきがえると熊平をちょっと片づけてくれ、おまえがここへ来たのはおれに話すことがあるからだろう、その話というのを聞こうじゃないか」
「だからおれはいま、――」喜兵衛は上眼づかいに天床《てんじょう》を見上げ、唇を舐《な》めて、ひょいと片手を振った、「おい、よけえなことを云うから話のつなぎが切れてしまった、冗談じゃない、ええと」

「酒が来たよ」と石沢が云った、「一と口やったら思いだすだろう」

おかやが小女《こおんな》と膳をはこんで来、喜兵衛はすぐに盃《さかずき》を取った。小女は去り、おかやは給仕に坐った。盃で三つ飲むまで、喜兵衛は頭をひねりながら考えてる、石沢はおかやに話しかけた。この家の隠居は弓の稽古を始めて、石沢と知り合いになったらしい。近ごろみえないがどうしたと石沢が訊き、丈夫でぴんぴんしていますとおかやが答えた。ではもう弓はやめたのかな。そうでしょう、なにしろ飽きっぽい人ですから、と答えながらおかやは喜兵衛に酌をした。

「どうなさいましたの、なにをそんなに考えこんでいらっしゃるんですか」

「ひきがえるだ」と石沢が云った、「繁野老職とひきがえるを結びつけるために、苦労しているんだ」

「じゃあ肝心なことだけは云おう」喜兵衛はみれんがましい口ぶりで云った、「熊平の話から持ってゆきたかったんだが、――まあいい、問題はあの老人だ」

「繁野さんのことだろうな」

「むろんあのじじいだ」

「口を慎め」

「話が先だ」と喜兵衛が云った、「おれはこの土地へ来てもう九十余日になる、まだ九十余日しかならないともいえるが、この九十余日という日数《ひかず》を覚えておいてくれ」

おれは国許《くにもと》で廃家になった次永の家名を継ぐためにこっちへ来た、と彼は続けた。次永の家を再興し、中老和泉《いずみ》作左衛門の娘すみを娶《めと》る約束で、郡代支配という役についた。和泉家の娘ともたびたび会い、大いに気にいっている。温和《おとな》しそうだし縹緻《きりょう》もいいし、妻にするにはもってこいの娘だと思う。住居も悪くない。繁野のじじいが自分の控え屋敷をあけてくれたのだそうだが、庭もかなり広いし家の間取も気がきいている。家僕の仁兵衛夫妻もいい人間で、女房の拵《こしら》える食事も尋常だ。役所のほうもまず文句はない、下役はよく働いてくれるし、郡代たちにも反感を示したり、不服従なまねをするような者はいない。とにかく、いままではそういう者はいなかった。これを要するに、大体としておちつけるような条件がそろっているし、おれもおちつきたいと思っていた。本当におちつきたいと思っていたんだ、と喜兵衛は念を押すように云った。

「ところがだめだ」と喜兵衛は首を振った、「今日までがまんして来たが、あの繁野のくそじじいには手をあげた、おれは辞職して江戸へ帰るぞ」

「帰れやしないさ」と石沢が云った、「おまえはもう北島家の二男ではなく次永喜兵衛なんだ、まあ話してみろ、いったい繁野さんがどうしたというんだ」

「おれを眼のかたきのように小突きまわすんだ、老職部屋へ呼びつけてどなる、こっちの役所へ来てどなる、おまけに住居まで小言を云いに押しかけて来るんだ」

「繁野さんは温厚な人だぞ」

「郡代支配という役はむずかしい」と喜兵衛は酒を啜《すす》ってから云った、「それは説明するまでもないだろう、この土地に長くいて、土地の事情に通じていなければなかなか勤まらないものだ、ところがおれは江戸から来た人間だし、来てから九十余日にしかならない、二人の助役《すけやく》やその他の下役たちに助けられて、どうやら事務に馴れ始めたところだ」

繁野兵庫はもちろんそれを知ってる筈だ。しかもまったく容赦しない。役所に勤めだすとすぐから、どんな些細《ささい》な誤りをもみのがさず、子供でも叱るようにびしびし小言を云う。助役の思い違いとか、下役たちの誤りまで、すべておれの責任にして叱りつけるのだ、と喜兵衛は云った。「あんなひねくれた意地わるじじいは初めてだ」喜兵衛は唇を片方へぐっと曲げた、「あんなじじいを親に持った伜《せがれ》の面《つら》が見たいくらいだ」

二

「いや」と石沢金之助が云った、「繁野さんには子供はないんだ」
「あの年で、——子供がないって」
「繁野さんは家庭でもさびしいほど静かな人だし、謙遜《けんそん》で温厚な人だということを知らない者はない、これは少しも誇張のない事実だ」
「ではどうして、おれだけをこうひどく小突きたてるんだ」
「理由はいろいろあるだろう」と石沢が云った、「まずおまえ自身の行状だ、江戸屋敷で北島の二男といえば、乱暴と放蕩《ほうとう》ぶりで第一に数えられていた、おれは七年まえまで江戸屋敷にいたし、従兄弟《いとこ》どうしとしておまえのことはよく知っている、だからおまえがこっちへ来たとき諄《くど》く意見を云ったんだ」
「おれはそれを守ったつもりだぜ」
「それは認めてもいい、しかし繁野さんは危ぶんでいるのかもしれない、ものごとは初めが肝心だというから、いまのうちに緊めるところを緊めておこうというつもりかもしれないだろう」

「向うにそんな気持があればこっちに通じない筈はない、おれにだって人の気持を感じとるくらいの能力はあるんだ」

「もう一つの理由は」と石沢は構わずに続けた、「これはおれの想像だけれども、繁野さんがおまえを好いてるということだ」

「なんだって」

「あの温厚な人がそれほどきびしくするというのは、おまえを好いているからではないか、そうだ」と石沢は大きく頷《うなず》いた、「単に家老と郡代支配という関係なら、そんなにきびしく当るわけがない、おまえはいま子供でも叱るようにと云ったが、繁野さんはおまえを好いているため、親が子供にきびしくするようにきびしくするのではないか、それならおれにはよくわかるが、おまえにはそうは思えないか」

「そうだ」と喜兵衛は顔をあげた。

「そう思えるか」

「いや違う、ようやく思いだしたんだ」と喜兵衛は首を振って云った、「熊平のことを持ちだしたのはそのことが云いたかったからだ」

　おかやは酒を取りに立っていった。

「あのとしよりはなんにも信じなかった」と喜兵衛は続けた、「おれもいまはなにも信じられない、たとえ繁野老職の口から、おまえを子供のように思っているとは云われても、おれは断じて信じないぞ」

「ひきがえるもか」と云って石沢は笑った、「だだっ子みたようなことを云わないでもう少し辛抱しろ、いやでも辛抱しなくてはならない立場だが、いやいや辛抱するのではなんにもならない、このへんで肚《はら》をきめて、もし不当な小言だと思ったら繁野さんにはっきり云ってみろ、自分の責任でないと思ったらそれもはっきりさせるんだ、不平や不服なことは胸にしまっておかず、じかに繁野さんにぶっつかってみるんだ、そのくらいの度胸がないことはないだろう」

おかやは酒を持って来た。喜兵衛はまだ憤懣《ふんまん》がおさまらないらしく、肴をつつき酒を飲みながら、なおぶつぶつ文句を云い続けたが、石沢はもう相手にならず、半刻《はんとき》ほどすると先に独りで帰っていった。石沢には正之助という六歳の子供がいて、夕餉《ゆうげ》は必ずいっしょに喰《た》べる約束だし、それをやぶると罰をくう、ということであった。

「諄いようだがやってみろ」と石沢は帰るときに云った、「眺めているだけでは笛の音もわからないからな」

喜兵衛は返辞をしなかった。

「辛抱しろか、へ」と石沢が去ったあとで喜兵衛は云った、「江戸にいたころはもっときりっとしていたのに、僅か七年でいやにおさまっちまやあがった、へ、田舎者め」

石沢を送って戻ったおかやが、それを聞きつけて咎《とが》めた。

「そんなことを仰《おっ》しゃるものじゃありません、そんなわる口を云うなんてあなたはいけない方よ」

「おいおい、おまえまでが意見をするのか」

「石沢さまの仰しゃったことは本当なんです」とおかやは彼に酌をしてから云った、「繁野さまはあなたをわが子のように思っているっていうこと、あれは石沢さまの当て推量ではなく、本当のことだと思うんです」

「でたらめなことを云うな」

「聞いてから仰しゃいまし」とおかやは云った、「あたし十三から十七の年まで、繁野さまのお屋敷へ奉公にあがっていたんです」

喜兵衛は口まで持っていった盃を止め、そのままでおかやの顔を見まもった。

「そのころお屋敷には、義十郎といって、繁野さまの一人息子がいました」とおかやは続けた、「あたしより五つ年上で、男ぶりのいい神経質な方でしたが、十六七のころから酒の味を覚え、まもなく悪いなかまができて、女あそびや博奕《ばくち》まで手を出すようになったんです」

「ちょっと待て、繁野には子がいないと聞いたぞ」

「ええ、みなさんそう仰しゃいますわ、繁野さまに遠慮して、そんな方がいたことは口にする人もないでしょう」とおかやが云った、「義十郎さまは小さいときから軀《からだ》がお弱くて、なにか気にいらないことがあるとか、ちょっとでも叱られたりするとすぐにひきつけを起こし、医者だ薬だという騒ぎになったそうです、なにしろ結婚なすってから九年めとかに生れた一人息子で、可愛さも可愛かったでしょうけれど、そういうわけでうっかり叱ることもできない、我儘《わがまま》いっぱいに育ったんですね、道楽が始まったらもう手もつけられない、お屋敷の金や品物を持ち出す、お茶屋に泊って十日も帰らない、博奕場で喧嘩《けんか》をするという始末で、とうとう繁野さまもがまんが切れたのでしょう、いまから八年まえに勘当なすってしまいました」

喜兵衛は酒を啜り、からになった盃をぼんやり眺めていた。

「それだけならまだいいのですが」とおかやはなお続けた、「勘当になってここを立退くとき、博奕場で暴れて三人にけがをさせ、中の一人は片輪になったということです、勘当したあとのことですから、べつにお咎めの沙汰はありませんでしたけれど、繁野さまはたいそう心配なすって、その三人を訪ねて詫《わ》びを云い、お金もたくさんお遣いになったうえ、半年ばかり閉じこもって謹慎をなさいましたわ」

喜兵衛は盃を出し、おかやが酌をすると、黙って飲んでから、ふと顔をあげて訊いた。

「その義十という息子はどうした」

「知りません、それっきり音沙汰なしで八年も経ったんですから、生きていて真人間になったら、とっくに帰っているじぶんでしょう、いまだに帰らないとすると」

「酒がないぜ」と喜兵衛が遮った、「こんどはちょっと熱くして来てくれ」

おかやは立っていった。

「すると、ずいぶん辛いめにあったんだな」と彼は口の中で呟《つぶや》いた、「ただひねくれた意地わるじじい、というだけじゃないかもしれないな、うん、そうじゃないかもしれない」それから少しまをおいて呟いた、「ひとつ眼をあいて見直してやろう」

医者嫌いな人間が悪い風邪にかかり、くしゃみと咳《せき》と熱で苦しみながら、頑として医者を呼ばず薬ものまずにいる。そしてやがてがまんの角《つの》を折って売薬などをのむと、ふしぎに病状の軽快することがある、これは治る時期が来ていたので、薬の代りに糠味噌《ぬかみそ》をのんでも同じことであろう。次永喜兵衛が忍耐しきれなくなって、従兄の石沢金之助に不平をぶちまけたのも、同じように、その状態の転換する時期が来たということ、しかもそれは単独ではなくて、二つのものがかちあうめぐりあわせになった。という結果を伴っていたようであった。

雪ノ井で飲んだ日から十日ほどのち、城中の長廊下で、喜兵衛は石沢金之助に声をかけられた。

「その後どうだ」と石沢が訊いた、「辛抱ができそうか」

「うん」喜兵衛は眩《まぶ》しそうな眼つきをし、ちょっと口ごもった、「まあ、大丈夫だろう」それからぽつりと云った、「あの老人は気の毒な人らしいな」

石沢は訝《いぶか》しそうに眼を細め、喜兵衛は顔をそむけながら、いそぎ足に去った。それは正月下旬のことであったが、二月にはいってまもなく、喜兵衛は石沢家へ夕餉に呼ばれていった。和泉すみとの祝言が近づいたので、その打合せもあり、喜兵衛は珍しく上機嫌に酔った。そのうちにふと、彼は急に首を垂れながら「可哀そうな人だ」と呟いた。

言葉は簡単であるが、心から滲《にじ》み出るような、感情のこもった口ぶりで、石沢は思わず彼に振向いた。そして、彼が誰のことを云っているか、すぐに理解した。

「おい石沢」喜兵衛は顔をあげた、「江戸屋敷に時岡八郎兵衛という足軽がいたのを覚えてるか」

「知らないな」

「けいさん」と喜兵衛は石沢の妻に呼びかけた、「酒をもう少し頼みます」

けいは良人《おっと》の顔を見た。石沢が頷き、けいは立っていった。

「その時岡という足軽だが」と喜兵衛は続けた、「もう六十くらいのとしよりで、妻もいたし伜夫婦もいて、貧乏なもんだからなにかの内職をやっていたっけ」

「おまえは庭番だの足軽だのと、妙な人間ばかり知ってるじゃないか」

「そのとしよりが若いとき」と喜兵衛は構わずに続けた、「貰ってまもない女房が、同輩の足軽と密通している現場をみつけた」

三

八郎兵衛は怒った。まだ若かったし、新婚の妻に裏切られたのだから、五躰《ごたい》が消えてしまうかと思われるほど絶望し、怒った。しかし彼は思案した。たとえここで二人を殺しても、自分の面目が立つわけではなし、死んでしまう二人には一瞬の苦痛しかない。それよりも生かしておいて、じりじりと長い時間をかけ、自分の受けた絶望と苦しみを二人に返してやろう、と決心した。そこで、「現場を見たぞ」という意味を二人に悟らせただけで、なにもせずに放っておいた。——一年経ち、二年経った。二人の関係はその一度だけだったらしく、妻は哀れなほど従順に身を慎んでいたし、相手の男はやがて出奔した。八郎兵衛は妻を赦さなかった。けれども三年めに女の子が生れ、一年おいて男の子が生れた。

「私はいまでも妻をゆるしてはいません、と八郎兵衛はおれに語った」喜兵衛は云った、「娘は嫁にやりましたし、伜にも妻子ができました、貧乏だけはどうにもなりませんが、まあまあ平穏無事にくらしています、――どうしてだ、とおれは訊いてみた、殺そうと思ったほど憎み、いまでもゆるせないというのに、それでなおこんなに長いあいだ夫婦ぐらしができるのか、とね、――すると八郎兵衛は答えたよ、人間とはそういうもののようです、どんなに激しい憎みでも、憎むことだけでは生きてはゆかれない、愛情だけで生きることができないように、一つ感情だけで生きとおすことはできないようです」

石沢がなにか訊き返したように思い、喜兵衛は首を振った。

「いやおれは」と彼は云った、「そのとしよりのことが云いたいんじゃない、繁野さんがいまどんな気持でいるか、六十に手の届く年になって、勘当した放蕩息子のことをどう考えているか、ということが云いたいんだ」

石沢がまた義十郎のことでなにか云った。よく聞きとれないので、面倒くさくなり、「もういい、義十なんか知ったことか」と云い返したが、そう云う自分の声で眼がさめた。

――こまった、酔い潰《つぶ》れたな。

そう思って頭をあげると、枕許に暗くした行燈《あんどん》があり、自分は寝衣《ねまき》になって、ちゃんと夜具の中に寝ていた。慥《たし》かに石沢と話しているつもりだったが、いつか帰って寝たものらしい。話し終ってから帰ったのか、それとも酔ったので話し終らずに帰り、夢の中で話し続けたものか、まだはっきりしない頭ではどちらとも区別がつかなかった。

「そんなに酔ったのかな」彼は腹這《はらば》いになって水を飲もうとした、「だらしのないやつだ」

そして急に口をつぐんだ。

勝手のほうで人声がし、誰かどたばた暴れる音と、「義十郎だ」と喚くのが聞えた。夢の中で石沢が云ったように思ったのは、じつは勝手で喚いたその声だったのだろう。喜兵衛はあらあらしい物音とその喚き声とで、はっきり眼がさめると同時に、なにごとが起こったかを悟り、すぐに立ちあがって着替えをした。

勝手では家僕の仁兵衛が、一人の男と揉《も》みあっていた。脇に置いてある手燭《てしょく》の光で、喜兵衛はまず男のようすを見た。年は三十二三、痩《や》せた貧相な顔に髭《ひげ》が伸び、月代《さかやき》も伸びていた。揉みあっているうちに着崩れたものか、縞目もわからないような古布子《ぬのこ》の前がはだけ、平べったい胸や、晒《さら》し木綿を巻いた腹があらわになっていた。「おれがこの家《や》のあるじだ」と喜兵衛は呼びかけた、「そのほうはなに者だ」

男は家僕を押し放した。

「あるじだって」と男が云った、「嘘つけ、これはおれの家だ、これは繁野家の控え屋敷、おれは繁野義十郎だ」

江戸の深川でこういう男と喧嘩をしたことがあった。三年か四年まえ、新大橋の袂《たもと》のところだったな、と喜兵衛は思った。

「なんの話かわからないが、とにかくあがったらどうだ」と喜兵衛が云った、「仁兵衛とおしてやれ」

「しかし旦那さま」

「心配するな」と喜兵衛は家僕に頷いた、「おれは大丈夫だからとおしてやれ」

そして彼は寝間へ戻り、行燈を持って客間へはいった。男は家の中を知っているようすで、家僕の先になってやって来、床ノ間を背にしてあぐらをかいた。男の軀《からだ》から汗と垢《あか》と、強い酒の匂いとが入り混った、胸の悪くなるような臭さが漂ってき、われ知らず喜兵衛は顔をしかめた。

「おい、酒があるだろう」男は振返って、襖《ふすま》を閉めようとする家僕に云った、「冷《ひや》でいいからあるだけ持って来い、あるだけ持って来るんだぞ」

「持って来てやれ」と喜兵衛が云った、「肴はいるまい、盃も大きいのがいいだろう」

家僕は去った。

「話はわかるらしいな」男は汚ない歯を見せて嘲笑《ちょうしょう》した、「おれさまと同様、江戸では道楽者でとおったそうだから、やぼな人間じゃあねえと思った、おめえのことはすっかり吟味済みだからな、へたに恰好をつけようったってむだなこったぜ」

「用はなんだ」と喜兵衛が訊いた。

「せくなよ、いま酒が来るんだろう」男はぼりぼり頭を掻《か》いた、「もう一つ断わっておくが、おめえおれのめえで大きな面あしちゃあいけねえぜ、おめえはおれの屋敷を取り、おれの許婚者《いいなずけ》まで横取りしたんだ、許婚者のほうはまだこれからだろうが、噂《うわさ》によると祝言の日取まできまってるらしいからな、大きな面あしちゃあいけねえ、さもねえと高いものにつくぜ」

家僕が酒徳利と盆を持って来た。盆の上にはなにかの佃煮《つくだに》と漬物の皿、それに椀の蓋くらいある盃がのせてあり、喜兵衛が頷くのを見てから、家僕は去っていった。

「おめえやらねえのかい」男はすぐに盃を取り、徳利を持ってみながら云った、「おれのような人間と飲むのはいやか」

「今夜は少しやり過ぎたんだ、いいから独りで飲んでくれ」

「大きなことを云うない、五合徳利に七分目もありゃあしねえぜ」男は盃を置き、徳利の口からじかに飲んだ、喉《のど》の骨が上下に動き、喉でごくごくと音がした、「悪かあねえ」と云って男は大きく息を吐いた、「腹の焼けるときにゃあ冷に限るってな、軀の隅ずみまでしみとおるぜ」

憎みや怒りの中だけでは生きられない、と喜兵衛は心の中で思った。時が経つうちには、どんなに深い憎悪《ぞうお》も怒りも、やわらげられ、いやされてゆく、時岡八郎兵衛が現にその事実をみせてくれた。

――繁野さんもそうではないだろうか。

六十歳近くなって養子も取らないのは、いつかわが子が帰って来る、性根《しょうね》が直り、侍らしい人間になって帰るだろう、そう思って待っているのではないか。勘当したときの怒りや憎みはすでにやわらいで、ただわが子の帰るのを待っているのではないだろうか、そう考えて八郎兵衛の話をしたのだが、そうだとすると待ち甲斐《がい》がなかった。これでは帰って来ないほうがよかった、と喜兵衛は思った。

「おれがこんな人間になったのは、おれのせえじゃあねえ、わかるか」と男は饒舌《しゃべ》っていた、「おい、聞いているのかよ」

男はさっきから饒舌っていたのだ。

「聞いている」と喜兵衛は答えた。

「人間はな、氏《うじ》より育ちっていう」男は手の甲で口を横撫《よこな》でにした、「親の育てかたしだいでよくもなれば悪くもなるんだ、そうだろう、おれの親はなっちゃなかった、てめえたちには一粒だねだから、可愛くって大事な子だったろう、まるで飴《あめ》ん棒のように甘く、我儘のし放題に育てた、小言を云うのも腫《は》れ物に触るようなあんべえ式だ、そんなこって子供が満足に育つかってんだ」

男は指で佃煮を摘《つま》み、口へ放り込んで噛《か》みながら、徳利へ口を当てて飲んだ。

「ごらんの如く」と男は片手で胸を押えた、「おらあこんな人間になった、牢屋《ろうや》のめしこそ食わねえが、ぬすっと同様なこともし、女を売りとばしたことも五たびや六たびじゃあねえ、大阪では賭場《とば》のでいりで、人を二人あやめたことさえあるんだ」そして急に声をひそめ、喜兵衛の顔を覗《のぞ》きながら云った、「おめえ、人をあやめるってことを、知ってるか」

「自慢されたのは初めてだ」と喜兵衛が云った、「もう要件を持ち出してもいいだろう」

「金五十両」と男が云った、「あさっての朝までに都合してもらおう」

「どういう理由だ」

「この屋敷と和泉の娘の代銀だ」と男は云った、「おれはこの城下へ半月めえに帰ったが、ここでもまたまちげえをやらかしてふけなきゃあならねえ、町にもいどころがねえから、鶴来の社《やしろ》に隠れてるような始末だ、あさっての朝までに金五十両、それでおめえも厄介ばらいができる、安いもんだぜ」

「草鞋代《わらじだい》として小粒一枚、それ以上は鐚《びた》一文もいやだ」

「小粒一枚、と、一分か」

「草鞋代には多すぎるだろう」

「おいおい」男は片ほうの裾を捲《まく》って、裸になって膝がしらを叩いた、「おめえおれの云ったことを聞いていなかったのか、おれは九寸五分《くすんごぶ》の義十といって、海道筋に人相書の廻っている男だぜ、五十両とは急場だからまけたんだ、取る気になれば百両、二百両でも取ってみせるぜ」

「面白いな」と喜兵衛が云った、「できるなら取ってみろ」

男の顔が屹《きっ》と硬《こわ》ばり、唇が一文字になった。喜兵衛は軀の筋をゆるめ、さあ来い、と相手の眼をみつめた。すると男は歯を出して笑い、裸の膝を叩いて「負けたね」と云った。

四

「いい呼吸だ、負けたよ」男は卑屈に笑って徳利を取り、それを口へ持ってゆきながら云った、「さすがに江戸育ち、本場で鍛えただけのことはあるぜ」

徳利の口から飲むとみえたが、いきなり肱《ひじ》を返して徳利を投げつけ、喜兵衛が躰《たい》を躱《かわ》すところへとびかかった。かなり酔っている筈なのに、その動作は的確ですばやかったし、とびかかるとき右手で匕首《あいくち》が光った。喜兵衛は投げられる徳利は見ずにその匕首を見、自分から仰向けに倒れながら、突込んで来る相手の利き腕をつかみ、足をはねた。男は喜兵衛の上でもんどりを打ち、投げとばされた勢いで障子の際まで辷《すべ》っていった。はね起きる隙はあったのだろうが、あまりきれいにきまったのでぼっとしたらしい。気がつくより先に、喜兵衛が馬乗りになっていた。

「きさまは人間じゃない」喜兵衛は匕首をもぎ取って投げ、片手で男の首を押えながら、片手で顔を殴りつけた、「畜生にも劣ったやつだ」

彼が殴るたびに、男の頭が右へ左へと揺れ、唇が切れて血が出た。

「わかったよ、おめえは強いよ」男はなだめるように云った、「おれの負けだ、みっともねえからもうよそう」

「きさまなどにものを云ってもむだだろうが、よく聞け」喜兵衛は男の喉を押えた手に力を加えながら、云った、「きさまは親が甘く育てたからこんな人間になったと云った、きびしく育てればきびし過ぎたと恨むだろう、臆病者、卑怯者《ひきようもの》はみんなそれだ、自分で悪いことをしておきながら、その責任を人に背負わせようとする、なにより恥知らずな、きたならしい卑劣な根性だ」

男の顔がどす黒くふくれ、眼球がとびだしそうになった。男の軀から力がぬけ、手足がだらっと畳の上で伸びた。喜兵衛は喉の手をゆるめ、もう一つ平手打ちをくれてから、男を放して立ちあがった。

「けがらわしいやつだ」と喜兵衛は云った、「出てゆけ」

男は喉を撫でながら咳をし、仰向きに伸びたまま喜兵衛を見た。

「すると」と男はしゃがれ声で云った、「五十両はだめか」

「出てゆけ」と喜兵衛が云った。

「たった五十両、安いもんだがな」男は咳きいり、喉を撫でながら、ゆっくりと起き直った、「おう痛え、喉ぼとけが潰れるかと思った、おめえおっそろしく強えんだな」

喜兵衛は黙って立っていた。

「こうとは知らなかった、どうやら相手をまちげえたらしい、おめえなら話はわかると思ったんだが、おう」と男は喜兵衛を見て、わざとらしく首をすくめた、「そんなおっかねえ顔をするなよ、足がふるえて立てなくなるじゃねえか、いますぐに出てゆくよ」

男は掛け声をして立ちあがり、大げさによろめいて、また喉を撫でた。

「しようがねえ、もう運の尽きだ」男は溜息《ためいき》をついて云った、「じたばたしても始まらねえからおやじの名を出すとしよう」

喜兵衛はなお黙っていた。

「勘当されても血はつながってる」と男は続けた、「当藩の家老、繁野兵庫の子だ、義十郎だと素姓をあかせば、まさかやつらも手は出せめえ、これからは繁野義十郎を看板に、大手を振って歩いてやるぜ」

「この城下のことはそれで済むかもしれない、だが海道筋に人相書の廻っているという、凶状のほうはどうだ」

「人のこった、心配《しんぺい》しなさんな」男はせせら笑った、「どうせいつかはお仕置《しおき》になる軀だ、この土地でお縄になれば親の名に箔《はく》がつく、和泉の娘にも箔がつく、なにしろ子供じぶんからの許婚者だったからな、おめえも嫁にもれえ甲斐があるぜ」

喜兵衛は躊躇《ちゅうちょ》なく肚をきめた。

「きさまの勝ちだ」と喜兵衛は云った、「兜《かぶと》をぬいだ、金は都合しよう」

「五十両だぜ」

「あさっての朝早く、鶴来八幡へ届けよう、但し、金を受取ったらその足で城下を立退いてもらおう、その約束ができるか」

「口約束でいいのか」男はまた嘲笑した、「それとも証文でも書こうか」

「約束も証文もいらない、立退くか立退かないかだ」

「金を見てからだな」男はまわりを眺めまわし、落ちている匕首を拾った、「じゃあ、あさっての朝、――待ってるぜ」

袂から鞘《さや》を出し、匕首をおさめてふところへ入れると、汚ない歯を出して笑ってみせ、痩せた肩を突きあげながら、勝手のほうへ出ていった。

喜兵衛は立ったまま、裏戸のあいて閉る音を聞き、それから「仁兵衛」と家僕の名を呼んだ。家の中はしんとして、答える声も、物音も聞えなかった。彼は行燈を持って、寝間へはいった。

――明くる朝、喜兵衛は家僕に向って、昨夜のことを口外するなと、固く命じて登城した。石沢に相談しようとも思わなかった。相談することはない、手段はたった一つなのだ。

喜兵衛は胸の中で怒りを育てた。怒りが少しでも軽くなったり、決心した気持がにぶったりすることをおそれ、絶えず義十郎の言葉や態度を、ことこまかに思い返していた。

「石沢の云ったことは本当だ」彼は下城しながら呟いた、「繁野さんは子の育てかたを後悔して、おれには必要以上にきびしくしたんだ、ぶきような人だな、正直すぎてぶきような人だ、育てかたで人間の性分がきまるなら、世の中に悪人なんか出やあしないのに、うん、おれを好いているというのも本当らしい、たぶんおれが、あいつのようになることを恐れたんだろう、いい人だな」

「あんないい父親を持ちながら」とまた彼は呟いた、「ひとでなしめ」と云って唾を吐いた、「きれいに片をつけてやるぞ」

その夜、喜兵衛は差替えの刀を出して、手入れをした。常の差料《さしりょう》は使いたくなかった。犬を斬るよりけがらわしい、済んだらそのまま捨ててしまおう、と思っていた。——家僕に起こす時刻を告げ、彼はいつもより早く寝間へはいり、なにも考えずに熟睡した。

翌朝、家僕が知らせに来るまえ、喜兵衛はもう起きて着替えをし、井戸端へ洗面に出た。東は白んでいるが、あたりはまだ暗く、地面は霜で白く掩《おお》われていた。洗面が済むとすぐに、「ちょっと歩いて来る」と云い、食事をせずに家をでかけた。——鶴ヶ岡までは約二十町ある、町はまだ殆んど眠っていたが、農村から車で野菜を運ぶ農夫たちが、霧の中を近づいて来てはすれちがっていった。空が明るくなるにつれて、霧が濃くなり、鶴ヶ岡の下までいったときには、岡の樹立も見えなかった。

八幡社へゆくには五十段の石段と、その先は稲妻形になった坂道を登らなければならない。その左右は苔《こけ》の付いた崖《がけ》で、僅かながらいつも水が湧《わ》き出ているため、石段は薄く氷に掩われてい、喜兵衛はそこで三度も滑った。

「おい、しっかりしろ」と三度めに彼は舌打ちをした、「だらしがねえぞ」

石段が終って坂道になった。

勾配《こうばい》はゆるやかであるが、赭土《あかつち》のその道は霜柱が立っていて、浮いた土が雪駄《せった》の裏にねばり着くため、歩くのにひどく骨が折れた。初めに左へ登り、次に右へ登る。その二た曲り曲ったところで、喜兵衛はさっと刀へ手をやりながら、立停った。

上からおりて来る者があった。

――義十郎か。

そう思ったのだが、霧の中をおりて来たのは繁野兵庫であった。喜兵衛は口をあき、兵庫がよろめくのを茫然と眺めていた。極めて短い時間だったろうが、兵庫の姿が夢の中で見る人のように感じられたのである。――だがすぐに、喜兵衛はそっちへ駆け登った。霜柱のために滑って膝を突き、立ちあがってまた膝を突き、両手も泥まみれになった。

兵庫は彼の見ている前で倒れ、低い呻《うめ》き声をもらした。二十尺にも足りない距離を、喜兵衛は泥まみれになりながら、殆んど這うようにして登った。

「御家老」と彼は喘《あえ》ぎ喘ぎ、兵庫を覗きこんで呼びかけた、「どうなさいました、御家老」

「済ませて来た」と兵庫が歯と歯のあいだから云った、「おれは自分の手でやりたかった、人の手に掛けたくはなかったのだ」

喜兵衛はぎゅっと顔をしかめた。兵庫の軀から血の匂いがたち、見ると、脇腹を押えている手が赤く染まっていた。

「傷をみましょう」と喜兵衛が云った。

「大丈夫、深手ではない」と兵庫がしっかりした声で云った、「あの臆病者は、霧の中からとびだして来て、いきなり刺した、深くはない、急所も外れている、――ばかなやつが、おれだとわかったら、ふるえだして、人違いだと云った」

「血を止めなければいけません、傷をみせて下さい」

「医者を呼ぶほうが早い、こうしているから、済まないが馬場脇の祐石《ゆうせき》を呼んで来てくれ、いっしょに駕籠《かご》も頼む」

「しかしお一人で大丈夫ですか」

兵庫は微笑してみせた、「次永、――仁兵衛を叱ってはならんぞ、彼はおれの申しつけを守っただけだ、いいか」

やっぱりそうだったのかと思い、喜兵衛は「はい」と答えて立ちあがった。

「あの臆病者が」と兵庫が呟いた、「――ふるえながら、人違いだと云った、……哀れなやつだ」

兵庫のかたくつむった眼尻から、涙のこぼれ落ちるのを、喜兵衛は見た。彼はすぐに顔をそむけて、滑りやすい道をおりていった。


（「オール読物」昭和三十五年三月号）

解説

木村久邇典

この短編集には、昭和十五年の『土佐の国柱』から昭和三十五年の『霜柱』まで、二十年間に書かれた十編の作品が収められている。

山本周五郎は、昭和十五年には約三十編の作品を執筆するという旺盛《おうせい》な筆力ぶりをしめしたが、その多くは大衆娯楽雑誌に発表されたためか、いわゆる〝文壇的な〟評価は得られなかったようである。

しかし、この年の『抜打ち獅子兵衛《ししべえ》』『城中の霜』『三十二刻』『松風の門』『鍬《くわ》とり剣法』『内《く》蔵允《らのすけ》留守』などは、あきらかに作者の長足の進境を物語る作物《さくぶつ》であって、『土佐の国柱』も、それらの作品群に属する一編である。

土佐の太守山内一豊は、その死に臨んで殉死を禁じた。ただひとり追腹《おいばら》を切ることを許されたのは、一豊が木下藤吉郎に仕えて以来、辛苦を共にした寵臣《ちょうしん》の老職高閑《こうが》斧兵衛《おのべえ》である。ただし遺言には〝三年以後〟との期限が付されていた。三年のうちに、土佐の旧主長曾我部氏の遺徳をいまだに慕う領民を、山内側に統一せよとの意がこめられていることを知った斧兵衛は、手を尽して領民の慰撫《いぶ》につとめたけれども効果はあがらず、藩内にも斧兵衛の手ぬるさを難ずる声が高くなった。斧兵衛は反山内派の豪族や関ヶ原の残党を糾合し、彼らと共に叛旗《はんき》を翻そうと山砦《さんさい》にたてこもった。だが斧兵衛らの密計は発動寸前に発露し、一味は滅ぼされ、斧兵衛も討手の池藤小弥太の手にかかり、難なく討ち取られてしまう。しかも池藤は斧兵衛の隣家の住人であり、彼の娘を妻にと望んでいた硬骨の青年であった。

　反山内家の一味を集めて謀叛《むほん》を図ったのは、斧兵衛の苦肉の策だったのだ。先君と黙契をかわした「三年後」という期日は日一日と近づいてくる。最後の手段として斧兵衛が思案したのは、反乱者と共に自らの身を空《むな》しくすることだった。――あえて汚名にまみれてもさむらいの節をとおす。このテーマは、のちの代表作『樅《もみ》ノ木は残った』の原田甲斐《かい》の生き方にもそのまま直結している。

『晩秋』も、おなじジャンルに属する作品である。進藤主計《かずえ》は岡崎藩でも敏腕を謳《うた》われた切れ者だったが、主君忠善の死去後、お家改革派のために国許《くにもと》に預けられ、裁きをうけることになった。都留《つる》は主計の身の回りの世話を申しつかって、主計の幽居にあがった。彼女の父新兵衛は、主計の重税政策に反抗して切腹を命じられていたから、主計は親の仇《かたき》である。彼女は母の遺愛の懐剣を胸に、好機あらば、と主計の身辺を窺《うかが》う。だが、都留のみた主計の実の姿は意外なものであった。幽居以来、主計は時を惜しんで書類の整理と書き物に余念がなかった。一藩の財政を短時日に豊かにするためには、政策実行の順序の問題もあれば、それに伴うひずみの発生も避けられない。主計はそれを敢えてし、自らの秕政《ひせい》をただすための資料整理をしているのであった。都留の激しい復讐《ふくしゅう》心はみるみる萎《な》えていった……。高度経済成長時代から、膠着《こうちゃく》した景気低迷期におちこんだ現在の日本の社会情勢を思わせる時代背景である。かかる事態に、為政者はどのように対処すべきかを暗示しているようにも読める。山本作品の時代を超えた普遍性を物語っているとはいえないだろうか。

『金五十両』は終戦直後、世情混乱のさなかに書かれた短編である。孤児の宗吉は、伯父に引き取られて十一の年に太物《ふともの》問屋に奉公に出された。宗吉は伯父夫婦から絞られるだけ絞り取られ、先輩の手代清吉にはだまされ、行く末を約束した太物問屋の娘も清吉に奪われて、裸同様店を追い出される……というツイていない過去の持ち主だ。当然、宗吉は深い人間不信にとらえられている。彼はどうにでもなれと、踏み倒すつもりで浜松の町はずれの「柏屋」に投宿した。そんな宗吉を自棄の淵から救ったのは、女中がしらお滝の、宗吉に対する同情と愛と信頼によるものであった。

〈「さんざんいい事をしてな、まったくだ、図星だよ」

片手を後ろへ突き身を反らせて、まるでひきつるような、かさかさに乾いた笑いだった。その笑い声がなにかの古い傷にでもしみたように、お滝は眉をしかめながらいやいやをした。〉

しっとりと描かれた〝市井《しせい》もの〟である。宗吉が行きずりの武士に託された五十両を、お滝の忠告どおりに先方に届け、そっくり謝礼として得たとき、その五十両は、単なる金銭ではなく、人間同志の〝信頼〟が実存することを上乗《うわの》せして宗吉に返ってきたのである。

『落ち梅記』も『土佐の国柱』や『晩秋』と同じく、己れを空しくしてさむらいの節をとおす厳しく美しい物語である。しかも主人公の金之助は、今は堕落している親友半三郎に、愛する由利江がとつぐことも祝って前途の仕合せを願った。そしてさまざまなめぐりあわせから、自分が裁かれる立場にたたねばならなくなったとき、金之助は、この事件を裁ける者は半三郎以外にはない、と主君に推輓《すいばん》するのだ。人間のまことの信頼と友情のすがたを、あざやかに浮びあがらせて深い感動をよばずには措《お》かない。

吉岡成夫は、大要つぎのように山本作品を評している。「たとえば、最愛の妻を友人に奪われた主人公が、その友人と妻とをどこまで許せるか」というテーマを山本周五郎は追究する。「それはもう、人間の善意のギリギリのところでもある。そして山本作品はこのギリギリのところで主人公が、勇気と善意をもって、自分を裏切った人々を逆に激励し、立派に更生させるというものである。私はこれらのテーマの作品を読んで、正直言ってあまりのきれいごとに最初は抵抗を感じた。人間がそんなに神や仏のような崇高な心になれるものではないと。だが、山本作品を次次と読んでいるうちに、ふと自分の高慢さに気づいた。著者にしたって、そんな人間が、この世にそうざらにいるものではないことは百も承知の上ではあるが、許せるはずのない人間だからこそ、一歩でも二歩でも許せるような人間に近づこうと努力してみようと読者に呼びかけているのである」(昭和五十三年十一月十日、西日本新聞)。この評言は『落ち梅記』の場合にも、(妻を愛人と置き換えただけで) そのままあてはまる。山本作品の感動性を、現世にはありうべくもない〃絵空事〃ときめつけるひとびとへの、こよないアドバイスであろう。

『寒橋《さむさばし》』もたくみな〃市井もの〃である。新妻お孝《こう》の人妻としての変化には、まぶしいほどのリアリティーがある。夫や父に対するお孝の位置や彼らへの愛情、また父伊兵衛の、病身だった亡妻によせる心温まる思慕の情も生き生きと描かれている。下女おたみの身ごもった子の親が、父の伊兵衛だったのはお孝には意外であったが、実は、夫時三のあやまちを伊兵衛がわが身に負ってあの世へ逝《い》ったのである。伊兵衛は娘婿の過誤を宥《ゆる》すことで、娘夫婦の幸福を願ったのだ。山本作品（とくに短編小説）には「実は」の精神が溢《あふ》れている。山本周五郎が短編の名手と謳われる基本的な小説骨法の鍵《かぎ》が、ここにもひそんでいるように思われる。

『わたくしです物語』は痛快な〝こっけい小説〟である。藩中での失敗事は大小を問わずみんな〝わたくし〟のせいにしてしまう忠平《ただひら》考之助。どんなまちがいが出来《しゅったい》しても、咎《とが》は全部、考之助が負うので、大事に至らず平穏におさまってしまう。講談調と落語調をないまぜた文体が効果的だ。この種の物語に成功するためには、登場人物の〝類型〟が、くっきり描かれることが吃緊《きっきん》の要事だが、この作品には、それこそ〝絵に描いたような〟人物たちがそれぞれ、見栄《みえ》よろしく立ちあらわれる。「与瀬《よせ》弥市＝よせ、やい」「左右田《そうだ》宗太《そうた》＝そうだ、そうだ」「島津太市＝しまったィ！」「和田《わだ》櫛束《くしつか》太郎《たろう》＝私、使ったろう」「沢駒太郎＝さあ困ったろう」「椎間《しいま》千造＝知りませんゾウ」「安倍《あべ》幸兵衛＝あべこべ」「加梨左《かなしさ》馬太《また》＝悲しさ、又」「角下勝太《かくしたかった》＝隠したかった」といった人名の創造に、作者は楽しさを満喫したことであろう。国老《こくろう》知次《ともつぐ》茂平や、伊久、ばあやの桃代、椎間松代らの動きはとりわけ抱腹させる。この作品を執筆したのは昭和二十七年、作者は四十九歳であり、〝後半期の道をひらいてくれた〟と自負する『よじょう』を発表した直後のことであった。

『修業綺《き》譚《だん》』は〝こっけい〟物に属する作品だが、風刺性が濃い点で、『似而非《えせ》物語』『よじょう』

『日日平安』『ひとごろし』などと共有の〃貌《かお》〃をもっている。家中で屈指の武芸の達人、河津小弥太をさらに鍛え直したのは名人一無斎先生である。先生は朝から晩まで小弥太をコキ使ったうえ、深い淵にとびこませて気を失わせたり、一丈もある陥穽《おとしあな》に落したり、劇薬をのませ七転八倒させたり、さんざんな目に会わせる。ひどく体力消耗した情けない状態で山を下った小弥太は、修業によって初めて忍耐することを覚え、人間の〃優しさ〃を取り戻し、許婚《いいなずけ》の伊勢と結婚した。だが、小弥太を修業させたのは、伊勢の一策によるものであった。しかも一無斎先生は、伊勢の実家出入りの炭焼き爺の「山の六助」という田夫《でんぶ》であった、というオチがつく。

〃武術〃という権威に対する作者の嘲笑《ちょうしょう》が聞える小説である。一無斎先生の六助が、ところどころに発する田舎言葉に掬《きく》すべき愛嬌《あいきょう》があり、この作品の風刺性をいちだんと効果あるものにしている。

『法師川八景』は、作者が戦前に探訪した法師川流域を背景に、真率な人生を描き込もうとした意欲作だ。井伏鱒二《ますじ》に『川』という優れた小説がある。上流、中流、下流、激流、奔流、緩流をみごとに描写して「川」に「人生」を重ね合せた秀作である。山本周五郎は早くからこの作品に傾倒していた。『法師川八景』も井伏作品に触発されてのものであった。つぢは久野豊四郎と契って子を宿す。豊四郎は「親に打ちあける」とつぢに約束した二日後、馬に蹴《け》られ急死する。つぢは久野家を訪れ、豊四郎の父母に懐胎していることを告げたけれども、久野家では豊四郎が放《ほう》蕩《とう》ものだったことを理由に認めようとしない。つぢは自分たちの愛は真実のものであり、豊四郎が臆病者でも馬鹿者でもないこと、私は子供を無事に産み、丈夫ないいお子に育てる、と宣言して久野家を辞した。久野は一門に列する重職で、おそらくつぎが金せびりに来たものとでも誤解したようである。だが、それ以後のつぎの生き方は毅然《きぜん》たるものだった。男子が生れ、順調に育てつつあった某日、久野夫妻が突然つぎ母子を正式に引き取りに訪れる——。つぎの生き方は、当時の社会通念からはとびはなれて勇気を要することだったに違いない。つぎのかつての許婚者《いいなずけ》佐藤又兵衛の、つぎに寄せる思い遣《や》りもまた、さわやかである。

『町奉行日記』はキュートな作品である。壕外《ほりそと》とよばれる一画は、密貿易、売春、賭《か》け事勝手の治外法権の地域で、三人の親分が権益を握り、藩の重職とも長年結託してきた。新しい藩主は壕外を開放して汚濁の病巣を取りのぞこうと、町奉行を異動するけれども、重職らの結束は固く、しばしば奉行を更迭しなければならない有りさまだ。——そして新奉行として登場する切り札の望月小平太は、武芸の達人ではあるが、実は江戸表では名うての蕩児であった。彼は赴任まえに国許に悪評をながしておき、壕外の実情を精査したのち、登城した席で、「同人の望むところは余の望むところ」という藩公の御墨付を示して、まず重職の策謀を封じた。ついで反対派の健士組の首領を手なずけ、壕外に潜入してやくざや派手な女たちと仲よしになり、三親分ときょうだい分の盃《さかずき》を交わし、壕外から移転することを承知させてしまう。すべては、軟派政策による勝利である。あざやかに一件落着させて小平太は江戸へ去る。奉行所書役《かきやく》の記録は、「着任から解任まで」望月どのは一度も出仕せず、「着任以来の不行跡を咎められたものらしい」「奉行所日記として唯一の記録」であろう、と結ぶ。書役の文章が生真面目なだけに、ユーモラスな味も濃縮されるというわけである。伸びやかな筆に、遊蕩児望月小平太の面目が躍動して、ゆたかな娯楽性が読者を愉快な別天地へ連れだしてくれる。

『霜柱』はシリアスな〝武家もの〟である。温好な老職繁野兵庫は、国許へ赴任してきた喜兵衛につらく当り散らし、かれを不愉快にさせる。喜兵衛のために、とくに控え屋敷を空けてくれた繁野老職だけに厳しい態度で接するのはふしぎだった。友人金之助の忠言もあり、仔細《しさい》に老職を観察しているうちに、真実みのある人柄や老人の悩みなどが、喜兵衛にも分ってきた。老職の苦悩のタネは不良息子の義十郎のいまだにおさまらぬ素行にあった。義十郎が喜兵衛に金を強要しに現われ、喜兵衛が望みに応じて鶴来《つるき》八幡《はちまん》へゆくと答えたのは、彼が義十郎を斬ろうと決心したからだった。「繁野さんは子の育てかたを後悔して、おれには必要以上にきびしくしたんだ」と今にして思い当るのである。約束の朝、喜兵衛が八幡社の坂下へゆくと、赭土《あかつち》の道の霜柱をおりてきたのは、義十郎を斬り捨てて戻ってくる兵庫だった。「あの臆病者が」「……哀れなやつだ」と兵庫は呟《つぶや》き、かたくつむった眼尻から涙の落ちるのを喜兵衛はみる。

世に〝不肖の子〟を持って悩む親は多い。一人の不良息子のために暗澹《あんたん》の日を送る家も少なくないはずである。山本周五郎は厳粛な筆で、この〝不幸〟と対面し、妥協することなく人生の一断面を截《き》り取ってみせたのである。

（昭和五十四年一月）

「土佐の国柱」「修業綺譚」は実業之日本社刊『山本周五郎武道小説集』（昭和四十八年一月）、「晩秋」「落ち梅記」は新潮社刊『山本周五郎小説全集第二十四巻』（昭和四十四年六月）、「金五十両」は同全集第三十四巻（昭和四十五年五月）、「寒橋」は同全集第二十五巻（昭和四十四年五月）、「わたくしです物語」は同全集第三十五巻（昭和四十五年三月）、「法師川八景」は同全集第三十巻（昭和四十四年十月）、「町奉行日記」は同全集第三十一巻（昭和四十三年六月）、「霜柱」は同全集第三十二巻（昭和四十三年五月）にそれぞれ収められた。

文字づかいについて

新潮文庫の日本文学の文字表記については、原文を尊重するという見地に立ち、次のように方針を定めた。

一、口語文の作品は、旧仮名づかいで書かれているものは新仮名づかいに改める。
二、文語文の作品は旧仮名づかいのままとする。
三、常用漢字表、人名用漢字別表に掲げられている漢字は、原則として新字体を使用する。
四、年少の読者をも考慮し、難読と思われる漢字や固有名詞・専門語等にはなるべく振仮名をつける。

町《まち》奉《ぶ》行《ぎよう》日《につ》記《き》

新潮文庫　や-2-29

昭和五十四年三月二十六日　発行
平成十二年三月五日　五十四刷

著者　山《やま》本《もと》周《しゆう》五《ご》郎《ろう》
発行者　佐藤隆信
発行所　株式会社　新潮社

郵便番号　一六二—八七一一
東京都新宿区矢来町七一
電話　編集部(〇三)三二六六—五四四〇
　　　読者係(〇三)三二六六—五一一一
振替　〇〇一四〇—五—八〇八

価格はカバーに表示してあります。

乱丁・落丁本は、ご面倒ですが小社読者係宛ご送付ください。送料小社負担にてお取替えいたします。

印刷・二光印刷株式会社　製本・憲専堂製本株式会社

ISBN4-10-113430-8 C0193